L'URBANISATION: UNE AFFAIRE

**L'appropriation du sol
et l'État local
dans l'Outaouais québécois**

Fabriqué au Canada

Faculté des Sciences sociales/Faculty of Social Sciences
550, rue Cumberland
Ottawa, Canada
K1N 6N5

Travaux de Recherches en Sciences sociales
Research Monographs in Social Sciences

Les photos sont la gracieuseté de la Société d'aménagement de l'Outaouais.

Les opinions n'engagent que les auteurs.

TRAVAUX DE RECHERCHE
EN SCIENCES SOCIALES
N° 7

RESEARCH MONOGRAPHS
IN THE SOCIAL SCIENCES
No. 7

L'URBANISATION : UNE AFFAIRE

L'appropriation du sol et l'État local dans l'Outaouais québécois

CAROLINE ANDREW
SERGE BORDELEAU
ALAIN GUIMONT

Éditions de l'Université d'Ottawa
Ottawa, Canada
1981

Nous voudrions remercier tous ceux qui nous ont aidés dans ce projet de recherche, et particulièrement la Communauté régionale de l'Outaouais qui nous a ouvert toutes grandes ses portes.

Nous voudrions également souligner l'excellent travail de dactylographie effectué. À cet égard, nous aimerions remercier Mesdames Aline Furness et Ginette Rozon pour la version finale de ce document et Madame Evelyne Lemieux pour les différents manuscrits préalables. Nous remercions également Madame Lynn Warner pour le travail de cartographie.

Cette recherche a été rendue possible grâce à une subvention du Conseil des recherches en sciences humaines du Canada.

Cet ouvrage a été publié grâce à une subvention de la Fédération canadienne des sciences sociales, dont les fonds proviennent du Conseil de recherches en sciences humaines du Canada.

TABLE DES MATIÈRES

Introduction

Parler d'urbanisation aujourd'hui est devenu un lieu commun. On s'y réfère si souvent et de façon si générale, que le terme n'a plus de sens précis. Il est tout à la fois un processus abstrait, un mouvement irréversible, l'essence même de la modernité.

L'urbanisation n'a rien de mécaniste ou d'abstrait. Elle est le résultat d'actions concrètes posées par des individus, des groupes et des organisations agissant pour défendre leurs intérêts. L'objectif que nous nous sommes fixé en entreprenant cette étude est justement de resituer l'urbanisation dans sa dynamique sociale et politique; c'est-à-dire le jeu des luttes et des alliances qui se nouent autour du processus d'urbanisation d'une région. Le cas que nous avons choisi d'étudier est celui de l'Outaouais québécois, plus particulièrement le secteur urbain du territoire de la Communauté régionale de l'Outaouais (C.R.O.).

Puisque nous nous intéressons, non pas à l'élaboration d'une théorie générale de la ville, mais plutôt à une étude concrète de sa structuration, nous avons choisi dans l'introduction de nous limiter à décrire la perspective théorique dans laquelle nous avons abordé l'étude du processus d'urbanisation de l'Outaouais québécois.

Pour l'essentiel nous nous sommes inspirés des études entreprises par des marxistes français sur le phénomène urbain[1]. Nous avons donc utilisé les concepts de classes sociales, de l'État, des luttes et des alliances entre les classes et fractions de classes. Comme eux, nous avons abordé la question du processus d'urbanisation et du rôle de l'État dans ce processus, en privilégiant l'étude des classes sociales. Cependant, compte tenu de la spécificité de la structure du pouvoir politique au Québec (peut-être devrait-on parler de l'Amérique du Nord), nous avons accordé une attention particulière au rôle de l'État local dans le processus d'urbanisation.

Une des difficultés que nous impose ce cadre théorique est celle du regroupement des intérêts d'individus facilement identifiables en fractions de classes, puis en classes sociales. Notre but premier n'est pas d'identifier les principaux propriétaires fonciers de la région. Une telle étude étant cependant nécessaire, nous nous y sommes astreints,

---

[1] Nous pensons particulièrement à Manuel CASTELLS (*La question urbaine, Monopolville, Crise du logement et mouvement sociaux urbains,* etc.), à Henri LEFEBVRE (*Droit à la ville, la révolution urbaine, La production de l'espace,* etc.) ainsi que l'ensemble des études publiées dans la série *La recherche urbaine* de Mouton.

allant même jusqu'à étudier le processus d'appropriation lui-même. Cette étude aurait un intérêt purement anecdotique si nous en restions au niveau du propriétaire foncier individuel. Ce que nous cherchons a établir avant tout, c'est le comportement de l'ensemble des propriétaires fonciers et des constructeurs, de même que des autres fractions de la petite bourgeoisie locale dans le processus d'urbanisation. Pour ce faire, nous avons utilisé divers moyens afin de procéder à des regroupements.

Notre intérêt pour l'analyse du rôle de l'État local dans le processus d'urbanisation, s'inspire à la fois des observations que nous avons faites de la réalité outaouaise, de même que de tout le courant intellectuel récent autour de l'analyse de l'État à l'intérieur de la problématique marxiste[2]. Théorie et réalité se renforçant mutuellement, nous cherchons à saisir l'impact des décisions publiques et à évaluer leur sens en fonction des intérêts et de l'organisation des classes sociales. Nous avons privilégié l'étude du palier local de l'État pour deux raisons. Tout d'abord les études marxistes faites en France ne se sont pas ou très peu attardées à analyser le rôle de l'État local dans le processus d'urbanisation, en raison de la structure très centralisée du pouvoir dans ce pays. Cette cause, jumelée au rôle important que joue ici l'État local dans l'aménagement du territoire, nous a incités à explorer ce champ d'étude.

Pour atteindre nos objectifs, nous avons travaillé trois avenues: l'étude de la structure et du processus d'appropriation du sol et de la production du cadre bâti, l'analyse des interventions de l'État ou des politiques publiques et, finalement, l'étude des luttes urbaines menées par les organismes populaires.

Deux préoccupations théoriques ont orienté nos options méthodologiques: la définition de l'urbain en termes de consommation collective à laquelle nous avons intégré la dimension spatiale. En insistant sur l'importance de la consommation collective comme centre de la politique urbaine nous nous sommes inspirés des travaux de Manuel Castells qui, dans ses écrits, cherche de plus en plus à lier l'urbain et la politique urbaine aux processus de consommation collective et de reproduction de la force de travail. En fonction de cette vision, nous avons choisi de concentrer nos efforts sur la question du logement, comme élément essentiel dans la reproduction de la force du travail. Ce choix rencontre également l'autre préoccupation, soit la dimension spatiale. Non seulement le logement est-il nécessai-

---

[2] Cette préoccupation est trop généralisée pour être brièvement décrite. Mentionnons, entre autres, *De l'État* (Henri LEFEBVRE), *Crise de l'État* (Nicos POULANTZAS, éd.), *The Fiscal Crisis of the State* (James O'CONNOR) ainsi que, plus près de nous, les études de Nicole Laurin-Frenette, Leo Panitch, Pierre Fournier, etc.

re pour permettre à la force de travail de se reproduire, mais il est également un élément fondamental dans la structuration de l'espace.

> Du point de vue spatial, le logement peut être considéré comme l'unité centrale de consommation dans le processus de reproduction de la force de travail[3].

> Une ville est avant tout définie par la résidence. C'est à partir de la localisation des habitants que l'ensemble de l'unité urbaine structure concrètement les rapports sociaux qui en découlent[4].

Cette recherche nous permet de voir le logement comme une marchandise et d'en étudier les processus de production et de vente. Notre étude nous impose une démarche préalable ; l'analyse du processus par lequel le sol est acquis pour les fins urbaines.

Dans l'étude de l'appropriation du sol et de la production du cadre bâti, nous avons voulu repérer les agents qui ont joué les rôles les plus significatifs de façon à pouvoir dégager les interrelations entre agents ainsi que les relations entre ces agents et les appareils politiques. Conformément à nos objectifs de départ, nous avons interprété ces interrelations en fonction des classes sociales.

Les mécanismes sous-jacents à la production du cadre bâti et à la reproduction élargie de la force du travail ont entraîné des interventions multiples de l'État. Les interventions de l'État structurent et organisent l'espace en général, ainsi que les espaces de reproduction de la force de travail. Ces interventions, qui n'ont cessé de se multiplier depuis la deuxième guerre mondiale, sont au cœur même du processus de transformation de l'espace dans l'Outaouais québécois. C'est pourquoi nous avons accordé une attention particulière à l'intervention de l'État. Nous avons voulu étudier cette intervention de façon systématique ; ce qui explique notre deuxième champ d'analyse, les politiques publiques. Nous avons examiné les activités des appareils politiques locaux, en particulier celles qui sont liées à la transformation de l'utilisation du sol. Nous avons cherché à situer les différentes interventions étatiques dans leurs contextes spécifiques de façon à saisir le sens politique et social de ces interventions.

Le rôle de l'État doit être perçu dans toute sa spécificité afin de nous permettre de comprendre les différentes périodes de développement socio-économique. Résultat d'un processus politique, cette intervention représente les efforts des agents de différentes classes sociales pour se servir des pouvoirs de l'État. Cette intervention manifeste, pour chaque période donnée, les intérêts de l'alliance des

---

[3] Claude Pottier, *La logique du financement public de l'urbanisation*, Paris, Mouton, 1975, p. 55.
[4] Manuel Castells et Francis Godard, *Monopolville*, Paris, Mouton, 1974, p. 195.

classes et fractions de classe. Cette représentation ne se fait pas abstraitement ou automatiquement.

Nous avons complété notre étude par une analyse des luttes urbaines menées dans la région. Cette approche nous semblait importante pour ne pas exclure les classes populaires. Parler de l'État, de l'appropriation du sol et de la construction de logements peut donner l'impression de l'absence complète des classes populaires de la scène politique régionale. Pour combler cette lacune nous avons étudié les luttes politiques qui ont surgi autour des enjeux de l'aménagement spatial de la région. Cela correspond également à une volonté d'insister sur les aspects politiques de l'urbanisation et de voir les alliances et les luttes entre classes en tant que processus politiques [5].

Dans cette étude des luttes politiques, nous avons privilégié deux dimensions: l'analyse des contradictions sociales-urbaines suscitées par la transformation urbaine de la région et l'aspect organisationnel qui se dégage de l'étude des groupes organisés autour des enjeux urbains dans l'Outaouais québécois. Ce n'est pas tant le fonctionnement interne de ces groupes qui nous intéresse mais plutôt l'impact de leur activité sur la scène politique régionale et sur les processus d'appropriation du sol et de production du cadre bâti. Pour comprendre cet impact nous avons tenté de voir comment les groupes se sont organisés, quels ont été leurs buts, leurs stratégies et leurs visions de l'aménagement spatial, et donc social, de la région.

Ces questions nous permettent de situer partiellement les groupes populaires par rapport aux intérêts de classe qu'ils défendent. Nous aurions souhaité approfondir cet aspect en incluant une analyse de leur composition en termes de classes sociales, mais nous n'avions pas les ressources nécessaires. Bien que notre analyse n'échappe pas aux dangers soulignés par Castells, d'être « superficielle et anecdotique [6] » nous considérons qu'elle nous permet néanmoins de signaler la présence des classes populaires dans le processus d'urbanisation de l'Outaouais québécois.

---

[5] Nous rejoignons ici Manuel CASTELLS qui explique, dans *Crise du logement et mouvements sociaux urbains*, « L'aspect superficiel et anecdotique de la littérature existant sur les mouvements urbains et les difficultés réelles à dépasser ce niveau d'analyse... ont contribué à détourner de l'analyse des luttes urbaines la recherche... qui s'est portée vers les eaux plus sûres des mécanismes économiques à la base de la production de l'urbain... Mais il faut souligner avec autant de force que nous ne pouvons pas en rester là et que, si l'on néglige l'analyse concrète des pratiques de classe en particulier des luttes urbaines et de l'impact des contradictions urbaines sur le processus politique, on rate l'essentiel, du point de vue de la compréhension du changement social » (p. 11).

[6] Voir la note 5. *Crise du logement et mouvements sociaux urbains*, Paris, Mouton, p. 11.

Nous devrons maintenant clarifier l'utilisation de certains concepts, particulièrement ceux liés aux classes sociales et à l'État. Dans l'Outaouais québécois, les luttes politiques, et les alliances, se font principalement entre des représentants de la petite bourgeoisie locale et le capital national. Dans la mesure où notre étude se centre sur le rôle politique de la petite bourgeoisie locale, c'est cette définition qui doit nous intéresser d'abord.

Pour justifier notre utilisation du terme « petite bourgeoisie locale », nous devons recourir à plusieurs éléments : la place dans le processus de production, les intérêts économiques pris dans leur sens le plus général, la taille de l'activité économique, la spécificité locale et, finalement, la conscience collective. C'est la conjonction de ces éléments, plutôt qu'un seul, qui nous a incités à associer les agents actifs dans l'urbanisation de l'Outaouais québécois (constructeurs, 'developers', avocats, commerçants, rentiers) à une petite bourgeoisie locale.

La première dimension à considérer est la place occupée par ces agents dans le processus de production. Une petite bourgeoisie se définit par le fait qu'elle n'exploite pas le travail salarié ou, plutôt, que cette exploitation n'est pas l'élément primordial dans la définition de sa place économique.

> La petite-bourgeoisie n'est pas une bourgeoisie plus petite que les autres, elle n'est pas bourgeoisie tout court car elle n'exploite pas, tout au moins pas principalement, du travail salarié[7].

Bien que cette définition nous semble correspondre à la réalité d'un certain nombre des agents étudiés, il est évident que d'autres exploitent la force de travail. Il y a des avocats, des 'developers' et même des constructeurs qui vivent principalement de la rente foncière, de la spéculation, mais dans le cas d'autres constructeurs l'exploitation de la force de travail des ouvriers de la construction est un élément fondamental de leur position économique. Même si cette définition ne convient pas à tous nos agents, nous trouvons que le concept de la petite bourgeoisie est d'abord utile pour signaler que l'élément essentiel du rôle économique de beaucoup des agents étudiés est qu'ils ne vendent ni n'achètent la force de travail.

Tous ceux que nous avons identifiés comme faisant partie de la petite bourgeoisie locale ont des intérêts économiques communs. C'est également en fonction de ces intérêts que nous les avons définis comme fraction de classe spécifique. En ce sens nous pouvons définir la petite bourgeoisie locale comme étant formée de ceux qui ont des intérêts économiques dans la vente, la revente, la promo-

---

[7] Nicos POULANTZAS, *Les classes sociales dans le capitalisme aujourd'hui*, Paris, Éditions du Seuil, 1974, p. 154.

tion ou l'organisation des éléments liés à la production du cadre bâti. Il est évident que cette dimension est plus générale que la première, et possiblement plus vague, mais elle nous semble importante dans la mesure où elle souligne les intérêts partagés par les membres de cette petite bourgeoisie locale.

Il y a un troisième élément qui, bien que très descriptif, a également joué un rôle dans notre définition et c'est la question de l'envergure relativement limitée de l'activité économique des agents étudiés. La plupart des constructeurs travaillent à une échelle limitée, presque artisanale. Cette dimension de leur activité économique nous paraît révélatrice.

Nous avons aussi insisté sur le terme « local » dans notre définition de la petite bourgeoisie. Cette question de localisation ou de spatialisation touche les conditions de sa reproduction en tant que classe sociale. Le capital initial de cette classe vient, en grande partie, de la région et les profits générés par les processus d'appropriation du sol et de construction du logement reviennent à la région. De plus, le pouvoir politique de cette classe dépend de ses contacts au niveau local. Ces connaissances locales sont une de ses ressources principales. Cet enracinement lui permet de se maintenir.

Un autre élément qui est important dans notre définition de la petite bourgeoisie locale est sa conscience collective, sa conscience de classe. Tout en définissant les classes principalement en fonction de leur place économique, nous n'avons pas voulu exclure l'aspect politique et idéologique. L'organisation politique des classes sociales doit être considérée en fonction de sa capacité à défendre leurs intérêts. La petite bourgeoisie locale de l'Outaouais a également une forme politique; elle agit pour promouvoir ses intérêts et elle a, du moins partiellement, une conscience d'appartenance de classe.

Deux autres termes liés au concept des classes sociales et fréquemment mentionnés; le capital national et les classes populaires, ont surtout été définis par rapport à la bourgeoisie locale. Le capital national se différencie par l'échelle des conditions de sa reproduction; cette reproduction n'est pas liée à la région dans le même sens que pour la petite bourgeoisie locale[8]. Par capital national, nous entendons principalement les grandes compagnies immobilières.

Notre utilisation du terme « classes populaires » est également très spécifique à l'urbanisation de l'Outaouais québécois. Nous en-

---

[8] « Par contre, la bourgeoisie monopoliste, si elle n'échappe pas à ces conditions locales, est déterminée dans ses pratiques par des conditions qui s'exercent à une toute autre échelle » (François ASCHER, « 'Objects locaux' et processus d'urbanisation capitalistes », dans Lucien SFEZ (éd.), *L'objet local*, Paris, Union générale d'éditions, 1975, p. 90.

tendons par classes populaires l'ensemble des classes et fractions de classe qui n'ont pas eu de rôle définisseur dans les processus d'appropriation du sol et de construction du cadre bâti. Ce terme suggère une homogénéité d'intérêts entre classes différentes qui ne se retrouve pas sur tous les plans mais qui se vérifie au plan de l'aménagement spatial et des enjeux urbains en général. D'ailleurs nous rejoignons ici les auteurs qui expliquent la portée des questions urbaines en termes de leur capacité de réunir différentes classes autour de revendications identiques.

> Les problèmes urbains jouent alors un rôle privilégié dans la construction de l'alliance de classes sur des bases revendicatives (et non seulement politiques) du fait de leur pluriclassisme et de leur caractère de contradiction secondaire, mais directement aux prises avec l'appareil d'État[9].

Les classes ou couches populaires comprennent évidemment la classe ouvrière mais également des parties importantes de la nouvelle petite bourgeoisie technocratique. Toutes subissent les contradictions issues de l'urbanisation, toutes ont été exclus d'un rôle de définisseur dans ces processus.

En ce qui touche la définition de l'État, nous avons considéré le palier local de l'État comme ayant les caractéristiques d'un État central et non seulement comme un relai de cet État central. Plus précisément, nous considérons que cette question devrait être étudiée et non pas exclue dès le départ. Ce choix vient de notre perception de la réalité de l'Outaouais québécois, aiguisé par la lecture de certains auteurs, notamment Renaud Dulong[10]. L'approche de Dulong est intéressante en ce qu'elle nous rappelle l'importance des relations entre sociétés locales et appareils politiques locaux en même temps que les rapports entre les différents paliers de l'État. Ces rapports au niveau local s'inscrivent à l'intérieur de la société globale, donc à l'intérieur de l'hégémonie globale exercée par les classes dominantes au niveau national et international, mais tout en conservant une certaine marge de manœuvre, une certaine autonomie. Dulong parle des « féodalités ». Cette idée indique bien l'intérêt d'analyser l'insertion des régions ou des sociétés locales dans la société globale ainsi que la dynamique interne de ces régions. C'est cette possibilité que nous avons voulu souligner en parlant de l'État local.

Une analyse adéquate du rôle des appareils politiques locaux tiendrait donc compte de deux dimensions : les rapports entre société locale et institutions politiques locales et les rapports entre les différents paliers de l'État. Dans la présente étude nous avons privilégié le premier volet ; notre attention s'est portée particulièrement sur

---

[9] CASTELLS, *Crise du logement, op. cit.*, p. 27.
[10] « La crise du rapport État/Société locale vue au travers de la politique régionale », dans Nicos POULANTZAS (éd.), *La crise de l'État*, Paris, Presses universitaires de France, 1976.

l'interrelation entre les dimensions socio-économique et politique de l'Outaouais québécois. Notre vision est résolument locale ; nous avons d'abord voulu saisir la dynamique interne de l'urbanisation de l'Outaouais québécois. Nous souhaitons également situer cette région dans un contexte plus global, mais ceci est demeuré un objectif secondaire.

Ainsi nous débutons notre étude par un survol historique de la région de l'Outaouais québécois. Par la suite nous abordons l'étude de la propriété foncière et du capital immobilier. Nous nous tournons ensuite vers l'analyse de l'intervention de l'État pour terminer avec les conséquences qu'a pu avoir cette transformation sur les classes populaires.

CHAPITRE PREMIER

La petite bourgeoisie locale et le développement de l'Outaouais québécois

L'Outaouais québécois s'est développé autour de quelques usines de transformation du bois : d'abord à Hull en 1876 (E.B. Eddy), puis à Masson en 1902 (James McLaren) et enfin à Gatineau en 1926 (Canadian International Paper). Comme pour d'autres régions du Québec où l'industrie forestière a joué un rôle prépondérant, c'est aux environs des usines que se sont développées les villes. En cela, Hull ne diffère en rien de villes comme Sherbrooke ou Trois-Rivières par exemple. Cependant, la situation frontalière de Hull et de toute la région sud de l'Outaouais québécois confère à cette dernière un caractère particulier. La proximité géographique de la capitale canadienne a exercé et exerce toujours une influence marquée sur le développement de l'Outaouais. La structure industrielle de la région, axée pour l'essentiel sur des secteurs à faible croissance tels ceux des pâtes et papiers, de l'alimentation et du textile, n'a pu supporter la concurrence exercée par une fonction publique croissante.

Contrairement à d'autres villes ayant une structure industrielle dominée par les mêmes constituantes, Hull et la région métropolitaine continuent à se développer sur le plan résidentiel, grâce au taux de croissance de la fonction publique fédérale. L'étude comparative des taux de croissance des agglomérations d'Ottawa et de Hull (Hull, Aylmer, Gatineau) par rapport à d'autres villes du Québec au cours des vingt-cinq dernières années nous permet de constater un assez net détachement de la croissance de la région hulloise[1].

---

[1] L'Outaouais constitue une des trois régions du Québec, avec Montréal et la Côte Nord, à présenter un bilan migratoire positif depuis 1956. Toutes les autres régions subissent une érosion démographique de plus en plus grande. Mais la direction des mouvements migratoires frappe davantage. On remarque en effet que 70% des déplacements (entrées et sorties) proviennent ou sont à destination de l'extérieur de la région, c'est-à-dire vraisemblablement de l'est ontarien... »

« L'Outaouais est la région du Québec qui a connu le taux de croissance démographique le plus élevé du Québec, soit 8.3% entre 1966 et 1971, et tout indique que cette tendance se poursuit. Son rythme de croissance est près de deux fois supérieur à celui du Québec (4.31%) et il est même plus rapide que celui de la région de Montréal (6.4%). De 1951 à 1966, la région a enregistré des taux relativement élevés qui suivaient de près ceux du Québec. Ce dynamisme démographique lui a permis de maintenir à environ 4% sa part relative dans l'ensemble du Québec au cours des vingt dernières années, alors que celle de toutes les régions diminuaient, à l'exception de Montréal et de la Côte Nord ». (O.P.D.Q., *Schéma de développement et d'aménagement de la région de l'Outaouais*, mai 1974, p. 24-25.)

Ce divorce apparaît avec plus de netteté au début des années 70, période où le gouvernement fédéral connaît des taux de croissance annuels de 10%. L'écart graduel du taux de croissance hullois par rapport à ceux des principales régions économiques du Québec s'est fait au profit d'une plus grande intégration de Hull et d'Ottawa autour d'un moteur économique commun: la fonction publique fédérale.

Carte I – 1

L'Outaouais québécois dans le contexte régional.

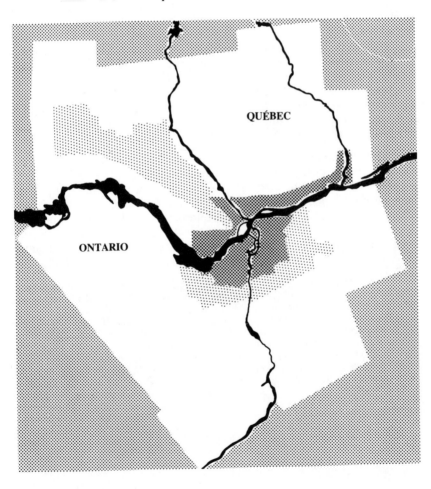

Carte I – 2

L'urbanisation de l'Outaouais québécois

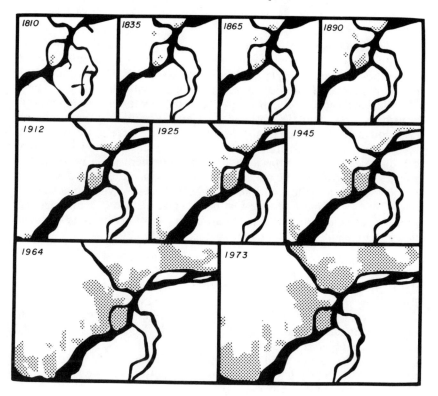

Tableau I-1

TAUX QUINQUENNAL DE CROISSANCE DÉMOGRAPHIQUE DES AGGLOMÉRATIONS
DE HULL, OTTAWA, MONTRÉAL, CHICOUTIMI-JONQUIÈRE et
SHERBROOKE, 1951-1971.

	1951-1956	*1956-1961*	*1961-1966*	*1966-1971*
Hull	23,5	19,6	15,6	14,5
Ottawa	17,0	25,1	15,7	13,8
Montréal	18,9	21,1	16,0	6,7
Chicoutimi-Jonquière	21,0	15,7	4,2	0,6
Sherbrooke	13,4	13,6	13,4	6,2

Source: O.P.D.Q., *Schéma de développement et d'aménagement de la région de l'Outaouais,* mai 1975, p. 28.

La fumée, le bruit des usines, le grouillement des masses sont incompatibles avec la belle et paisible atmosphère que rêve Ottawa et qu'exige une société d'intellectuels, de touristes, de coulissiers, de politiciens, de représentants du peuple, de monde fashionable réunis d'ordinaire dans une capitale[2].

Cette phrase écrite au début du siècle a un caractère quasi prophétique. La décision fédérale prise en 1969 de construire à Hull des édifices fédéraux, et le déplacement consécutif de quelques dizaines de milliers de fonctionnaires, a permis à la ville de Hull d'éviter la « banlieusardisation ». Le prix qu'elle a dû payer fut son intégration physique à la capitale nationale[3]. Cette désorganisation/organisation[4] du centre-ville de Hull a eu pour effet, entre autre, de générer une rente foncière très élevée au centre, et en proportion moindre dans les villes périphériques. Ce rayonnement de la rente, induit par les investissements massifs au centre-ville de Hull, a créé un rapport entre la ville centrale qu'est Hull et les villes phériphériques telles Aylmer, Pointe-Gatineau, Gatineau et Touraine. Ce rapport est celui qui existe entre un centre d'affaires et une banlieue dortoir: un rapport de dépendance au profit du centre.

Ce chapitre cherche à mettre à jour les grandes lignes de la stratégie et des tactiques déployées par les différentes fractions de la petite bourgeoisie locale dans le but d'assurer sa reproduction à l'intérieur des luttes que mène le grand capital pour sa propre reproduction. Cette analyse n'a pas la prétention d'être une étude historique complète de la région sud de l'Outaouais québécois. Le but que nous nous sommes donnés en réalisant cette brève analyse était d'avoir une meilleure connaissance de la petite bourgeoisie locale par le biais des rapports qu'elle entretient avec les autres fractions du capital et par rapport à la classe ouvrière.

L'INDUSTRIALISATION DE LA VILLE DE HULL.

Philemon Wright, un Américain du Massachusetts, fut le premier arrivant à Hull au début du XIXe siècle. Les droits de propriété qu'il obtient du lieutenant-gouverneur[5], et le commerce du

---

[2] E.E. CINQ-MARS, *Hull, son origine, ses progrès, son avenir*, Éditions Bérubé, 1908, p. 20.

[3] Il peut paraître paradoxal de dire d'une ville qui était encore assez fortement industrialisée au début des années 70, qu'il s'agit d'une ville dortoir. Mais quand on sait qu'à la même époque, 52% de la main-d'œuvre totale de l'agglomération hulloise travaillait à Ottawa, on comprend mieux la disproportion entre résidences et industries qui existait à Hull au niveau de l'évaluation foncière.

[4] Désorganisation du centre-ville industriel et organisation d'un centre-ville d'affaires.

[5] Entre 1796 et 1809, la couronne céda à quelques 70 « colons » 1 457 209 acres de terres, en échange de la promesse que ces derniers cultiveraient et amélio-

bois avec l'Angleterre[6], firent de lui en trente ans l'un des plus importants propriétaires fonciers du Canada d'alors. À sa mort en 1838, il détenait des droits de propriété sur plus de 36 000 acres de terre dans la région de Hull. À cette époque, Hull n'était qu'un lieu de passage où l'on se ravitaillait avant de se rendre aux chantiers de coupe.

Vers 1850, l'ouverture du marché américain[7] contribue à l'établissement à Hull des premières installations industrielles. Les besoins du marché américain sont différents de ceux du marché anglais. Ce dernier avait besoin de bois équarri alors que les États-Unis avaient besoin de bois de planche. Ce changement dans la demande entraîne l'établissement à Hull de quelques scieries et d'une population plus sédentaire. Cette première infrastructure industrielle s'établit à proximité des chutes Chaudière et du ruisseau de la Brasserie. La main-d'œuvre, elle, ne s'éloigne pas des lieux de travail et commence à occuper le territoire de l'Île de Hull.

C'est un autre Américain, Ezra Butler Eddy, qui va le plus marquer le caractère de la ville de Hull. En 1872, une vingtaine d'années après avoir commencé la production d'allumettes à Hull, les usines Eddy produisent, en plus des allumettes, 600 000 seaux de bois, 45 000 cuves à lavage et 72 000 planches à laver. Eddy, en plus d'être un industriel important, a joué un rôle de premier plan sur la scène politique locale. En 1870, il a été élu maire du conseil de canton et en 1875 il a obtenu la charte de la ville de Hull. Hull devint ainsi la quatrième ville du Québec à avoir un conseil de ville autonome.

Ce n'est vraiment qu'après 1890 que la ville de Hull entre de plein pied dans l'ère industrielle. C'est E.B. Eddy qui construisit la première usine de pâtes et papiers à Hull en 1890. Trois ans plus tard, la compagnie Gilmour et Hughson s'établit à son tour à l'embouchure du ruisseau de la Brasserie. La compagnie emploie entre 1 500 et 2 000 hommes, principalement dans les chantiers de coupe. Son champ d'activité : produire du bois de planche.

---

reraient la terre. Bien qu'en principe chaque famille ne devait pas recevoir plus de cent acres, il s'était établi dans la pratique un système de rétrocessions qui permettait ainsi à un seul individu de devenir propriétaire de grandes surfaces.

...« Et selon la pratique suivie à l'époque, tous ces « associés » rétrocéderont, peu apres, tous leurs droits sur cette vaste étendue de terre à leur « chef » Philemon Wright qui deviendra le seul propriétaire de ces 13,201 acres » (Edgar BOUTET, Le bon vieux temps à Hull, t. 11, Hull, Éditions Gauvin, 1974, p. 31).

[6] Le Blocus continental imposé par les forces napoléoniennes empêchait l'Angleterre de se procurer le bois de la Norvège et de la Baltique. Le Canada devint donc un marché d'importation de grande qualité.

[7] La signature en 1854 d'un traité de réciprocité canado-américain permettait l'entrée du bois canadien sur le marché américain, sans aucune barrière tarifaire.

À peu près à la même époque, un homme d'affaires d'Ottawa, J.R. Booth, construit une usine de sciage et de pâtes et papiers. Elle emploie elle aussi entre 2 000 et 4 000 hommes surtout dans les chantiers[8].

C'est en bonne partie pour s'emparer de l'important marché que représentent les hommes de chantiers que J.W. Woods, homme d'affaires d'Ottawa, met sur pied en 1896 la compagnie Woods Manufacturing. Chassé de la capitale au début du siècle par une expropriation du gouvernement fédéral, Woods déménage son usine à Hull. L'usine emploie de 300 à 400 femmes qui travaillent à la production de toile qui entre par la suite dans la fabrication de tentes. En 1896, la compagnie Matthews[9] s'installe à Hull. Les abattoirs Matthews emploient une cinquantaine d'hommes. En 1909, la compagnie International Portland Cement commence à produire du ciment. La compagnie appartient à un Américain de l'Illinois, John Irwin[10].

Entre 1891 et 1910, l'industrialisation de Hull est telle que le nombre d'employés augmente de 85%. La valeur de la production a presque sextuplé. Il faut imputer la diminution importante du nombre d'établissements à deux facteurs. Le premier est le changement intervenu entre 1890 et 1910 dans la compilation statistique. Le second, beaucoup plus significatif, est le développement d'unités de production employant une main-d'œuvre nombreuse.

---

[8]   La compagnie Booth sera achetée par la E.B. Eddy vers la fin des années 40.

[9]   Entre 1896 et 1927, la compagnie Matthews devint la compagnie Canadian Packing. En 1927, cette compagnie, toujours propriété de la famille Matthews, s'associe aux compagnies The Harris Abattoir, Grenn's Ltd et William Davis Co., pour former la Canada Packers Ltd. (Fiches du *Financial Post*).

[10]   La petite histoire de cette compagnie est un excellent exemple du phénomène de concentration du capital dans un secteur de production, ce qui conduit nécessairement à la formation d'oligopoles.
        Entre 1909 et 1927, Irwin achète partout au Canada une vingtaine de compagnies qui manufacturent du ciment. En 1927, le groupe financier Wood et Gundy associés achète le tout et forme la compagnie Canada Cement, Wood et Gundy étaient déjà propriétaires majoritaires de Consumers Glass Company et de Pennsylvania Gypsum. En 1929, ils acquièrent la compagnie de Ciment de Montréal Est. En 1959, c'est le tour de la Standard Paving and Materials Ltd. La concentration se poursuit. En 1961, le même groupe devient propriétaire de la compagnie Mount Royal Paving and Supplies qui deviendra en 1966 la compagnie Francon.
        En 1970, le groupe belge Lafarge prend le contrôle de l'empire érigé par le groupe Wood et Gundy, et du même coup relance la concentration du capital. En mai 1972, on regroupe les compagnies déjà acquises pour former la compagnie Canfarge Ltd. En 1974, le groupe Lafarge achète la compagnie américaine Citadelle Cement.
        Par le biais de ses filiales et «sous-compagnies», le Canada Cement Lafarge contrôle plus de 80 corporations, dont quelques-unes dans l'Outaouais. Il s'agit de Francon, Dominion Building Materials, Dominion Ready-Mix Inc., et bien sûr Canada Cement (Fiches du *Financial Post*).

Tableau I-2

ACTIVITÉS INDUSTRIELLES À HULL 1891-1910.

	Établissements	*Employés*	*Valeur de la production*
1891	70	1 573	$1 287 292
1910	31*	2 918	7 259 301
		(+85%)	(+5 972 009)

* Établissements employant plus de cinq hommes.
Source: Edmond KAYSER, *Industry in Hull: Its Origins and Development*, 1800-1961, p. 65.

Cet essor industriel entraîne un peuplement accéléré du territoire de la ville de Hull qui à l'époque se limite presqu'à l'Île de Hull. Ainsi, entre 1881 et 1901, Hull a un taux de croissance plus important que des villes comme Montréal, Québec et Sherbrooke.

Tableau I-3

LA POPULATION DE QUELQUES VILLES AU QUÉBEC ENTRE 1881 ET 1901.

	1881	*1891*	*(81-91)* Augmentation (%)	*1901*	*(91-01)* Augmentation (%)
Hull	6 890	11 264	63,4	13 993	24,2
Sherbrooke	7 227	10 097	39,7	11 765	16,5
Montréal	140 747	216 650	53,9	267 730	23,5
Québec	82 724	85 593	3,4	90 941	6,2

Source: DOMINION MANAGEMENT ASSOCIATES LIMITED, *Economic Survey of the City of Hull*, 1951, p. IV 3.

La croissance du secteur industriel et la venue à Hull d'une main-d'œuvre toujours plus importante font surgir une profonde contradiction entre le capital industriel et le capital foncier. Le régime de tenure libre établi par les autorités anglaises fait en sorte qu'un propriétaire foncier ne peut être obligé de vendre sa terre. Or, aux environs de 1880, les héritiers de Philemon Wright sont les propriétaires fonciers les plus importants de la ville de Hull. Seul E.B. Eddy peut être lui aussi considéré comme un autre propriétaire foncier d'importance[11]. Grâce au « constitut », les familles Wright et Eddy

---

[11] ...« Vers 1880, les héritiers de Wright et de M. E.B. Eddy détiendront encore plus des trois-quart de la propriété à Hull » (BOUTET, *op. cit.*, p. 36).

Quelques membres de la bourgeoisie francophone locale ont tout de même pu profiter aussi du développement rapide que connaissait la ville de Hull au début du

vont retirer, pendant plus de trente ans, une rente de la location de leurs terres. Pour Eddy, qui est à la fois industriel et propriétaire foncier, il s'agit évidemment là d'une bonne affaire.

> Les premiers citoyens doivent construire leur maison sur un terrain qu'ils louent en vertu d'un bail le plus souvent verbal et renouvelable tous les cinq ans aux conditions du propriétaire. Le loyer est généralement assez bas, soit $10.00 par année. Mais si le locataire désire acheter son terrain on exigera, la plupart du temps, un prix qu'il est incapable de payer. Et n'étant pas propriétaire de terrain, il lui sera impossible de vendre sa maison s'il le désire[12].

Ce qui est avantageux pour Eddy, ne l'est pas nécessairement pour les autres industriels et les petits commerçants. Les augmentations successives des coûts de location auxquelles doivent se soumettre les travailleurs incitent ces derniers à exiger plus au chapitre des salaires.

> Il a été représenté que ces baux, à leur expiration ont été dans beaucoup de cas renouvelés à un loyer considérablement augmenté!

> En conséquence, les locataires, propriétaires des maisons et bâtiments, n'ayant aucun titre à ces meubles, peuvent être appelés à tout moment à déguerpir et perdre ainsi le fruit de leurs impenses et de leurs améliorations[13].

Il faudra plus de trente ans de luttes pour obtenir de l'Assemblée législative de Québec l'adoption en 1922 d'une loi permettant à la Commission des Services publics de «s'enquérir des contrats et titres en vertu desquels les terrains et emplacements sont détenus à Hull[14]». L'enquête révéla que la tenure du sol à Hull est un obstacle au développement. En 1924, le parlement provincial adopta une loi mettant fin au régime de «constitut» à Hull.

Une constante se dégage de cette revue historique des principales industries établies à Hull au début du siècle: l'absence totale d'un capital industriel francophone local, donc d'une bourgeoisie francophone industrielle et locale. Le capital industriel est la propriété d'anglo-canadiens ou de néo-canadiens d'origine américaine. Un fait demeure cependant, ce capital industriel a dans la plupart des cas une assise locale ou régionale et par conséquent il est fortement intégré au milieu. L'exemple le plus couramment cité est celui

---

siècle. M.H. Dupuis, commerçant de bois, propriétaire foncier et échevin, est l'un de ceux-là. «M.H. Dupuis, qui est sans contredit l'un des plus grands propriétaires de terrain dans les limites de la cité de Hull n'a cédé cette lisière [il s'agit d'un terrain en bordure de la rivière Outaouais et de la rue Laurier] de terrain que pour mettre la main aussitôt sur d'autres terrains dans le voisinage et la grandeur de son territoire reste le même soit d'environ 125 acres de terre. Des pavillons modernes seront érigés sur ces terrains en prévision des besoins des ouvriers qui seront employés aux usines de la compagnie» (*op. cit.*, p. 165).

[12] BOUTET, *op. cit.*, p. 36.
[13] *Ibid.*, p. 39.
[14] *Ibid.*, p. 39.

de E.B. Eddy[15]. Mais l'on pourrait tout aussi bien parler de J.R. Booth ou de M. Woods par exemple.

Bien qu'au début du siècle les francophones n'occupent pas une place importante[16] au niveau du capital industriel local, la bourgeoisie francophone est par contre omniprésente dans le secteur commercial, de même que dans celui de la construction. Une liste partielle des commerçants et des entrepreneurs ayant pignon sur rue au cours de cette période nous montre très clairement la mainmise de la bourgeoisie francophone sur ces deux fractions du capital (voir l'annexe I à la p. 58).

Au début du siècle, le capital industriel est donc essentiellement anglophone, mais d'origine plus ou moins locale. Le capital commercial et immobilier, lui, est francophone et d'origine locale. La propriété foncière, elle appartient majoritairement aux anglophones. Cette situation est facilement explicable. Le gouvernement colonial de l'époque cherchait à la fois à assurer ses frontières contre les Américains et à peupler le pays d'immigrants anglophones. La majorité des terres était donc cédée à des colons anglais.

---

[15]   «Qui était le plus grand propriétaire de Hull avant 1900? Ce fut M. E.B. Eddy dont les propriétés étaient alors évaluées à $700 000. Il disposait à lui seul des deux-tiers de l'évaluation imposable totale de la ville» (Joseph JOLICOEUR, *Histoire anecdotique de Hull*, Société historique de l'Ouest du Québec, Inc., Hull, 1977, p. 13).

[16]   Un extrait d'un livre écrit par un vieux routier du journalisme à Hull, démontre sans le vouloir, la justesse de cette conclusion. «Les Canadiens français ont-ils beaucoup contribué au développement phénoménal de la ville de Hull? La réponse est oui! Les Canadiens français ont sûrement contribué leur large part au développement phénoménal de la ville de Hull. *En venant fonder notre ville au pied des Chaudières dans la vaste solitude des forêts outaouaises, Philémon Wright nous a don-*né une magnifique et impressionnante leçon d'initiative et d'énergie.

Après ces pénibles mais heureux débuts, *Hull devait devenir un centre industriel grâce à l'esprit d'entreprise et de travail d'un autre Américain, E.B. Eddy*, pionnier de l'industrie des allumettes et de celle du papier qui ont fait la renommée de la ville de Hull dans toute l'Amérique du Nord.

Enfin, au début du siècle et au lendemain de la grande épreuve du Grand Feu de 1900, *notre expansion industrielle franchit une nouvelle étape par l'établissement de la Canada Ciment* dans notre ville qui, de ce fait, était encore une pionnière dans la fabrication du ciment Portland au Canada. Cette persistante expansion industrielle *que nous devons à l'esprit d'initiative de nos dirigeants dans le monde industriel* a permis à la ville de Hull de survivre à ses grandes épreuves et à progresser d'une façon vraiment remarquable. *Toutefois, si nous devons rendre un juste hommage aux promoteurs de nos grandes industries, il convient de même de rendre hommage à la population de Hull qui, par son travail et son énergique persévérance, a largement contribué à notre progrès et à notre prospérité.*

Le précieux apport de l'élément canadien-français.

Il est incontestable que sans l'apport de l'élément canadien-français notre ville n'aurait pas aujourd'hui l'importance qu'elle a. Nous pouvons le proclamer sans forfanterie mais avec fierté, le Canadien français avec son clergé et ses communautés religieuses a été au cours du dernier siècle l'un des grands facteurs du progrès non seulement de notre ville mais de toute notre région. Il fut successivement défricheur, bûcheron et artisan» (JOLICOEUR, *op. cit.*, p. 7).

LA DÉSINDUSTRIALISATION.

La période de croissance industrielle rapide à Hull prend fin au début des années 20. À partir de cette époque, la main-d'œuvre employée dans le secteur manufacturier ne cesse de perdre du terrain par rapport à l'ensemble de la force de travail active à Hull. Une seule exception: la période couvrant la seconde guerre mondiale. Mais l'augmentation de 9% que l'on remarque entre 1931 et 1941 fait place en 1951 à une diminution de 13%. Une étude menée par une firme privée pour le compte de la Commission de l'industrie et du tourisme de Hull en 1951 [17] remarque que:

> The number of industrial establishments in Hull increased considerably after the war, but the City did not benefit from the wartime boom in Canada [18].

Tableau I-4

NOMBRE D'EMPLOYÉS DANS LES MANUFACTURES
DE HULL ENTRE 1941 ET 1949.

	Nombre de manufactures	*Nombre d'employés*
1941	47	3 277
1942	48	3 589
1943	50	3 547
1944	48	3 497
1945	49	3 652
1946	54	3 025
1947	60	3 122
1948	62	3 216
1949	64	3 082

Source: Economic Survey of the City of Hull, p. V-3.

Malgré une augmentation de 36% dans le nombre des établissements manufacturiers entre 1941 et 1949, il y a tout de même une diminution de 6% dans le nombre des employés au cours de la même période. À partir de 1951, la désindustrialisation de la ville de Hull s'accélère. En 1971, la main-d'œuvre employée dans le secteur industriel ne compte plus que pour 12,3% du total de la population active. La diminution moyenne par décennie de l'emploi industriel au cours des soixante dernières années est de 6,1%, alors qu'au cours de la même période l'ensemble de la main-d'œuvre active à Hull s'est accrue de 38,4% en moyenne par décennie (tableau I-5).

---

[17]   DOMINION MANAGEMENT ASSOCIATES LIMITED, *Economic Survey of the City of Hull*, 1951.
[18]   *Op. cit.*, p.V.3.

Tableau I-5

ACTIVITÉS ÉCONOMIQUES À HULL DE 1911 À 1971.

	Total des occupations	Employés d'usines	%
1911	6 668	3 643	54
1921	8 284	3 625	43
1931	9 902	2 926	30
1941	9 728	3 836	39
1951	16 437	4 390	26
1961	20 867	3 645	17
1971	24 965	3 092	12,3
X	+38,4%	−6,1%	

Source: Economic Survey of the City of Hull, p. V-4.

Comment expliquer la désindustrialisation dont la ville de Hull a été et est encore l'objet? Il n'y a pas de réponse toute faite à cette question. Nous avons regroupé quelques éléments de réponse, qui nous semblent les plus importants. Certains sont économiques, d'autres politiques.

Le principal facteur de désindustrialisation nous semble lié directement aux fins mêmes du système capitaliste: la réalisation du taux de profit maximum. La réalisation de cet objectif passe par deux étapes. D'abord le contrôle des usines par le biais du capital, puis la réorganisation des unités de production faisant partie du conglomérat, en fonction d'un seul critère: la rentabilité. Pour le capitaliste, les impératifs régionaux ne pèsent pas lourd au moment du choix!...

> The centripetal movement of merger and acquisition centralizes economic power, especially that of the economic elite. The result has been to create a situation wherein a few large corporate complexes dominate each key sector of the economy with some conglomerates dominating more than one sector simultaneously. While horizontal mergers absorb similar organizations and vertical mergers integrate over several aspects of production, conglomerates are purely capital oriented in the sense that relationships exist not at the level of production between subsidiaries, but at the level of control[19].

L'arrivée à Gatineau en 1926 de la Canadian International Paper, filiale de la compagnie américaine International Paper, est un très bon exemple de l'importance du contrôle que peut exercer une compagnie sur le développement d'une région. En arrivant dans la région, la C.I.P. prend immédiatement le contrôle de toutes les ressources hydro-électriques, d'abord en achetant la compagnie Hull

---

[19]　Wallace CLEMENT, The Canadian Corporate Elite, Toronto, McClelland and Stewart, 1975, p. 125.

Electric qui fournit l'électricité à toute la ville de Hull, et qui est aussi propriétaire du seul tramway qui relie Aylmer et Hull à Ottawa. La même année, la C.I.P. acquiert la compagnie Gatineau Power, ce qui lui procure du même coup le contrôle des compagnies Maniwaki Power, Gatineau River Power et Papineauville Electric.

Le contrôle de cette ressource essentielle au développement de nouvelles industries permet à la C.I.P. de dicter en quelque sorte sa volonté à toute la région. La réaction de la petite bourgeoisie locale devant ce « monopole » est très nette :

> ...Cependant nous gardions confiance en l'avenir. N'avions-nous pas dans un rayon de 35 milles plus de 1 million en chevaux-vapeur d'électricité non harnachée ? C'était de quoi sustenter une industrie colossale garantissant du travail à des dizaines de milliers d'hommes et faisant de Hull un des centres industriels les plus importants du pays.
> Malheureusement, pour des causes dont je n'ai pas à faire l'analyse ici, ces riches ressources tombèrent entre les mains d'étrangers nullement intéressés au développement de notre région. Favorisés par un gouvernement mal inspiré, ces gens harnachèrent nos pouvoirs d'eau, construisirent des lignes de transmission par lesquelles elles transportèrent au loin le merveilleux fluide qui devait contribuer à notre prospérité, mais qui est allé assurer celle de centres sis à des centaines de milles d'ici. Cela se passait en 1926[20].

Cette situation n'est pas propre à l'Outaouais. Elle s'est reproduite à l'échelle du Québec. Les débats qui se déroulèrent à l'Assemblée législative du Québec entre 1932 et 1935 en font foi.

> La question de la nationalisation de l'électricité était encore plus captivante. Si la voie maritime pouvait soulever la méfiance des Québécois, l'électricité éveillait des sentiments plus positifs et pouvait donc mieux soutenir l'intérêt. C'était la clef des aspirations nationales du Canada français. On pouvait produire l'électricité pour la population à meilleur marché et en répandre l'usage. Les étrangers auraient à payer plus cher et devraient établir leurs manufactures au Québec au lieu d'exporter l'électricité et les matières premières du Québec pour les transformer dans leurs usines de Toronto ou Pittsburg, de Cleveland ou Boston, à un coût minimal qui rapportait le maximum de profits aux travailleurs et consommateurs ontariens ou américains[21].

La concentration des capitaux entraîne aussi la fermeture d'unités de production. Ainsi, la compagnie Canada Cement Lafarge a décidé en décembre 1975 de transformer son usine de production sise à Hull en un centre de distribution régional[22], entraînant ainsi la mise à pied de 55 travailleurs[23]. La compagnie Canada Packers

---

[20] *Conférence de M. Aimé Guertin sur les problèmes de Hull*, novembre 1940, p. 7 et 8.

[21] Conrad BLACK, *Duplessis l'ascension*, Montréal, Les Éditions de l'homme, 1977, p. 99.

[22] La construction d'une usine ultra-moderne à Bath en Ontario permettait à la compagnie de produire plus et à moins cher. L'usine de Hull devenait donc un poids pour la compagnie.

[23] En février 1978, 13 des 55 employés mis à pied en décembre 1975 se cherchaient encore du travail (*Le Droit*, le 10 février 1978.)

s'est engagée dans la même voie. Cela signifie la mise à pied de 180 travailleurs.

Ces fermetures d'usines peuvent aussi être reliées à la place qu'elles occupent dans l'espace urbain. En effet, le développement de Hull s'est fait de telle sorte qu'un bon nombre de ces usines sont maintenant situées sur des terrains dont la valeur foncière a monté en flèche au cours des dernières années, surtout depuis 1968. Le vieillissement du matériel de production, sa relative improductivité, la réorganisation de la production en fonction d'usines plus modernes et l'augmentation rapide de la valeur marchande de l'espace sur lequel se trouve l'usine, tous ces facteurs pèsent sûrement très lourd quand il s'agit de décider de garder ouverte ou de fermer une usine.

De nombreux facteurs politiques sont eux aussi susceptibles d'être responsables de la désindustrialisation de Hull. L'imposition par la province de Québec au début des années 40 d'une taxe sur la nouvelle machinerie, taxe qui n'existait pas en Ontario, pouvait inciter un industriel à s'établir dans cette province plutôt qu'au Québec. «...il faut de toute nécessité que nous réclamions l'abolition de la taxe sur la machinerie afin que le Québec offre aux industriels d'aussi bons avantages qu'en Ontario[24].» Mais l'un des facteurs politiques qui semble avoir été le plus déterminant, sur le plan régional, est l'adoption en 1952 du plan Gréber et sa mise en œuvre.

> À la lecture de ce travail et à l'examen des nombreux plans qui l'accompagnent, vous constaterez que les projets de la Commission du District Fédéral sont formidables, fabuleux. 900 milles carrés de territoire, dont 536 milles dans le Québec ont été mis à la disposition de la Commission du District Fédéral par ordre en Conseil du Gouvernement Fédéral sans que l'on se soit soucié de consulter le gouvernement de Québec qui est pourtant juridiquement le maître. On a déterminé cinq quartiers industriels d'une superficie totale de 6 596 acres, dont seulement 109 acres pour la cité ouvrière de Hull, et 1 584 acres seulement pour la section québécoise du district. La Commission du District Fédéral a établi le Parc de la Gatineau sur la montagne immédiatement au Nord-Ouest de Hull, d'une superficie projetée de 80 000 acres dont au-delà de 40 000 ont déjà été acquis... Notre hôpital a déjà été exproprié, de même que plusieurs propriétés industrielles dont la compagnie Woods Manufacturing, trois compagnies d'huile, la compagnie Jos Pilon Ltée, l'Allumière Fédéral Ltée, et d'autres; les grandes industries Eddy et Booth sont un obstacle majeur à l'embellissement, et doivent disparaître[25].

La Commission Dorion blâme directement la Commission de la Capitale nationale pour sa politique de désindustrialisation.

> Tant par le jeu d'expropriations successives en territoire québécois que par l'application d'une politique de relocalisation industrielle et d'établisse-

---

[24] GUERTIN, *op. cit.*, p. 25.
[25] Mémoire — L'Union des chambres de commerce de l'Ouest de la Province de Québec à la Commission royale d'enquête sur les problèmes constitutionnels de la Province de Québec, présenté par Aimé GUERTIN, 1954, pp. 20-21.

ment de parcs industriels du côté ontarien, la ville de Hull a subi un processus de désindustrialisation progressif qui l'a reléguée au niveau des activités tertiaires et peu productives aux dépens d'Ottawa où certaines industries ont été relocalisées et en faveur de laquelle la C.C.N. exerce une intense promotion industrielle[26].

L'évolution de l'industrie capitaliste, la constitution d'oligopoles et l'influence de facteurs politiques ont eu pour effet d'affaiblir la structure industrielle de Hull, et par voie de conséquence de la région, en concentrant la main-d'œuvre à l'intérieur de quelques usines. Ainsi en 1961, 78,6% de tout l'emploi manufacturier était regroupé dans cinq usines.

Tableau I-6

EMPLOIS DANS LES PRINCIPALES INDUSTRIES DE HULL
COMME POURCENTAGE DE L'EMPLOI MANUFACTURIER TOTAL.

	1941	1951	1961
Cinq plus importantes compagnies*	56%	56%	78,6%

* E.B. Eddy, Cantrand Industries,.S.E. Woods, Hanson Mills, Canada Packers.

En 1971, les villes de Hull et de Pointe-Gatineau totalisaient 82,7% de la main-d'œuvre industrielle de la zone urbaine. Le secteur des pâtes et papiers employait à lui seul 57,6% de la main-d'œuvre.

LA SITUATION DU CAPITAL COMMERCIAL LOCAL ET DES CONSTRUCTEURS LOCAUX.

Quelles sont les conséquences de cette désindustrialisation sur la petite bourgeoisie locale? Au début des années 40, la petite bourgeoisie commerciale vit des heures difficiles.

> Comment se fait-il que nous soyons devenus les vassaux de la ville d'Ottawa en matière commerciale? Ah! j'entends l'explication d'une foule de gens qui jugent d'une façon superficielle. Nous sommes trop près d'Ottawa. Sans doute, cette proximité nous cause un tort considérable, mais devons-nous pour cela abandonner tout espoir de reprendre la place que nous occupions il y a 25 ans, alors qu'il se faisait ici deux fois, cinq fois, peut-être dix fois le commerce de détail qui se fait présentement[27]?

---

[26] *Rapport de la Commission d'étude sur l'intégrité du territoire du Québec*, Les problèmes de la région de la capitale canadienne, vol. 11 (synthèse), pp. 38-39.
[27] GUERTIN, *op. cit.*, p. 21.

Les seuls secteurs qui semblent bien fonctionner sont ceux de : « ...l'épicerie, la charcuterie et la gazoline, 75% de notre commerce de détail va à Ottawa[28] ». Et la situation ne peut aller qu'en s'aggravant en raison de l'imposition par le gouvernement provincial de Québec d'une taxe de vente à la fin de 1940, alors qu'il n'en existe aucune en Ontario.

La situation des constructeurs locaux est tout aussi difficile.

— Stagnation complète de la construction.
— Exode de centaines de familles à Ottawa.
— Exode de nos enfants.
— Accroissement de population inférieur à l'augmentation naturelle, c'est-à-dire à l'excédent des naissances sur les décès.
— Résidence à Ottawa de centaines de nos principaux citoyens : commerçants, professionnels, industriels, fonctionnaires, commis[29].

La ville de Hull est donc devenue en quelques années une ville de travailleurs, de gens à faibles revenus, mais aussi une ville « ouverte ».

Il y a dans notre ville et son voisinage immédiat une industrie qui a dépassé toutes les bornes de la raison et de la décence. Je l'appellerais l'industrie du cabaret[30].

Pour la petite bourgeoisie commerçante, comme pour les petits constructeurs locaux, la solution aux problèmes communs auxquels ils sont confrontés semble résider dans une opération de charme visant à attirer les nouveaux résidents.

Ils sont vivement intéressés à la réduction des taxes municipales et scolaires, comme dans l'amélioration des services éducationnels et municipaux. Il n'est pas besoin d'un gros effort mental pour saisir qu'une augmentation de population signifierait une augmentation de biens imposables. Il faudrait des maisons nouvelles pour loger les nouveaux venus. De là l'importance primordiale de supprimer les causes qui empêchent notre développement dans ce domaine. Je crois ferme aujourd'hui que nous devons abandonner l'idée d'un regain d'activité par l'industrie, puisque celle-ci nous fuit depuis 20 ans ; je crois fortement que notre salut se trouvera dans le commerce et l'augmentation de la population[31].

Une partie de la petite bourgeoisie locale se contenterait bien du rôle de banlieue pour la ville de Hull, dans la mesure où les nouveaux banlieusards contribuent à augmenter la masse monétaire en circulation dans les commerces de Hull.

Cette politique d'accueil fait lentement son chemin, « ...il y avait bien ici et là des politiciens, des hommes d'affaires, des spéculateurs qui voyaient la chose d'un bon œil, ainsi que d'honnêtes citoyens[32] »,

---

[28] *Ibid.*, p. 21.
[29] *Ibid.*, p. 18.
[30] *Ibid.*, p. 14.
[31] GUERTIN, *op. cit.*, 1940, p. 19.
[32] GUERTIN, *op. cit.*, 1948, p. 23.

et finit par rallier le conseil municipal de Hull. La fin de la seconde guerre mondiale permet au gouvernement fédéral de relancer son projet de district fédéral, d'autant plus qu'il s'est acquis la collaboration du conseil municipal de Hull. Mais cette attitude collaboratrice déplaît à une certaine partie de la petite bourgeoisie locale. L'ingérence du fédéral dans la planification de l'espace économique locale signifie pour la petite bourgeoisie locale la perte de contrôle qu'elle exerçait sur l'État municipal.

> On assiste présentement à un spectacle incroyable, celui d'une administration municipale de Hull collaborant de façon entière au succès du projet et à une administration municipale, celle d'Ottawa, qui regimbe souvent, ce qui faisait dire à un membre de la Commission d'Embellissement de la Capitale que s'il avait autant de coopération que de la part de la ville de Hull, les choses iraient plus vite. Tout de même les événements se précipitent. On se hâte d'en finir pendant qu'il y a à Hull des autorités si favorables à ses desseins. En effet, depuis deux ans, des citoyens, des marchands ne se sont-ils pas vu refuser des permis de construction parce que les leur accorder c'était venir en conflit avec les plans de la Commission du District fédéral[33] ?

L'attitude de la petite bourgeoisie locale face à la création d'un district fédéral et à l'intervention du gouvernement fédéral dans l'aménagement de l'espace économique de Hull est donc la suivante: d'un côté on reconnaît l'incapacité chronique de la ville de Hull à attirer un capital industriel important, d'où la nécessité d'une participation fédérale au développement économique de Hull, alors que d'un autre côté la petite bourgeoisie locale refuse de perdre le contrôle des appareils politiques locaux, seuls instruments lui permettant d'influencer l'aménagement physique de l'espace. Guertin exprime bien cette attitude de la petite bourgeoisie locale:

> Plus tard, en 1940, précisément dans la conférence que j'ai prononcée ici sur les problèmes de Hull, je suis moi-même tombé comme dans le désespoir et le fatalisme en me déclarant en faveur d'un district fédéral pour fins municipales seulement. Je venais de brosser un tableau décourageant de la situation qui nous était faite et je ne m'étais pas arrêté à analyser l'énormité des conséquences du district fédéral, comme je le fais ce soir[34].

> Nous sommes pauvres, c'est vrai! Nos demeures sont modestes, c'est vrai! Nous n'avons pas de beaux parcs ni de riches «driveways», c'est vrai! Mais nous aimons mieux être rois dans une chaumière que valets dans un palais[35].

Cette attitude ambivalente de la part de la bourgeoisie locale se poursuit encore aujourd'hui[36]. Elle est à la base même de la politi-

---

[33] GUERTIN, *op. cit.*, 1948, p. 25-26.
[34] *Ibid.*, p. 25.
[35] *Ibid.*, p. 21.
[36] Voici un extrait de la réaction du maire D'Amour en décembre 1968, suite à la déposition du mémoire du Conseil économique et régional de l'Outaouais québécois, qui recommande la création d'un organisme régional qui aurait pour tâche de coordonner les investissements fédéraux: «... [que] Hull soit victime d'une bataille juridique et qu'on prenne 5 ans, peut-être 10 ans à solutionner les problèmes d'auto-

que municipale et régionale. Que ce soit à la Commission royale
d'enquête sur les problèmes constitutionnels de la province de Québec, ou à la Commission d'étude sur l'intégrité du territoire du Québec, la petite bourgeoisie locale revendique l'autonomie politique
mais à l'intérieur d'un district fédéral.

> Je préconise du côté québécois une nouvelle commission à laquelle
> on donnera le nom que l'on voudra, une commission de l'aménagement du
> territoire du Québec dans la région de la Capitale nationale[37].

Tel est le contexte politique dans lequel vont naître les deux appareils
d'État régionaux que sont la Communauté régionale de l'Outaouais
et de la Société d'aménagement de l'Outaouais.

L'OUTAOUAIS QUÉBÉCOIS: UN NOUVEL ESSOR.

Sur le plan économique, la désindustrialisation de la ville de
Hull fait lentement place à la croissance de la fonction publique fédérale. Entre 1941 et 1971, le taux de croissance de la main-d'œuvre
fédérale s'est situé entre 3,3% et 5,3% par décennie. Entre 1971 et
1973, le taux de croissance de la fonction publique fit un bond fulgurant atteignant 10%.

Tableau I-7

ÉVOLUTION DE LA MAIN-D'OEUVRE FÉDÉRALE DANS LA
RÉGION MÉTROPOLITAINE D'OTTAWA-HULL.

1941-1973

	Nombre	*Augmentation* (%)
1941	22 098	
1951	37 096	5,3
1961	51 564	3,3
1971	77 712	4,1
1972	85 420	9,9
1973	94 032	10,1

Source: Jacques BRUNET, *Étude sectorielle sur l'importance de l'activité fédérale
dans l'agglomération de Hull, 1974.*

---

nomie et que tout ce temps là les disparités qu'on veut éliminer restent tel quel parce
que nous ça fait 30 ans qu'on se plaint du manque d'investissements de la part du
fédéral. On se plaint de l'absence du provincial, ces deux choses là sont admises,
mais maintenant que le fédéral est prêt à faire quelque chose il ne faudrait tout de
même pas qu'on soit victime d'une bataille et puis qu'on attende encore un autre 50
ans avant que quelque chose soit fait» (Émission *Aujourd'hui*, Radio-Canada, 18h.45,
le 18 décembre 1968).

[37] Aimé GUERTIN, *Mémoire* présenté à la Commission Dorion, août 1967,
p. 2.

Cette croissance de la fonction publique se reflète à Hull par une augmentation de la main-d'œuvre. Après le creux de la dépression (−1,7%), et malgré la désindustrialisation qui se poursuit, la population active de Hull augmente, entre 1941 et 1951, de 71,1% pour ensuite s'accroître à un taux moyen de 24% au cours des deux décennies subséquentes. Ce taux de croissance se compare avec ce que Hull avait connu de mieux au cours du « boom » industriel du début du siècle.

Tableau I-8

POURCENTAGE D'AUGMENTATION DE LA POPULATION
ACTIVE À HULL ENTRE 1921 ET 1971.

1911-1921	1931	1941	1951	1961	1971
24,2	19,5	−1,7	71,1*	26,9	19,6

Source: Statistique Canada.
* La Seconde Guerre mondiale est aussi responsable en partie de ce très fort taux de croissance.

La vigueur du secteur immobilier est telle qu'elle entraîne le développement d'un petit capital industriel local axé essentiellement sur la production de matériaux de construction.

> In 1948, Alfred Laflamme[38] and Lee Alexander realized the urgent need for high quality concrete products among district contractors and private builders. The City of Hull was growing and expanding in all directions. Since erecting their first plant on Dumas Street there has been a steady increase in business.
>
> Ideal Concrete now has fifty employees[39].

Le même Alfred Laflamme met également sur pied une autre compagnie directement liée à l'industrie florissante de la construction domiciliaire: Building Supply Centre Inc.

---

[38]   Alfred Laflamme était aussi le président de la compagnie Flame, compagnie qui œuvrait dans un autre domaine relié au développement du secteur résidentiel, celui de la distribution d'huile à chauffage. Il était aussi président de la compagnie Mallard qui fabriquait des bateaux de plaisance. Il avait aussi sa propre compagnie de construction, la compagnie MacGregor. À ce palmarès, il faut ajouter les 2,700 acres dont il était propriétaire au cours des années 50. En 1959, il était encore propriétaire de 1 400 acres. En 1973, M. Laflamme sera le maire de la municipalité rurale de Perkins, puis suite au regroupement municipale et à l'élection de novembre 1975, maire de la nouvelle municipalité de Val-des-Monts. Il sera aussi en 1976-77 le président de la Commission consultative sur le schéma d'aménagement de la C.R.O.

[39]   *Ottawa Journal*, Special Hull Edition, le 3 décembre 1957, p. 5.

The need was felt for the creation of a centre in Hull where local contractors could have within easy reach all the materials needed to fill their own need[40].

Ce ne sont là que quelques exemples, mais l'on pourrait aussi parler de la compagnie Hull Glass[41] dont le directeur général est l'ancien maire de Hull M. Armand Turpin, du développement de la chaîne de magasins Bonhomme qui se spécialisent dans la commercialisation des matériaux de construction. Il y eut aussi la compagnie Delco Stones, la compagnie de fabrication de portes et fenêtres d'aluminium Migneault, etc.

Parallèlement, les secteurs impliqués dans l'installation d'infrastructures se sont eux aussi développés rapidement. Il s'agit de tout le secteur de l'excavation, du transport par camion, et de toute la gamme des petits entrepreneurs qui se greffent à la construction[42]. La période de folle croissance de la fonction publique fédérale du début des années 70 ne fait que renforcer ce petit capital industriel local, de même que la petite bourgeoisie immobilière et foncière qui s'est lentement développée d'abord à Hull puis, vers le début des années 60, sur l'ensemble du territoire de la zone urbaine.

Une analyse de l'orientation des investissements faits dans l'Outaouais entre 1971 et 1973 nous permet de constater à quel point le domaine de la construction tant résidentielle qu'infrastructurelle a pris de l'importance dans l'Outaouais. Au cours de cette période, 40% de tous les investissements faits dans la région de l'Outaouais est allé au secteur de l'habitation, alors que pour l'ensemble de la province de Québec cette proportion se chiffrait à 19,3%. Dans la région de Montréal, le pourcentage des investissements consacrés au domaine de l'habitation atteignait 22,9%. Par contre, les investissements faits dans tous les autres secteurs, à l'exception du secteur commercial, sont inférieurs à la moyenne provinciale. Cela indique bien dans quel état de dépendance pouvait se trouver la région au début des années 70. Les investissements massifs des gouvernements fédéral et provincial au centre-ville de Hull ont permis d'intégrer

---

[40] *Ibid.*, Entre 1941 et 1951, le nombre de propriétaires de maisons unifamiliales a augmenté de 86,1%.

[41] La compagnie porte maintenant le nom de Verval Ltée.

[42] Dans la municipalité regroupée de Gatineau, on comptait en 1975-1976:

    15   entrepreneurs en aluminium
     7   briquetiers maçons
    11   entrepreneurs en électricité
    24   entrepreneurs généraux
     7   entrepreneurs en excavation
     5   vendeurs de matériaux de construction
     5   entrepreneurs en pavage
    13   entrepreneurs en plomberie.

Source: Bottin des entrepreneurs de Gatineau, 1975-1976.

celui-ci au pôle économique que représente la colline parlementaire.. Comme corrolaire, ces investissements ont eu pour effet d'accentuer l'état de banlieue dans lequel se trouvaient toutes les villes périphériques, tout particulièrement Aylmer et Gatineau.

Tableau I-9

STRUCTURES DES INVESTISSEMENTS
PAR RÉGION ADMINISTRATIVE
MOYENNE DE 1971 À 1973.

Secteurs d'activités	Outaouais (%)	Montréal (%)	Province de Québec (%)
Primaires	5,8	3,3	9,6
Secondaires	8,2	18,3	14,9
Tertiaires	26,3	35,2	34,5
Utilités publiques	11,3	16,7	20,6
Commerce	14,8	18,5	13,9
Habitation	39,9	22,9	19,3
Gouvernements	19,8	22,1	21,7

Source : O.P.D.Q., Schéma de développement et d'aménagement de l'Outaouais, p. 36.

Avant cette période de croissance, le territoire construit de la ville de Hull se limite encore pour une bonne part à l'Île de Hull. En effet, à cette époque, l'Île de Hull compte plus de 70% de la population totale de la ville et 85% de tous les commerces. Mais déjà à cette époque la situation de la petite bourgeoisie commerçante n'est pas tellement brillante. Incapable de faire face à la concurrence d'Ottawa dont la forte structure commerciale[43], dominée par de grands magasins tels Freiman, Ogilvy et Eaton, absorbe la plus forte partie du commerce de détail régional, la petite bourgeoisie commerçante vivote. La faiblesse générale du capital commercial local empêche ce dernier de développer un nouvel axe commercial hors de l'Île de Hull, plus près des nouveaux quartiers de la ville. C'est ainsi par exemple, qu'en 1961, au moment où la proportion de la population de la ville de Hull demeurant dans l'Île est de 41,9%, on y retrouve encore 64% de tous les commerces.

---

[43]   En 1961, il y avait 1 730 magasins à Ottawa comparativement à 390 à Hull.

Tableau I-10

COMMERCES DANS L'ÎLE PAR RAPPORT À LA VILLE EN 1961.

Île de Hull	335	64%
Restant de la ville	186	36%
Total	521	100%

Source: Service des estimations: Cité de Hull

En 1962, les ventes au détail per capita à Hull se chiffrent à $820, alors qu'elles atteignent pour des villes comparables telles que Trois-Rivières et Sherbrooke $1 150 et $1 120. En 1966, Hull occupe le dernier rang pour l'importance de ses ventes au détail per capita par rapport aux autres municipalités du Québec, avec $990. Bien que très mauvaise dans l'ensemble, la situation du capital commercial local est encore plus critique si on l'étudie par secteur. Les secteurs les plus mal en point sont ceux qui ont eu à faire face directement aux éléments les plus forts de la structure commerciale d'Ottawa qui occupaient et occupent encore, malgré le développement à Hull d'un axe commercial plus solide avec la construction de trois centres d'achats sur le boulevard St-Joseph, la majeure partie du commerce de vêtements, meubles et appareils électro-ménagers. De plus, cette fraction du capital commercial devait aussi faire concurrence à une taxe de vente plus faible en Ontario qu'au Québec[44].

Entre 1951 et 1961, le nombre de magasins dans ce secteur commercial a diminué de 17,8%, alors que pour l'ensemble du Québec au cours de la même période, leur nombre a augmenté de 21,7%. Par contre, la situation des commerces dans les domaines de l'alimentation et de l'automobile est beaucoup plus enviable. La vitalité de ces deux secteurs d'activités du commerce de détail, confirme l'importance de l'influence qu'a pu exercer la taxe de vente sur la structure commerciale. En effet, seuls les deux secteurs qui ne sont pas influencés par la taxe de vente ont été en mesure de faire face à la concurrence d'Ottawa. Il s'agit de l'alimentation, où la taxe de vente ne s'applique pas, et de la vente d'automobiles. Dans ce dernier cas l'acheteur paie la taxe de vente dans la province où il fait immatriculer son véhicule.

Dans le domaine de l'alimentation, le volume des ventes a augmenté, entre 1951 et 1961, de 91,4%, alors que celui des ventes

---

[44] Le problème de la taxe de vente va atteindre sont point culminant au milieu des années 60. À cette époque, il y avait une différence de 3% dans la taxe de vente en faveur d'Ottawa. Certains marchands hullois sont même allés jusqu'à boycotter la taxe de vente.

d'automobiles a augmenté de 83%. L'augmentation du volume des ventes dans le domaine de l'alimentation s'est accompagnée d'une diminution du nombre de magasins, ce qui signifie donc qu'il commençait déjà à y avoir à cette époque un début de concentration du capital commercial dans ce domaine. La famille Raymond est la seule qui ait réussi jusqu'à aujourd'hui à échapper à la concentration des grandes chaînes (Steinberg, Provigo, etc.) et de plus à prendre de l'expansion avec le début des années 70[45].

La faiblesse du capital commercial local ne permettant pas à la bourgeoisie commerçante de prendre de l'expansion et de développer un nouvel axe commercial à Hull, cette dernière demande à l'État municipal d'entreprendre des travaux d'infrastructure permettant d'améliorer l'accès des véhicules automobiles au centre-ville de Hull.

> La construction d'un chemin au-dessus de l'ancienne glissoire Eddy avec aménagement d'un terrain de stationnement, afin de décongestionner la circulation sur la rue Principale et fournir aux acheteurs un endroit où ils pourront stationner facilement. Il serait bon de prévoir une période de stationnement suffisamment longue pour permettre à la clientèle de compléter ses achats sans précipitation[46].

La participation de la ville de Hull au financement des infrastructures et du pavage des rues dans les nouveaux quartiers a permis à la ville de Hull de s'étendre rapidement. Cette collaboration de l'État local avec les constructeurs locaux correspond aux volontés exprimées par les différentes fractions de la petite bourgeoisie locale vers la fin des années 40.

> All building contractors agree that city Council under each administration has been most co-operative in planning and providing of services, paving of new streets and construction of sidewalks.
> Hull is certainly one of the few cities in Canada where all services including paving consistently keep up with residential developments. Council early provided also up-to-the-minute building and zoning bylaws[47].

Au début des années 60, la ville de Hull atteint un tel niveau d'emprunt, qu'il ne lui est plus possible de justifier cette politique[48] auprès des payeurs de taxes. En 1960, le taux de la taxe générale était de $27,95 du $1 000 d'évaluation.

Au milieu des années 60, les demandes de la bourgeoisie commerçante locale se font de plus en plus pressantes. Les membres les

---

[45]   Ceci était vrai au moment où nous écrivions ce livre. Mais, depuis, Loeb s'est porté acquéreur des magasins Raymond.

[46]   CHAMBRE DE COMMERCE DE HULL, *Mémoire soumis au Conseil municipal sur la préparation d'un Plan directeur*, 1969.

[47]   *The Ottawa Journal*, le 3 décembre 1957.

[48]   Le paiement des infrastructures par le biais d'une taxe d'amélioration locale.

plus actifs, que l'on retrouve à la Chambre de commerce de Hull et au Conseil économique et régional, sont conscients de la situation périlleuse où ils se trouvent.

> Si Hull est condamnée à vivre dans le voisinage d'Ottawa, elle n'a pas le droit d'accepter sans réagir la peu glorieuse carrière de vivre dans son ombre anémique[49].

L'alternative leur semble claire:

> ...ou elles imposent (les autorités municipales) aux contribuables un nouvel effort fiscal destiné à alléger leur fardeau dans cinq ou dix ans, ou elles laissent lentement s'envenimer la situation, et un jour ou l'autre la ville fera face à une anémie incurable[50].

Le rapport Gedey[51], rapport préparé conjointement par la ville de Hull et le gouvernement fédéral, avait établi six aires de rénovation urbaine. Mais au milieu des années 60, l'État municipal hésitait encore à se lancer dans un projet aussi onéreux. Quand en 1966 le gouvernement fédéral manifesta l'intention de construire un édifice gouvernemental sur un terrain adjacent au boulevard Sacré-Cœur, face à l'imprimerie nationale, le conseil municipal décida de changer l'ordre chronologique dans lequel il avait convenu de faire la rénovation urbaine. D'un seul coup l'aire n° 6, qui couvrait les terrains convoités par le gouvernement fédéral, devient prioritaire. Dans ce cas précis, l'État municipal a joué le rôle d'agent de remembrement[52], voulant ainsi faciliter la venue des projets fédéraux.

Le projet traîne en longueur. En 1968 rien n'a encore vraiment bougé si ce n'est les gens qui commencent à quitter le quadrilatère. Finalement, c'est le centre-ville, et non le secteur de l'aire 6, qui se développe.

Le 5 juillet 1968, deux hommes d'affaires de la région, Armand Proulx de Hull et Ward McKimm de Lucerne, annoncent qu'ils vont entreprendre la construction d'un grand complexe à bureaux dans le quadrilatère Hôtel-de-ville, Maisonneuve, Victoria et Champlain[53]. Ce premier édifice de 27 étages serait donc construit en plein centre-ville, et relancerait les affaires des commerçants locaux. Pour assurer le succès du projet «Place du Portage», l'État municipal décrète, le 21 août 1968, une zone de rénovation dans ce quadrilatère.

Une année plus tard, soit le 20 août 1969, les Entreprises Moreault annoncent qu'elles vont construire un édifice de 25 étages

---

[49] CHAMBRE DE COMMERCE DE HULL, *op. cit.*
[50] CHAMBRE DE COMMERCE DE HULL, *op. cit.*
[51] *Rapport Gedey ou Hull 1962.*
[52] D'abord par le biais d'achats de gré à gré puis comme agent expropriateur.
[53] *Le Droit*, le 5 juillet 1968.

à l'angle des rues Principale, Eddy et St-Rédempteur[54]. Les deux premiers étages de l'immeuble devaient abriter des boutiques, et les étages supérieures des bureaux. Au moment de la présentation de la maquette du projet « Place des Voyageurs », l'entrepreneur espérait louer ces bureaux au gouvernement fédéral.

> Rappelons que les Entreprises Moreault espèrent louer les espaces réservés aux bureaux, au gouvernement fédéral... Les esquisses ont été préparées par les architectes Ala-Kanti-Liff-Stefaniszyn. Les ingénieurs-conseils sont Bernier & Grand'Maître. Interrogé, M. Gérard Moreault n'a pas voulu dévoiler la date du début des travaux. Il a déclaré qu'il poursuivait toujours les négociations engagées avec le fédéral pour la location des bureaux[55].

Ces deux projets, mis sur pied par des membres de la petite bourgeoisie locale, témoignent d'une ferme volonté de la part de cette dernière de développer elle-même le centre-ville de Hull. Ces deux projets ont vu le jour, mais ce ne sont pas des membres de la petite bourgeoisie locale qui les ont réalisés. Après de nombreuses difficultés, les promoteurs de Place du Portage doivent abandonner leur projet. Le gouvernement fédéral se porte acquéreur de l'espace resté vacant, et reprend à sa charge la totalité du projet. Place des Voyageurs connaît le même sort. C'est la firme Campeau qui en 1976 construit sur le même site « Les Terrasses de la Chaudière », après avoir signé une entente avec le gouvernement fédéral qui assurait à la Corporation Campeau un revenu de location.

L'attitude des gouvernements fédéral et provincial dans tout le dossier du centre-ville, que ce soit dans le cas des édifices ou des routes, a été nettement en faveur de la venue du grand capital au centre-ville. La rénovation urbaine avait été souhaitée par la petite bourgeoisie locale, entre autres, pour relancer le commerce de détail au centre-ville, mais cette rénovation a produit exactement l'effet contraire, du moins pour les commerçants locaux.

> Selon M. Émile Pharand, il ne reste que 7 ou 8 commerces sur les 70 établissements avant 1970 sur la rue Principale. Cela est dû aux nouveaux édifices où s'entassent des milliers de fonctionnaires anglophones[56]...

> Rue Principale, from Eddy Street down to the Place du Portage, was as deserted as Dawson City the day they ran out of gold[57]...

Qu'est-il advenu des commerçants de la rue Principale? Certains ont fermé boutique, d'autres ont loué leur espace commercial pour en faire des bureaux. D'autres encore se sont spécialisés dans les secteurs qui desservent la nouvelle population de fonctionnaires.

---

[54]   *Le Droit*, le 21 août 1969.
[55]   *Ibid.*
[56]   *Le Droit*, « J.B. Pharand pourrait fermer boutique », le 16 janvier 1979.
[57]   *The Citizen*, le 19 décembre 1977.

Tout ce qui peut être rentable aujourd'hui sur la rue Principale de Hull tourne autour des restaurants, brasseries, discothèques, bars et boutiques de lingeries féminines [58].

Une analyse comparative des établissements commerciaux sis sur la rue Principale entre 1970 et 1977 [59] nous permet de constater que, depuis quelques années, il y a de plus en plus de restaurants et de cafés sur la rue Principale [60]. Or, dans la plupart des cas, ces changements dans la fonction commerciale ne correspondent pas à des mutations de propriété. Ce sont donc les mêmes commerçants locaux qui se spécialisent dans le domaine de la restauration. Cette spécialisation correspond aux besoins de la nouvelle clientèle qui occupe maintenant le centre-ville.

Au milieu des années 60, les grandes surfaces commencent à faire leur apparition à Hull. En 1965, la compagnie Loeb entreprend la construction du premier centre d'achats sur le boulevard St-Joseph. Dix ans plus tard, après la construction en 1971 des Galeries de Hull par la firme torontoise Cambridge Leasehold et du centre Fleur de Lys par la compagnie Grimco Amusements, le boulevard St-Joseph est devenu l'axe commercial le plus important de tout l'Outaouais québécois. La petite bourgeoisie commerçante ne participe cependant pas à la construction de ces centres d'achats. De plus, elle n'occupe qu'une très faible partie de ces espaces commerciaux privilégiés.

L'ensemble de ces éléments de structure constitue le principal pôle de commerce de détail de la C.R.O.; ces quatre éléments comptent un total de 90 établissements commerciaux parmi lesquels figurent des noms d'importance tels que Simpson's Sears, Miracle Mart, Zeller's, La Salle et Canadian Tire. Avec la venue des Galeries de Hull, ce secteur supplante maintenant de façon incontestable l'axe de la rue Principale en ce qui a trait au commerce de détail [61].

Au début des années 70, il ne reste donc plus que deux secteurs économiques où la petite bourgeoisie locale joue encore un rôle prédominant. Il s'agit du secteur immobilier et celui de la propriété foncière, auquel il faut ajouter une petite bourgeoisie professionnelle

---

[58]   *Le Droit*, le 16 janvier, 1979.
[59]   Fait à partir de l'*Annuaire Polk*.
[60]   Voici la liste des espaces commerciaux qui sont devenus des restaurants au cours des sept dernières années.

	1970	*1977*
50, rue Principale	— Bell Canada	— La Sousmarinerie
53, rue Principale	— Trans-Canada Shoe Ltd.	— La Crêperie de Hull
94, rue Principale	— A.L. Ackbar Ltd. (entrepôt)	— Sur l'Île Restaurant
107, rue Principale	— Mercerie François Martin	— Le Bidon
117, rue Principale	— Beamish R.A. Stores	— Sac's Disco Bar
125, rue Principale	— École de danse Ste-Marie	— Le Castel
145, rue Principale	— Salon de Barbier moderne	— Maxim

[61]   PLURAM INC., *Structure commerciale pour la région de l'Outaouais québécois*, août 1976, p. 43.

du type notaires, agents d'immeubles, etc., qui pivotent autour du domaine de la construction.

Le renforcement progressif de la fonction publique fédérale comme principal employeur dans l'ensemble de l'Outaouais, jumelé à la désindustrialisation de la ville de Hull, ont apporté de profondes modifications au sein de la structure de l'emploi à Hull, et par voie de conséquence dans l'ensemble de la zone urbaine de l'Outaouais québécois au cours des 30 dernières années.

ÉVOLUTION DE LA POPULATION.

Une analyse du taux de croissance annuel de la main-d'œuvre entre 1941 et 1971 pour la seule ville de Hull, nous permet de constater que la main-d'œuvre manufacturière régressait en moyenne de 1,08% par année au cours de cette période. Fait à noter, plus on se rapproche des années 70 et de l'intervention directe du gouvernement fédéral sur le territoire de Hull, plus cette tendance augmente (1941-1951) 1,13%, (1951-1961) 2,31%, (1961-1971) 2,70% (Tableau I-11). Cette régression est aussi notable sur l'ensemble du territoire de la C.R.O. En effet, entre 1964 et 1971, la main-d'œuvre manufacturière a diminué en moyenne de 4,72% par année[62].

Tableau I-11

TAUX DE CROISSANCE ANNUEL DE LA MAIN D'OEUVRE
PAR SECTEUR INDUSTRIEL POUR LA VILLE DE HULL
1941-1971.

Industrie	1941-1951	1951-1961	1961-1971
Toutes industries	4,35	2,29	2,10
Primaire	−4,95	−2,35	−1,93
Manufacturier	1,13	−2,31	−2,70
(pâtes et papiers)		−2,48	−1,75
Construction	7,65	1,99	−0,49
Transports, communications et autres services d'utilité publique	7,09	4,77	1,94
Commerce total:	5,14	2,26	−0,21
— gros	9,68	3,28	−0,83
— détail	4,23	1,97	—
Finances, assurances et immeuble	6,91	6,98	5,50
Services	2,16	4,89	5,20
Gouvernemental	10,79	3,92	2,00
— Fédéral	11,44	4,06	1,80
Reste	6,12	2,84	—

Source: Calculs effectués à partir des recensements fédéraux.

---

[62] « Dans l'ensemble de la C.R.O., l'emploi manufacturier est passé de 9 613 à 7 856 de 1964 à 1969 et à 6 431 en 1971. » (Schéma d'aménagement du territoire, rapport intérimaire, 1973, p. 55).

La diminution constante de la main-d'œuvre manufacturière, tant à Hull qu'au niveau régional, est principalement imputable à une perte d'emplois directe dans le secteur des pâtes et papiers. Dans ce seul secteur économique, Hull a perdu 308 emplois en 1970, suite à l'expropriation par la C.C.N. d'une partie des usines Eddy. Au total, Hull a perdu, entre 1961 et 1971, 17,5% du total de sa main-d'œuvre travaillant dans le secteur des pâtes et papiers, la plus grande part de cette diminution étant survenue entre 1968 et 1971 où Hull a perdu 478 emplois dans ce seul secteur[63]. La ville de Gatineau n'a pas été épargnée non plus. Entre 1966 et 1974, le principal employeur local, la C.I.P. a diminué de 30% son nombre d'employés suite à la modernisation de l'équipement[64]. Le moindre changement dans le secteur des pâtes et papiers qui, encore en 1971, était le principal employeur manufacturier sur le territoire de la C.R.O. avec 57% de la main-d'œuvre, entraîne des effets directs et importants dans la structure manufacturière régionale[65].

Entre 1961 et 1971, deux des secteurs traditionnels de l'emploi à Hull ont subi des baisses assez importantes. Le secteur de la construction, qui entre 1941 et 1951 avait connu un taux de croissance annuel moyen de 7,65% et, entre 1951 et 1961, de 1,99% connaît une période de ralentissement entre 1961 et 1971 enregistrant une baisse de 4,9%[66]. Le secteur commercial qui avait été lui aussi assez actif entre 1941 et 1961 connaît une baisse de 2,1% entre 1961 et 1971.

La décennie 1961-1971 a été remarquable pour l'importance de la diminution de la main-d'œuvre manufacturière. Mais elle l'a aussi été pour la tertiarisation qui a marqué l'économie de Hull. Comme le Tableau I-11 l'indique, les secteurs des transports et des communications, ceux de la finance, des assurances et de l'immeuble, de même que celui des services en général, ont connu au cours de cette période des augmentations annuelles moyennes de 19,4%, 55% et 52%.

La tertiarisation de la main-d'œuvre de Hull est encore plus évidente si l'on regroupe les activités touchant directement le domaine de la production et ceux se rapportant au secteur tertiaire dans son ensemble. Ainsi, entre 1941 et 1971, la main-d'œuvre travaillant dans le secteur des services est passée de 50% à 76%, alors que la main-d'œuvre employée dans le domaine de la production est passée de 47% à 17% (tableau I-12).

---

[63]   *Ibid.*, p. 55.
[64]   C.L.S.C. DE GATINEAU, *Programme 1976-1977*, p. 19.
[65]   *Schéma d'aménagement*, *op. cit.*, p. 55.
[66]   Entre 1971 et 1976, le taux de croissance a dû être très élevé, si on se réfère à la vigueur de ce secteur au cours de cette période; voir p.

La structure de l'emploi de la ville de Gatineau, seconde ville industrielle en importance sur le territoire de la C.R.O., a elle aussi été touchée par la tertiarisation notée dans le cas de Hull. En effet, en 1961, 49,1% de la main-d'œuvre demeurant à Gatineau travaillait dans les secteurs de la fabrication et de la construction. En 1971, ce pourcentage est tombé à 30,3%, malgré une augmentation de 80,8% de la main-d'œuvre (tableau I-13). Comme le faisaient remarquer les auteurs du Schéma d'aménagement pour le territoire de la C.R.O.:

...la croissance s'est produite exclusivement dans le secteur tertiaire[67].

Tableau I-12

ÉVOLUTION DE LA DISTRIBUTION (EN %) DE LA MAIN D'OEUVRE
PAR SECTEUR INDUSTRIEL POUR LA VILLE DE HULL
1941-1971.

Industries	1941		1951		1961		1971[2]	
Toutes industries	100,00		100,00		100,00		100,00	
Primaire	1,80		0,70		0,44		0,29	
Manufacturier	37,79		27,63		17,45		11,79	
(pâtes et papier)	(13,00[1])	47,05	(8,99)	38,52	(5,58)	27,79	(3,70)	17,04
Construction	7,46		10,19		9,90		7,60	
Transports, communications et autres services d'utilité publique	4,16		5,40		6,86		6,60	
Commerce total:	14,11		15,22		15,18		12,00	
(gros)	(1,93)	50,71	(3,17)	58,85	(3,50)	69,42	(2,60)	76,57
(détail)	(12,18)		(12,04)		(11,68)		(9,40)	
Finances, assurances et immeuble	1,51		1,93		3,02		3,80	
Services	19,79		16,01		20,59		28,29	
Gouvernemental	11,14		20,29		23,77		25,88	
(Fédéral)	(9,15)		(17,67)		(20,99)		(20,10)	
Reste	2,19		2,60		2,74		10.00	

[1]   Estimation.
[2]   À cause de l'importance des non-spécifiés lors du recensement de 1971, les parts relatives sont calculées sur la main-d'œuvre totale spécifiée.
Source: Calculs effectués à partir des recensements fédéraux.

---

[67]   Schéma d'aménagement, op. cit., p. 55.

Tableau I-13

REPARTITION DE LA MAIN-D'OEUVRE ACTIVE PAR PROFESSION
POUR GATINEAU
1961-1971.

	1961			1971	
	N	%		N	%
Administration	215	5,5	Direction, administration, professions connexes	255	3,6
Professionnels	290	7,5	Enseignement et secteurs connexes	315	4,5
Bureaux	595	15,4	Médecine et santé	155	2,2
Vendeurs	217	5,6	Sciences, sciences sociales, religion, arts	330	4,7
Services et Récréation	388	10,0	Travail administratif et secteurs connexes	1 645	23,6
Transport	236	6,1	Commerces	725	10,4
Fabrication	1 379	35,8 } 49,1	Services	735	10,5
Construction	513	13,3 }	Transports	445	6,3
			Traitement de matières premières	735	10,5 }
			Usinage de matières premières	565	8,1 } 30,3
			Construction	815	11,7 }
				6 960	

Source: Statistique Canada, Cat. 95-528, 95-745.

Contrairement à Hull et à Gatineau, Aylmer[68] avait dès le début des années 60 une structure d'emploi fortement dominée par le secteur tertiaire. La ville d'Aylmer, la plus importante ville à l'ouest de Hull sur le territoire de la C.R.O., n'avait en 1961 que 16,6% de sa main-d'œuvre totale travaillant dans les secteurs de la construction et de la production manufacturière. Par contre, 31,6% de la main-d'œuvre d'Aylmer travaillait en 1961 dans le secteur de l'administration publique (tableau I-14). Deschênes, contrairement à Aylmer, est une ville où le travailleur manuel occupe une place importante. En 1961, 29,2% de la main-d'œuvre de Deschênes était composée de travailleurs spécialisés (tableau I-14). Entre 1961 et 1971, le secteur tertiaire n'a fait que renforcer la domination qu'il exerçait déjà. Les quartiers ouvriers de la ville sont les plus touchés par les projets de transformation.

---

[68] Il n'y a pas de données disponibles pour Lucerne en 1961.

Tableau I-14

MAIN D'OEUVRE AGÉE DE 15 ANS ET PLUS
PAR CATÉGORIE PROFESSIONNELLE
EN 1961 POUR AYLMER ET DESCHÊNES.

Aylmer		%	Deschênes		%
Agriculture	15	0,7	Administrateurs	26	5,0
Manufacture	215	10,2	Professions libérales	13	2,5
Construction	135	6,4	Employés de bureau	88	16,9
Transports et Communications	195	9,2	Vendeurs	23	4,4
Vendeurs	280	13,3	Services	97	18,6
Finances	75	3,5	Transports et Communications	47	9,0
Services	475	22,5	Travailleurs spécialisés	152	29,2
Administration publique	666	31,6	Manœuvres	37	7,1
	2 058			483	

Source : Bureau fédéral de la statistique, Cat. 95-522, Cat. 94-508.

      La mise en œuvre du programme de construction d'édifices fédéraux au centre-ville de Hull, l'expropriation par la Province des terrains pour Place du Centre et pour le réseau routier, la rénovation urbaine de l'aire no. 6 et les démolitions par l'entreprise privée ont entraîné la disparition de 1,531 logements entre 1969 et 1974, dont plus de 1 300 étaient situés dans l'Île de Hull [69].

Or, les gens qui habitent l'Ile de Hull sont en règle générale des travailleurs assez âgés. Une analyse de la distribution occupationnelle de la main-d'œuvre active de l'Île de Hull en 1974 nous démontre clairement que le travailleur de l'Île de Hull est, ou manœuvre (42,5%), ou travailleur dans le secteur des services (28,5%) [70]. Le

---

[69]   Nombre de logements démolis de 1969 à 1974 (*Plan quinquennal d'habitation de Hull*, p. 6):

Aire provinciale	112
Aire fédérale	257
Aire n° 6	240
Stationnement Place du Centre	17
Réseau routier	
Boulevard Maisonneuve	198
Boulevard Sacré-Cœur	135
Boulevard St-Laurent	160
Axe Laramée	183
Entreprise privée	229
Total	1 531

[70]   Distribution occupationnelle

Administrateurs	86%
Professionnels	73%
Manœuvres	425%

travailleur de l'Île de Hull est aussi celui qui est le plus touché par le chômage. En 1971, les trois quartiers de l'Île de Hull (Frontenac, Montcalm, Laurier) avaient des taux de chômage approchant le 12% alors que ceux des autres quartiers étaient nettement plus bas. Il est important de noter que le taux de chômage est en rapport avec le nombre de travailleurs industriels dans le quartier.

En 1971, le revenu moyen d'un chef de famille de l'Île était inférieur de $1 676 à celui des autres résidents de la ville. Suite à la diminution importante du nombre de logements à bon marché entre 1971 et 1974, le chef de famille de l'Île de Hull à dû faire face à une augmentation de loyer de 13,75% alors que son revenu moyen n'a pas augmenté[71]. Au plan régional, la situation est tout aussi difficile. Un relevé, fait en février 1978, établit à 14,9% le taux de chômage sur le territoire de l'Outaouais. De plus, 15,2% des 270 000 habitants de l'Outaouais étaient en décembre 1977 des prestataires de l'Aide sociale[72]

Tableau I-15

ANALYSE PAR QUARTIER — 1971.

Quartier	Revenus moyens des chefs de ménages	Taux de chômage %	Travailleurs industriels %
Frontenac	$ 5 388,71	11,2	37,1
Montcalm	$ 5 550,33	11,9	34,5
Laurier	$ 6 177,93	11,9	42,5
Tétreault	$ 6 968,45	8,9	35,6
Wright	$ 7 089,74	7,5	29,1
Lafontaine	$ 7 387,69	7,9	23,9
Vanier	$ 8 410,48	6,2	22,5
Dollard	$10 475,00	5,1	15,9

Source: Plan quinquennal d'habitation, p. 8.

LE DÉVELOPPEMENT DE NOUVELLES BANLIEUES.

Les transformations voulues, souhaitées, espérées par les différentes fractions du capital local ont donc eu des effets très sérieux sur la population ouvrière de Hull et de toute la région urbaine[73].

Vente	36%
Transports et communications	91%
Services	285%
Activités primaires	4%
	N = 3691

Source: SERVICE D'URBANISME DE HULL, Habitation à Hull: rapport préliminaire, novembre 1974, p. 6, tableau 5.

[71] Plan quinquennal, op. cit., p. 8.

[72] Le Droit, «Chômage et bien-être social dans l'Outaouais québécois — une personne sur trois vit de prestations», le 3 février 1978.

[73] Nous aborderons cette question plus en détail au chapitre V.

Ces transformations ont aussi entraîné une explosion démographique dans l'ensemble de la zone urbaine.

Au cours des vingt-cinq dernières années, la population occupant le territoire de la Communauté régionale de l'Outaouais a crû à un taux annuel moyen de 3,3%, les périodes de croissance les plus importantes se situant entre 1951-1961 avec un taux annuel moyen de 3,8% et 1971-1976 avec un taux annuel moyen de 3,5%. Au cours de la décennie 1961-1971, on note un certain ralentissement de la croissance, le taux de croissance annuel moyen tombant à 2,7%. On peut supposer que ce fléchissement est dû aux difficultés que connaissait la ville de Hull[74].

L'augmentation de population qu'a connue l'Outaouais québécois entre 1951 et 1976 n'a pas été ressentie également sur tout le territoire de la C.R.O. En effet, règle générale, plus de 90% de la croissance régionale s'est faite dans la zone urbaine (tableau I-16), ce qui a eu pour effet de renforcer l'importance proportionnelle des villes sur le territoire de la C.R.O. Ainsi, en 1951, 7,6 personnes sur 10 vivaient dans la zone urbaine, alors qu'en 1976 le rapport est passé à 8,4 sur 10 (tableau I-17).

La distribution inégale de la croissance régionale touche aussi directement le périmètre urbain. Par exemple, la contribution de la ville de Hull à la croissance régionale qui était de 36% en 1950 est tombée au cours de la décennie suivante à 17% pour atteindre −9% entre 1971 et 1976 (tableau I-16). Le taux de croissance annuel moyen de la ville de Hull au cours des vingt-cinq dernières années se situe aux environs de 1% (tableau I-18). Bien que le taux de croissance de la ville de Hull ait toujours été plus faible que celui des autres municipalités du secteur urbain entre 1951 et 1976, le début des années 60 marque tout de même un point tournant dans la perte d'importance de la ville de Hull en ce qui concerne la croissance régionale (tableau I-16). À l'opposé, les municipalités sises à l'est de la Gatineau[75] connaissent un essor foudroyant. Un taux de croissance annuel moyen de 7,9% (tableau I-18) témoigne de la vigueur du dé-

---

[74]   Plusieurs facteurs sont responsables de cette diminution. Nous en retenons deux en particulier. Le premier serait la différence dans le coût des taxes entre Hull et Gatineau au début des années 60. Ainsi en 1960-1961, un propriétaire résidant à Gatineau déboursait $8,01 du $1 000 d'évaluation, ce qui faisait des Gatinois les gens les moins taxés des 66 municipalités du Québec ayant plus de 10 000 habitants. Par contre Hull arrivait au 28e rang avec $27,95 (Bureau de la Statistique du Québec, finances municipales 1950-1961). Le second facteur serait un manque chronique de terrains à bâtir à Hull, ce qui obligeait cette dernière à procéder au lent processus d'annexion de territoire, afin de rendre les services municipaux disponibles.

[75]   Il s'agit des municipalités de Pointe-Gatineau, Touraine, Gatineau et du village de Templeton. Toutes ces municipalités font maintenant partie de la nouvelle ville regroupée de Gatineau.

veloppement. Pour la municipalité regroupée d'Aylmer[76], le taux de croissance annuel moyen a été de 4% au cours de la même période (tableau I-18).

Tableau I-16

DISTRIBUTION PROCENTUELLE DE LA CROISSANCE RÉGIONALE
SELON LES NOUVELLES MUNICIPALITÉS REGROUPÉES
DE 1951 À 1976.

	1951-56	1956-61	1961-66	1966-71	1971-76
Aylmer	16,1	11,5	14,4	4,8	28,7
Hull	35,9	37,4	18,9	16,6	−9,0
Gatineau	41,3	41,0	65,1	70,5	67,3
Total des municipalités urbaines	93,3	89,9	98,4	91,9	87,0
Buckingham	5,9	5,4	1,0	1,9	5,0
Hull-Ouest	2,4	3,1	−2,5	2,8	1,9
La Pêche	0,4	−0,7	1,6	1,5	1,0
Pontiac	−1,4	2,1	−0,2	−0,7	1,6
Val-des-Monts	−0,9	—	1,4	2,3	3,3
Total des municipalités rurales	8,7	9,9	1,3	7,8	12,8

Tableau I-17

REPARTITION PROCENTUELLE DE LA POPULATION DU TERRITOIRE
DE LA C.R.O. PAR MUNICIPALITÉS REGROUPÉES
DE 1951 À 1976.

	1951	1956	1961	1966	1971	1976
Aylmer	10,4	11,3	11,4	11,7	10,9	13,5
Hull	49,7	47,5	45,9	42,6	39,3	32,1
Gatineau	15,9	19,8	23,3	28,4	33,7	38,7
Total des municipalités urbaines	76,0	78,6	80,6	82,7	83,9	84,3
Buckingham	11,7	10,8	9,9	8,8	7,9	7,5
Hull-Ouest	2,0	2,1	2,2	1,6	1,8	1,8
La Pêche	4,4	3,8	3,0	2,8	2,7	2,4
Pontiac	3,2	2,5	2,4	2,1	2,7	1,7
Val-des-Monts	2,3	1,8	1,5	1,5	1,6	1,8
Total des municipalités rurales	23,6	21,0	19,0	16,8	15,8	15,2

---

[76]   Il s'agit des municipalités de Lucerne, Aylmer, Deschênes.

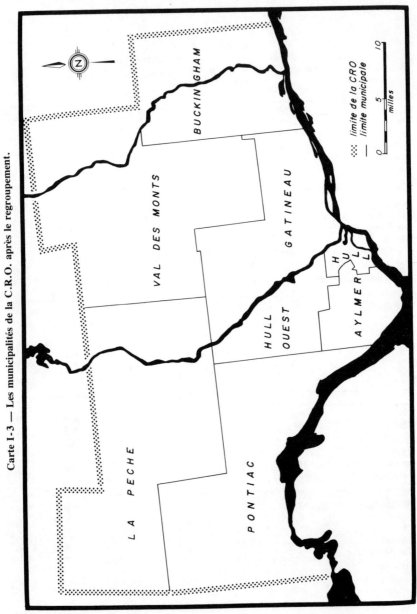

Carte I-3 — Les municipalités de la C.R.O. après le regroupement.

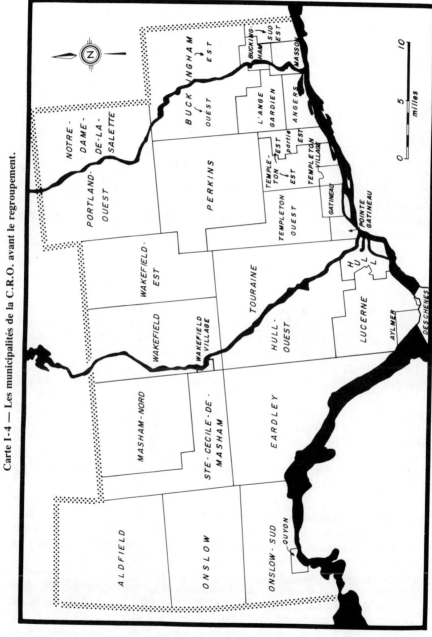

Carte I-4 — Les municipalités de la C.R.O. avant le regroupement.

Tableau I-18

TAUX D'ACCROISSEMENT DE LA POPULATION
SELON LES NOUVELLES MUNICIPALITÉS REGROUPÉES
DE 1951 À 1976.

	1951-56	1956-61	1961-66	1966-71	1971-76	1951-76
Aylmer	28,1	20,1	17,5	5,9	31,4	4,0
Hull	13,2	15,6	5,7	5,6	−3,9	1,0
Gatineau	47,4	40,9	38,4	35,8	34,7	7,9
Buckingham	9,3	9,9	1,4	3,1	9,9	1,3
Hull-Ouest	22,5	29,6	−18,0	24,0	15,3	2,9
La Pêche	1,8	−4,2	7,2	7,5	6,3	0,7
Pontiac	−8,9	16,9	−1,3	−5,0	13,5	0,06
Val-des-Monts	−8,1	−0,5	13,2	21,7	26,3	2,4
C.R.O.	18,3	19,8	13,7	13,7	17,4	3,3

Jusqu'à présent nous avons utilisé comme unité d'analyse les nouvelles villes créées par le regroupement municipal de 1976. Cette première analyse nous a permis de constater que, des trois nouvelles villes composant le secteur urbain, Gatineau est celle qui a le plus fort taux de croissance. La même analyse démographique, mais cette fois-ci en ayant comme base les territoires des anciennes municipalités, va nous permettre de saisir avec plus d'acuité l'évolution du développement à l'intérieur du périmètre urbain (tableau I-19).

L'ancienne ville de Gatineau a été, entre 1951 et 1970, celle qui a le plus contribué proportionnellement à la croissance du secteur urbain après Hull. Au cours des années 60, Gatineau est même la ville qui a le plus contribué à la croissance régionale (1961-1966: 27,5%, 1966-1971: 22,7%). Au cours des cinq dernières années cependant, la proportion de l'apport de Gatineau à la croissance régionale est tombée à 17,5%. Cette baisse s'explique principalement par un déplacement du pôle de croissance de Gatineau vers Pointe-Gatineau. En effet, Pointe-Gatineau, qui avait connu une croissance nettement plus faible que Gatineau entre 1951 et 1966 (tableau I-19), égale entre 1966 et 1971 la ville de Gatineau pour son apport à la croissance régionale et la dépasse très nettement entre 1971 et 1976 avec 37% de la croissance régionale.

Dans le cas de certaines municipalités telles que Touraine et Aylmer, l'urbanisation massive de leur territoire au cours des dernières années a entraîné de profondes transformations socio-politiques. Touraine est un exemple type d'une municipalité rurale qui au cours des années 50 avait une croissance assez faible et qui, tout à coup, au début des années 60 et tout au long de cette décennie, devient un des secteurs de croissance le plus important du secteur urbain. Ainsi entre 1951-1956 et 1956-1961, la participation de Touraine à la croissance régionale était de 2,9% et de 2,3%. Cette participation à la croissance régionale va se hausser aux environs de 20% au cours des années 60 (tableau I-19). La ville d'Aylmer est un peu dans la même situation. Après avoir connu une baisse de population entre 1966 et 1971, elle contribue à plus de 34% de la croissance régionale entre 1971 et 1976.

Contrairement aux autres municipalités situées à l'ouest de Hull, qui connaissaient au cours des années 60 des taux de croissance très faibles, la municipalité de Lucerne connut entre 1961 et 1966 un taux de croissance de l'ordre de 14,7%. On ne peut comprendre cette augmentation subite qu'en la mettant en rapport avec la situation de crise dans laquelle se trouvait la ville de Hull. Le territoire de Lucerne étant adjacent à celui de Hull sur sa frontière est, il y eut un bon nombre de nouveaux résidents qui, désirant habiter à Hull en raison de la proximité d'Ottawa, mais ne voulant pas payer des taxes trop élevées, décidèrent de se construire sur le territoire de Lucerne, à la périphérie immédiate de Hull[77].

Tableau I-19

DISTRIBUTION PROCENTUELLE DE LA CROISSANCE RÉGIONALE
SELON LES ANCIENNES MUNICIPALITÉS DE LA ZONE URBAINE
DE 1951 À 1976.

		1951-56	*1956-61*	*1961-66*	*1966-71*	*1971-76***
Aylmer	Aylmer	5,7	4,8	5,5	−0,3	34,2
	Lucerne	7,1	4,7	14,7	1,4	3,5
	Deschênes	3,1	1,9	−1,7	—	−0,6
Hull	Hull	35,9	37,4	18,9	16,6	−11,5
Gatineau*	Gatineau	16,5	22,3	27,5	22,7	17,5
	Pointe-Gatineau	14,3	13,0	12,8	22,3	37,0
	Touraine	2,9	2,3	20,2	20,1	17,3
	Templeton N.	4,7	2,3	1,7	2,1	6,7

* Templeton-Est, partie Est, et Templeton-Ouest ne font pas partie de la compilation en raison de leur faible apport.

** Les pourcentages obtenus pour 1971-1976 sont légèrement différents de ceux obtenus pour la même période pour les villes regroupées. Cela s'explique en raison du fait que nous avons dû recréer le territoire des anciennes municipalités à partir des secteurs de dénombrement de 1971 et de 1976.

---

[77] Entre 1954 et 1970, la ville de Hull a annexé 3 752 acres des municipalités de Lucerne et de Hull-Ouest. En 1970, Hull a procédé à l'annexion de 820 acres du territoire de Lucerne.
Pratiquement toutes les annexions du territoire de Hull-Ouest par la ville de Hull ont été réalisées au profit de Bisson Construction: «The Bisson construction interests first promoted the annexation of 110 acres of South-Hull land for a housing development. Three years later there was no space left there. Then came another Bisson annexation off South-Hull and West-Hull covering 216 acres. Plans have already been approved for a housing development with churches, schools and commercial centres... The Chenier-Amyot-Lafortune interest are responsible for a third annexation, 276 acres in South-Hull astride Chelsea Road...» (*The Ottawa Journal*, le 3 décembre 1957, p. 9).

En bref, la presque totalité de la croissance régionale au cours des vingt-cinq dernières années s'est située dans le périmètre des trois villes regroupées du secteur urbain. Les conséquences de cette urbanisation rapide et massive sont nombreuses. La première et probablement la plus évidente est sans aucun doute la diminution du nombre de terres en culture.

> La région de l'Outaouais, en dépit de la qualité de ses sols, dispose d'une superficie agricole réduite et qui ne cesse de se rétrécir. Parallèlement la population agricole diminue et on assiste à un vieillissement marqué de la population active, tandis que la faiblesse des revenus agricoles est parfois compensée par un travail hors ferme dont l'importance n'est pas négligeable[78].

Entre 1961 et 1971, la région de l'Outaouais a perdu 28% de sa superficie de terres agricoles et 26% de ses terres en culture comparativement à 24% et 18% pour l'ensemble du Québec. La saignée est plus importante dans les deux comtés les plus urbanisés, soit Hull et Labelle. Le comté de Hull a perdu 48% de ses terres cultivées alors que celui de Labelle en a perdu 31%. La baisse a été moins marquée dans les comtés de Papineau (23%) et de Pontiac (26%)[79].

La situation des terres agricoles sur le territoire de la G.R.O. ne diffère en rien des constatations de l'O.P.D.Q. pour l'ensemble de la région administrative n° 7. En effet, entre 1951 et 1971, la «rurbanisation[80]» a fait disparaître en moyenne 66% des fermes dans le secteur rural, adjacent à la zone urbaine. Cette diminution dans le nombre de fermes ne peut être expliquée par une augmentation de l'importance de chacune d'elles, car pour l'ensemble des municipalités rurales que nous avons étudiées, les tableaux (I-20) et (I-21) indiquent une diminution de la superficie totale des fermes, et une baisse encore plus importante de la superficie des terres en culture.

La «rurbanisation» peut prendre différents aspects. Le cas le plus fréquent est celui du lotissement d'une terre agricole. L'exemple le plus frappant est sans contredit celui de la municipalité de Touraine. Comme nous l'avons déjà remarqué, cette municipalité a connu à partir du début des années 60 un développement très important[81].

---

[78] «La proportion de petites fermes (ventes annuelles inférieures à $2 500) est sensiblement plus élevée dans la région (49%) que dans l'ensemble du Québec (33%). Cet état de fait semble lié directement au nombre d'exploitants exerçant un emploi à l'extérieur de leur ferme. Le travail hors ferme prend donc beaucoup d'importance et relègue parfois le travail de la ferme au second rang: 45% des exploitants de la région déclarent du travail hors ferme par rapport à 33% au Québec (O.P.D.Q., *Schéma de développement et d'aménagement de l'Outaouais*, p. 32).

[79] *Ibid.*, p. 34.

[80] G. BAUER et J. M. ROUX, *La rurbanisation*, Paris, Éditions du Seuil, 1976. Les auteurs définissent la rurbanisation comme un «phénomène d'imbrication des espaces ruraux et des zones urbanisées» (p. 7).

[81] Entre 1962 et 1972, il s'est construit à Touraine dans le Projet Riviera, plus de 1 000 unités résidentielles.

Or, on constate que cette municipalité est l'une de celles qui ont connu les plus fortes pertes en terme de fermes et de superficie de terre en culture.

Par contre, d'autres municipalités, Sainte-Cécile-de-Masham par exemple, ont été touchées par une autre forme de « rurbanisation ». Trop éloignée du centre en terme de distance-temps pour être impliquée directement dans le processus de lotissement, cette municipalité a tout de même perdu 64% de ses fermes, 57,5% de la superficie totale de son sol agricole et 80,2% de ses terres en culture.

Un pourcentage important de la main-d'œuvre travaille à l'extérieur de la municipalité. Ainsi, en 1972, 33% des chefs de famille de cette municipalité occupaient un emploi journalier dans le domaine de la construction alors que seulement 5% étaient cultivateurs[82].

D'autres municipalités rurales, comme celles de Perkins et St-Pierre-de-Wakefield, ont dû faire face à un mouvement migratoire tout à fait différent. Ce sont en effet les citadins qui ont envahi le territoire de ces municipalités pour y construire leurs résidences secondaires. Le résultat est très net. En 1974, pour la municipalité regroupée de Val-des-Monts, la population permanente ne comptait que pour 18% de l'ensemble de ces résidants permanents comme le tableau I-22 le souligne, l'évaluation des fonds imposables des résidents permanents ne comptait que pour 27% de l'assiette imposable totale de la municipalité. Organisés en associations de propriétaires, les propriétaires résidants non-permanents sont en mesure d'influencer les décisions du conseil municipal, en raison du poids électoral qu'ils représentent.

Tableau I-20

DIMINUTION DU NOMBRE DE FERMES DE 1951 À 1971
EN POURCENTAGE.

	1951-61	1961-66	1966-71	1951-71
Touraine	31,4	39,7	41,8	76,1
Hull-Ouest	42,6	37,2	14,8	69,3
Templeton-Est	22,7	37,2	14,8	69,3
Templeton-Est (Partie Est)	7,8	25,7	42,3	60,5
Templeton-Ouest	31,5	23,0	21,6	58,7
Perkins	45,7	8,7	57,6	79,0
Wakefield-Est	51,2	63,1	—	100%*
Wakefield	16,2	23,6	7,2	40,6
Ste-Cécile-de-Masham	35,0	28,5	+ 6,6	63,9
Lucerne	40,8	+20,0	−27,2	48,3

* Quand il y a moins de dix fermes, la compilation n'est pas effectuée afin de conserver l'anonymat des répondants.

---

[82] *Schéma d'aménagement pour Ste-Cécile de Masham*, octobre 1974, p. 16.

Tableau I-21

DIMINUTION DE LA SUPERFICIE TOTALE DES FERMES ET
DES TERRES EN CULTURE DE 1951 À 1971
EN POURCENTAGE.

	Superficie totale	Terres en culture
Touraine	54,7	84,5
Hull-Ouest	58,7	68,9
Templeton-Est	47,5	52,7
Templeton-Est (partie Est)	35,2	45,5
Templeton-Ouest	22,4	56,2
Perkins	82,1	87,8
Wakefield-Est	—	—
Wakefield	26,8	64,0
Ste-Cécile-de-Masham	57,5	80,2
Lucerne	67,1	63,3

CONCLUSION.

Quel rôle la petite bourgeoisie locale a-t-elle joué dans ce processus d'urbanisation? Pour tenter de répondre à cette question, nous devons la subdiviser en trois sous-questions, qui correspondent aux trois éléments entrant dans le processus d'appropriation du sol et de production du cadre bâti. Il s'agit de la propriété foncière, des promoteurs et de l'État.

Analyser un processus d'urbanisation, c'est dégager les différentes phases économiques au cours desquelles un objet initial, ayant une certaine valeur d'usage, est transformé en un produit final ayant une valeur d'usage différente.

Ce découpage en phases n'est nullement arbitraire; chaque phase est un lieu économique regroupant plusieurs procès de travail distincts, déterminé par des configurations de capitaux spécifiques; elle est également le lieu d'une articulation de rapports particuliers entre les différents agents-supports actifs ou passifs intervenant durant une même phase. Nous distinguerons trois phases:
— une phase de libération et de circulation du sol
— une phase de production du bâti
— une phase de circulation du produit final[83].

---

[83]   Annie RIOU, *Propriété foncière et processus d'urbanisation, Deux quartiers parisiens à la Belle Époque*, Paris, Centre de sociologie urbaine, 1973, p. 12.

Tableau I-22

Noms	Propriétaires résidents permanents	%	Population — Statistiques 1973	Évaluation	%	Propriétaires extérieur de la municipalité, mais du Québec	%	Population	Évaluation	%	Propriétaires extérieur du Québec	%	Population	Évaluation	%
PERKINS	492	16,0%	1 459 x	2 191 005	25,1%	1 266	41,2%	0	2 620 705	30,0%	1 316	42,8%	0	3 922 825	44,9%
ST-PIERRE-DE-WAKEFIELD	344	19,6%	745 x	1 286 375	25,8%	719	41,0%	0	1 721 500	34,4%	690	39,4%	0	1 990 500	39,8%
PORTLAND	239	20,9%	412 x	1 001 350	34,8%	444	38,8%	0	908 025	31,5%	461	40,3%	0	968,675	33,7%
TOTAL: VAL-DES-MONTS	1 075	18,0%	2 616 x	4 478 730	27,0%	2 429	40,7%	0	5 250 230	31,6%	2 467	41,3%	0	6 882 000	41,4%

Biens-fonds imposables:
PERKINS: $8 734 535,00
ST-PIERRE: 4 998 301,00
PORTLAND: 2 878 050,00
$16 610 886,00

Biens-fonds non-imposables:
PERKINS: $ 270 400,00
ST-PIERRE: 310 575,00
PORTLAND: 187 600,00
$ 768 575,00

TOTAL: $17 379 461,00

Note x: La redistribution de la taxe de vente ne s'applique qu'aux résidents permanents. Aucune subvention compensatrice n'est reçue pour la population vacancière.

Total de propriétaires: 5 971

Source: Évaluation selon le rôle de la C.R.O. novembre 1974.

ANNEXE I

Cette liste des commerçants vient du livre d'E.E. CINQ-MARS, *Hull, son origine, ses projets, son avenir*, Hull, Bérubé Frères, 1908, pp. 150-151. C'est une liste incomplète, ou plutôt, un petit almanach du commerce de Hull, en 1908.

Ci-après, une liste incomplète, ou plutôt, un petit almanach du commerce de Hull, en 1908.

Agents: J.H. Bélanger, Eustache Carrière, Jos. Cousineau — assurances; Geo. Montpetit — journaux; les notaires F.A. Labelle et N. Tétreau. immeubles.

Architecte: Chs. Brodeur.

Barbier: E. Roger.

Billards et Pool: Fortin et Gravelle., H.O. Boult.

Bijoutiers: H.O. Hurtubise, A. Couture.

Bois: H. Dupuis, D. Dupuis.

Bouchers: J. Simard, Adrien Labelle, Béland Frères, Jos. Rocton.

Boulangers: J.-B. Larose et fils, Aug. Thibault, Lévesque et Binet.

Charbon: Hull Coal Co., J.H. Bélanger, Jos. Cousineau.

Chaussures: B. Patry, T. St-Jean, I. Ducharme, E. Leroux.

Confiseurs: J.M. Duguay & Cie.

Entrepreneurs: Jos. Bourque, C. Lynott — édifices: E.P. Bisson — maçonnerie et pouvoir hydraulique; Alf. Roy — électricien; O.J. Cloutier — pompes funèbres.

Épiciers: J.M. Laverdure. A. Labelle, D'Aouest et Cie, Ls. Raymond, T.C. Carrière, Deschamps et Carrière, A. Laflèche, Z. Laflèche, D. Charest, P.H. Charron, J. Marcel, J. Lenmeux, P.H. Durocher.

Hôtels et restaurants: *Bank*, J.N. Fortin; *Impérial*, F.A. Gauthier: *Windsor*, Nap. Boucher; *St-Louis*, O Gauthier, *Ottawa*, Chs. O'Connor: *Montréal*, M.D. Repentigny; *Central*, D. Gravelle; *Main Saloon*, Jos. Fournier; C.R. Wright.

Imprimeurs: G.E. Gauvin, Nap. Pagé.

Marchandises sèches, confections et taillage: Carea et Carrière, Caron et Frère, J. Pharand, J.-B. Pharand, fils, M. Bélard et Cie.

Mica: Fortin et Gravelle.

Pharmaciens: Hull Medical Hall, D. Bélanger, Pharmacie Canadienne et R. Farley.

Photographe: J.A. Lessard.

Plombier: A. Archambault.

Quincailleries: F. Barrette, B. Carrière et Fils, P.H. Charon, J.-M. Laverdure.

Selliers: P.A. Meilleur, P. Laroche.

Tabaconistes: Fortin et Gravelle, H.O. Boult.

Vins et liqueurs: P.H. Durocher, M. Dagenais, J. Lemieux, J.M. Laverdure.

CHAPITRE II

L'appropriation du sol

Au début des années 60, la petite bourgeoisie commerçante locale vit des moments difficiles. Cet état d'asphyxie touche tout particulièrement le commerce de détail. Cette fraction de la petite bourgeoisie locale supporte mal la concurrence exercée par le grand capital commercial, représenté dans la région par les Sears, Eaton, La Baie, installés à Ottawa.

À la même époque cependant, le petit capital immobilier local est en pleine période ascendante. Que ce soit à Hull, à Touraine, à Pointe-Gatineau ou à Gatineau, les constructeurs locaux mettent en chantier en moyenne chaque année plus d'une centaine de maisons unifamiliales. Quelques-uns s'aventurent même dans la production d'unités résidentielles à haute densité [1]. N'ayant pas à faire face à la concurrence du grand capital immobilier, les constructeurs locaux occupent donc tout le champ de la production locale de logement.

Très rapidement cependant, ce mouvement d'urbanisation, qui a plus ou moins marqué toutes les villes sises à l'est de Hull, entraîne un engorgement des infrastructures régionales existantes. Conçu en fonction d'unités urbaines ayant peu d'échange entre elles, le réseau routier ne réussit plus dès 1965 à assumer le flot croissant des travailleurs qui voyagent matin et soir de l'est de la Gatineau pour venir travailler dans les bureaux du gouvernement fédéral à Ottawa.

> The development of the arterial street system has not kept pace with the urban growth through the study area, with the result that the level of service given to some sectors is inadequate. A particularly bad situation occurs in Quebec where unless a lengthy detour is made, all traffic movements from the communities of Pte-Gatineau and Gatineau to the rest of the study area have to be accomodated on one route across the Gatineau River [2].

Au milieu des années 60 la situation des constructeurs locaux commence à se détériorer considérablement. Afin de relancer la construction domiciliaire, il devient primordial de recréer les conditions nécessaires au développement. En d'autres termes, il faut de nouvelles routes, de nouveaux ponts, de nouvelles infrastructures. La réor-

---

[1] Nous avons élaboré une analyse détaillée sur les constructeurs locaux dans le chapitre suivant.

[2] *Ottawa Hull Area Transportation Study 1965*, p. 20.

ganisation du réseau routier devient donc vers la fin des années 60 une priorité à la fois pour la petite bourgeoisie commerçante, en raison de sa volonté d'attirer une nouvelle clientèle, et pour le capital immobilier local.

> Ce sont les transports qui ont peut-être joué le rôle le plus structurant dans l'évolution de l'urbanisation en favorisant les déplacements quotidiens massifs sur des distances de plus en plus grandes et en conséquence, en rendant possible la séparation des fonctions urbaines[3].

Après avoir étouffé les tentatives des promoteurs locaux afin de développer eux-mêmes le centre-ville de Hull, les États fédéral et provincial joignent leurs efforts afin de livrer l'espace central au grand capital immobilier. Mais les carences en infrastructure du centre-ville de Hull sont telles qu'aucune construction ne peut être entreprise sans une réorganisation majeure. Les intérêts du grand capital et de la petite bourgeoisie locale convergent à ce moment de l'histoire. La signature d'ententes tripartites[4] visant l'amélioration du réseau d'infrastructures n'est donc pas attribuable aux seules pressions de la petite bourgeoisie locale. Elle dépend pour l'essentiel des besoins du grand capital immobilier et de la politique de décentralisation du gouvernement fédéral.

Au début des années 70, au moment où la fonction publique fédérale connaît des taux de croissance de l'ordre de 10% et au moment où le grand capital se prépare à occuper le centre-ville, la réorganisation du réseau routier tant au centre qu'en périphérie génère une importante rente foncière et y donne accès. Dans la perspective d'une analyse en termes de classe et de fractions de classes, il importe de bien situer les classes sociales par rapport à la rente foncière, ce qui va nous permettre de mieux départager les positions occupées par chacune des classes ou des fractions de classes.

L'intervention des gouvernements fédéral et provincial dans la zone urbaine de l'Outaouais québécois s'est réalisée en fonction de la hiérarchisation des activités dans l'espace régional, le centre en étant le lieu privilégié. Cette hiérarchisation entraîne une gradation dans la valeur de la rente foncière produite par les équipements urbains.

---

[3]   Francine DANSEREAU et Marcel GAUDREAU, *Commerce du sol et promoteurs à Montréal*, Montréal, Association canadienne d'urbanisme, Division du Québec et Conseil canadien de recherches urbaines et régionales, avril 1976, p. 2.

[4]   «Entente relative à la construction de l'usine de filtration au Parc Moussette et de conduites maîtresses dans la cité de Hull. Entre le Gouvernement du Québec, la Communauté Régionale de l'Outaouais et la Commission de la Capital Nationale.» — «Entente relative à la construction du Pont du Portage et autres travaux communs. Entre sa majesté la reine chef du Canada, le gouvernement du Québec et la cité de Hull, le 11 janvier 1972.» — «Entente concernant l'amélioration du réseau routier dans le secteur québécois de la Région de la capital nationale. Entre le gouvernement du Québec et la Commission de la capitale nationale, le 7 janvier 1972.»

Le concept que nous proposons est fondé sur la notion de centralité des activités; celle-ci traduit, à divers niveaux hiérarchiques et complémentaires, cette aptitude d'un milieu urbain à générer des flux d'échanges de biens, de services, d'idées et de capitaux. Ainsi, parmi les fonctions urbaines, certaines sont centrales, d'autres ne le sont pas ou peu. Par exemple, la bourse est considérée comme une activité d'un haut degré de centralité tandis que l'épicerie ne l'est pas[5].

L'organisation ou la réorganisation de l'espace central en particulier et de l'espace métropolitain en général ne se fait donc pas au hasard, mais selon la logique dominante de la société capitaliste. Quels sont les principaux éléments structurants de notre société? Castells en identifie deux: le capital dans sa production, et l'État.

Or parmi les facteurs structurants des rapports sociaux et des formes de vie collective, deux grands éléments apparaissent au premier plan des sociétés industrielles capitalistes: les grandes entreprises, en tant qu'organisations économiques de production et l'appareil d'État[6]...

Ce constat prend une dimension toute particulière quant on met en rapport le grand capital national et international, et les différentes fractions du petit capital local. Malgré la résistance manifestée par les différentes fractions de la bourgeoisie locale, cette dernière se voit confinée à la périphérie de développement économique. Cette place, elle ne l'a pas choisie. Elle lui a été imposée à la fois par les bases de son capital, c'est-à-dire par la place qu'elle occupe dans le processus de production, mais aussi par la planification de l'État.

Qui possède l'espace foncier? Comme nous le fait remarquer Pierre Houde dans son analyse du *Partage foncier en banlieue: l'exemple de Sainte-Foy:*

Cette question concerne autant la propriété que le propriétaire et surgit à chaque fois que la vie urbaine ou rurale rappelle des faits de spéculation, de rareté du sol, de taudis, de taxation ou même de démocratie[7].

En période de développement accéléré, au moment où le bungalow prolifère de plus en plus, la question foncière apparaît plus clairement comme étant la base sur laquelle repose toute la planification urbaine.

Le statut de la propriété foncière serait fonction d'un certain rapport de force défini par la place et le rôle dans la société des propriétaires fonciers.

Ils ne représentent pas une classe ou une fraction de classe homogène. Leur rôle et leur place dans la production, la part de biens issue de cette production qui leur revient, nous permettent de dégager leur appartenance de classe, et leur place dans la vie politique, l'appartenance ou non aux classes ou fractions de classes dirigeantes des propriétaires fonciers semblent déterminer une politique différente des pouvoirs publics vis-à-vis de la propriété foncière[8].

---

[5] C.R.O., *Schéma d'aménagement du territoire*, (version préliminaire), p. 28.

[6] CASTELLS et GODARD, *Monopolville, op. cit.*, p. 10.

[7] Pierre HOUDE, *Partage foncier en banlieue: l'exemple de Sainte-Foy*, Les Cahiers de l'I.N.R.S. — Urbanisation, n° 8, 1975, p. 3.

[8] CASTELLS et GODARD, *Monopolville, op. cit.*, p. 18.

Une connaissance exhaustive de la structure de la propriété foncière et surtout du processus d'appropriation de la propriété foncière apparaît comme fondamentale dès l'instant où l'on tente de comprendre la dynamique du processus capitaliste d'urbanisation. L'urbanisation n'est pas une histoire d'esthétique ou de modernisme. Ces facteurs, que l'on pourraient qualifier d'exogènes ont une influence très relative sur la production du cadre bâti. Nous croyons que des facteurs que nous qualifierons d'endogènes tels que les luttes entre les différentes fractions des propriétaires fonciers, leurs rapports à l'appareil d'État, sont des éléments qui ont une signification essentielle pour l'analyse de la production du cadre bâti. Le chapitre qui suit constitue donc la pierre d'assise, sans laquelle une analyse de l'urbanisation est impossible.

L'ESPACE ANALYSÉ.

En raison des limites qu'impose nécessairement une analyse du processus d'appropriation de la propriété foncière[9], nous avons orienté nos recherches du côté des espaces en voie d'urbanisation et ceux non encore urbanisés. Les terrains qui ont fait l'objet de notre analyse devaient donc répondre à trois critères. Tout d'abord être situés à l'intérieur du périmètre urbain compris entre les limites ouest et nord de la ville d'Aylmer, les terrains adjacents au chemin Freeman au nord de la ville de Hull, de même que les terrains situés au sud de la future autoroute 50, jusqu'à la limite est de l'ancienne municipalité de Templeton. Le choix de ce périmètre d'analyse avait été au préalable établi en fonction des limites imposées au développement par les zones d'aménagement différé du schéma d'aménagement de la C.R.O. Mais compte tenu de l'intérêt que représentait la présence possible de propriétaires fonciers dans les zones d'aménagement différé pour notre analyse des luttes entre fractions de classe au sein de l'appareil d'État, nous avons étendu notre analyse aussi loin qu'il nous était possible de retrouver des propriétaires fonciers spéculateurs à l'intérieur du périmètre urbain. Comme second critère, nous avons choisi d'étudier les terrains encore vacants[10]. Ce second choix s'imposait, en raison de notre objectif de départ qui est celui d'analyser les espaces en voie d'urbanisation et ceux non encore urbanisés. Finalement, comme dernier critère, nous avons retenu la distinction maintenant devenue classique dans toutes les analyses de la propriété foncière, soit celle entre les propriétaires résidants et les propriétaires non-résidants. Nous avons défini le propriétaire non-résidant comme étant une personne physique ou morale, dont le lieu de résidence

---

[9] Nous faisons ici référence à la somme imposante de travail que représente l'analyse de toutes les transactions reliées à l'histoire d'un lot.

[10] Nous pouvons définir le terrain vacant comme étant un espace non bâti. Règle générale il s'agit d'une terre à vocation agricole, en culture ou non.

ou le siège social est différent de l'adresse de la propriété foncière étudiée. En d'autres termes, le propriétaire non-résidant possède au moins deux propriétés. Ce choix présuppose que la spéculation foncière[11] n'est pas l'activité première du propriétaire résidant, car pour ce dernier le terrain qu'il occupe n'a pas qu'une valeur d'échange.

Bien que l'analyse de la structure de la propriété foncière soit indissociable de l'analyse de l'appropriation de la dite propriété, les sources de renseignement sont différentes. Ceux qui ont déjà pris connaissance d'analyses de la structure de la propriété foncière connaissent déjà le plan cadastral et le rôle d'évaluation. Pour les non-initiés, disons que l'atlas cadastral est constitué d'une série de feuillets, dont chaque page représente à une grande échelle[12] les limites et le numéro de rôle d'une série de propriétés. Le plan cadastral n'a pas une grande valeur analytique, car, règle générale, en raison de son volume[13], il donne toujours une image qui retarde sur la réalité. Le cadastre nous a plutôt été utile comme instrument de repérage. Grâce au cadastre nous avons en effet été en mesure de bien identifier le périmètre que nous voulions étudier. Il nous a aussi permis d'identifier le numéro d'évaluation correspondant aux différentes propriétés à l'intérieur du périmètre de l'étude. Le numéro du rôle d'évaluation nous donnait accès au dossier de chacune des propriétés. À son tour, ce dossier nous permettait d'identifier le propriétaire du lot, son adresse, de même que l'adresse de la propriété étudiée, ce qui nous servait immédiatement à savoir si le propriétaire était un résidant ou un non-résidant. Dans le cas d'un résidant nous abandonnions la poursuite de la recherche. Dans le cas d'un propriétaire non-résidant, nous recueillions la superficie du terrain. Contrairement au rôle d'évaluation micro-filmé, où les informations fournies se limitent à l'adresse de la propriété, au nom et à l'adresse du propriétaire, à la superficie, à l'usage et à l'évaluation des bâtiments et du terrain, ces dossiers nous fournissaient généralement en plus, le numéro d'enregistrement de la dernière transaction, de même que le nom du vendeur, la date de la transaction et le prix de vente.

L'analyse de l'appropriation foncière s'est faite grâce au registre des mutations des propriétés et des contrats. Le registre des mutations nous a fourni la généalogie de chaque lot. Pour chaque lot, chaque subdivision, toutes les transactions dont il a été l'objet depuis sa création ont été scrupuleusement inscrites au registre. Pour chacune des transactions on retrouve le nom de l'acquéreur et celui du

---

[11] Tout au long de ce chapitre, nous allons utiliser le concept de spéculation foncière dans un sens assez large.

[12] Règle générale, il s'agit d'une échelle de 100' au pouce.

[13] Il serait beaucoup trop fastidieux de refaire systématiquement le cadastre au rythme des subdivisions.

vendeur, la date de la transaction, le numéro du contrat et le prix de vente. Pour les fins de la recherche, nous nous sommes arrêtés dans notre quête de renseignements au propriétaire résidant cultivateur, donc à celui dont nous étions certains qu'il faisait usage du sol. Nous pouvions facilement l'identifier grâce au contrat où l'on donne l'occupation du vendeur et de l'acquéreur. Les contrats nous ont aussi permis d'établir une liste complète des lots impliqués dans chaque transaction avec leur superficie, le prix de vente et les modalités de paiement. L'analyse de la structure de la propriété, de même que celle du processus d'appropriation, s'est échelonnée entre le mois de septembre 1976 et l'été 1977.

Pour terminer, nous avons aussi eu recours aux banques d'information du ministère québécois de la Consommation, des Corporations et des Institutions financières, de même qu'à celles du ministère fédéral de la Consommation et des Corporations. Ces deux ministères nous ont permis de mettre des noms sur les différents groupes incorporés, propriétaires de terrains. Nous avons dû malheureusement, comme bien d'autres, battre en retraite devant l'imperméabilité du secret qui entoure les fiducies.

Le tableau dressé par Pierre Houde dans son étude de la propriété à Sainte-Foy (tableau II-1) illustre très clairement l'ensemble des informations et des sources d'information disponibles pour l'étude de la propriété foncière. Dans son étude Houde s'est limité aux renseignements inscrits au rôle d'évaluation, laissant de côté ce qu'il appelle les inconnus, soit les chartres d'incorporation et le registre des mutations. L'originalité de l'analyse de la propriété foncière que nous avons réalisée réside justement dans le fait que nous avons dépouillé ces sources de données complémentaires. Cette recherche nous a permis de rattacher la question foncière aux luttes que se livrent les différentes fractions de classes.

La structure de la propriété foncière.

À qui appartient l'espace foncier encore disponible pour l'urbanisation, et quelle place occupe la petite bourgeoisie locale dans la hiérarchie des propriétaires fonciers? À ces questions nous fournissons deux réponses complémentaires. Une première réponse se borne à donner une hiérarchie des propriétaires fonciers en fonction des superficies qu'ils possèdent. C'est à ce genre d'exercice auquel nous nous sommes d'abord livrés. Les résultats que nous avons regroupés dans le tableau II-2 ne nous livrent que bien peu d'information. Tout au plus obtenons-nous une image statique de la structure de la propriété foncière dans les secteurs que nous avons étudiés (cartes nos II-1 et II-2).

Tableau II-1

SOURCES ET DONNÉES CONCERNANT
LA PROPRIÉTÉ

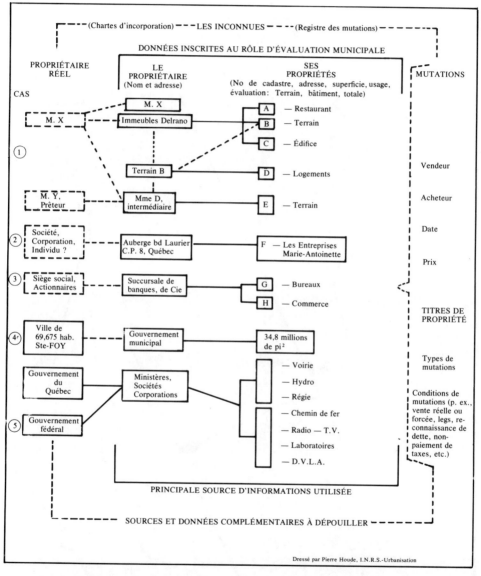

Source: HOUDE, *op. cit.*, p. 17.

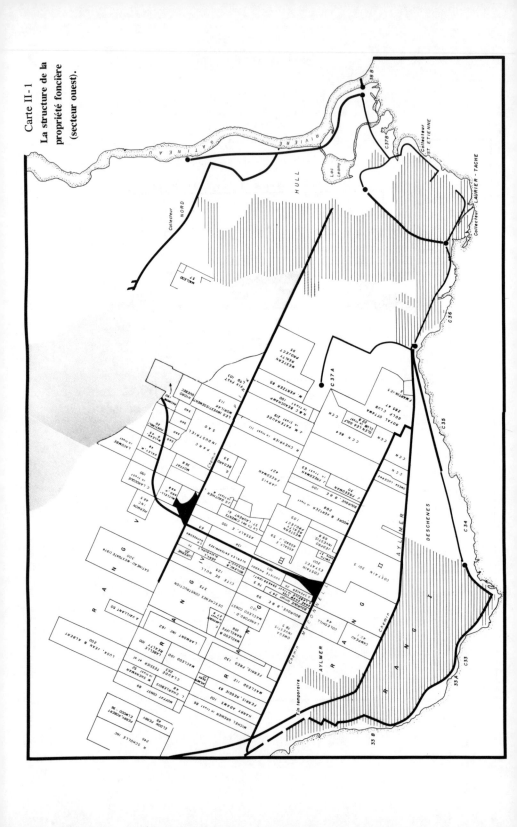

Carte II-1
La structure de la propriété foncière (secteur ouest).

Carte II-2

La structure de la propriété foncière (secteur est).

Nous avons procédé au regroupement des données préliminaires que nous avons recueillies en conservant les divisions qui correspondent aux limites juridiques des municipalités urbaines regroupées. Le secteur ouest (Aylmer) avec 4 775 acres et le secteur est (Gatineau) avec 3 321 acres de terre en « attente d'urbanisation » sont très touchés par la spéculation foncière. Le secteur de Hull, malgré le nombre relativement faible des propriétaires fonciers que l'on retrouve dans la zone non-urbanisée, est lui aussi très touché par la spéculation. Il n'y a pas, pour ainsi dire, d'espace foncier en périphérie de la zone urbanisée du secteur de Hull qui ne soit aux mains de spéculateurs. Parmi les plus importants notons la présence de J.G. Bisson. Bisson, qui est le propriétaire de 75 acres dans le secteur à urbaniser de Hull, est un propriétaire foncier d'un type particulier. En effet, contrairement à la plupart des propriétaires fonciers, Bisson construit des maisons sur ces terrains avant de les vendre. Bisson, le constructeur d'habitations le plus important de Hull[14], a toujours procédé de cette façon. Il se targue même d'avoir introduit à Hull au début des années 60 des projets d'aménagement planifiés par des urbanistes[15].

Tableau II-2

LISTE DES PROPRIÉTAIRES FONCIERS PAR SECTEUR ET PAR IMPORTANCE
DES SUPERFICIES POSSÉDÉES, 1977.

| Nom des propriétaires | Superficie en acres | | |
	Secteur est	Hull	Secteur ouest
Jarvis Freedman in Trust			504,6
Costain Construction			501,1
Nancliffe & McLeod Ltd.			427,3
Desrosiers in Trust	410		
Deschênes Construction			375
Gatawa Investissements	359		
Investissements Mirage	304,4		
Gatineau Westgate (1974) Inc.	300		
R. Scholle Inc.			249,2
William Lawson			241,2
Édouard & Bernard Bourque			233,4
Moffat Construction		8,6	221,9
Jean-Marc Patenaude in Trust			219

---

[14] Voir aussi Chapitre IV, pp. 160-161.
[15] Entrevue avec J.G. Bisson.

J.P. Maloney	201,6	
Western Realty Projects		200
Jacques Beaudry in Trust	185,6	
Wittington	160	
John Assad & Ernest Assaly		159,5
Jedfro Investment		137,4
Habitations Montée Labrosse	132,7	
Conrad Larocque		127,9
Clifford H. Moore et Morris Kertzer		188
Bernard Maloney		115
Entreprise L.T.C.R.	113,7	
Robert Chevrier	112	
Claude Bérard en Fiducie	106	
Carrefour de La Verendrye	103,3	
William Freeman		103
Beauchamp in Trust		100
Michel Grenier in Trust		86,3
Les Placements Laleri Inc.	82,1	
Armand Turpin Jr.	81,8	
Placements Omega Lucerne		78,5
Placements Omega		78,2
Charles Desnoyers en Fiducie	77,1	
Bona Building et Management		76,6
Claude Maloney Estate	76,1	
J.G. Bisson Construction		75
Habitation Clomont	59	
Rollin et Frigon	56	
Immeubles Gatineau Ltd.	54,7	
Georges Bédard		54,2
C.J.C. Habitations	52,5	
Jean-Marc Raymond In Trust	51,4	
Les Immeubles des Plaines de l'Out.	50	
William Shenkman in Trust	50	
Piermon Inc.		48,5
Habitation Gabon	46,1	
Coleshill		44
David Azrieli	41	
Campeau		40,1
Lacombe in Trust		36,6

Trentwood Development Ltd.			31,8
Construction Balmec	30,9		
Construction St-Amour		30	
Afra Développement			29,4
Wolf Von Teichman in Trust			27
Claude Tessier et al.			26,3
Ropal Construction	25,8		
Sheldon Weiseman		22,7	
Gatineau Westgate		18,5	
Achbar Gatineau Dev.		18,5	
Excell Ltd.			17,5
Le Caire Inc.	16,5		
Bélanger, André	12,4		
Dufferin Creek Estate	12,2		
Michel Beaudry et al.		11,2	
Clyomi Enterprises			10
Ottawa Valley Inv. In Trust		8,1	
Gabriel Dunlop		8,1	
Beaudry Construction	7,5		
Adèle Berthiaume in Trust			6,8

Source: Fichier d'évaluation de la C.R.O.

Les secteurs est et ouest, quant à la distribution des propriétaires fonciers, sont très semblables. En effet, dans le secteur est, quatre compagnies, Desrosiers in Trust[16] (410 acres), Gatawa Investissements (359 acres), Investissements Mirage (304, 4 acres), et Gatineau Westgate (1974) Inc. (300 acres) possèdent plus de 40% de l'espace foncier sous spéculation. Dans le secteur ouest, la situation est à peu près identique. Jarvis Freedman in Trust (504,6 acres), Costain Construction (501,1 acres), Nancliffe et McLeod Ltée (427,3 acres) et Deschênes Construction (375 acres) possèdent 37% du total des terres sous spéculation dans ce secteur. La superficie moyenne des propriétés est une autre mesure qui nous permet de renforcer nos premières constatations. En effet, dans le secteur est, la superficie moyenne détenue par un propriétaire est de 110,7 acres alors qu'elle est de 136,4 acres dans le secteur ouest.

Pour conclure cette première analyse on peut donc affirmer que la quasi-totalité du territoire non encore urbanisé de la zone urbaine de l'Outaouais québécois est aux mains de spéculateurs fonciers.

---

[16] Par le biais du contrat d'expropriation de l'autoroute 50, nous avons appris qu'il s'agit de J.P. Maloney.

Pour le propriétaire foncier le sol n'a d'intérêt que dans la mesure où il peut générer une rente importante. Cette rente est directement proportionnelle à la situation du terrain par rapport aux principaux éléments structurant l'espace, soit les plans d'aménagement, les routes, les infrastructures régionales, etc. La rente foncière, et la volonté du propriétaire foncier d'en accaparer la partie la plus importante possible, jettent les bases d'un autre genre de classification. L'appropriation de la rente foncière, en raison du caractère fondamental qu'elle représente pour le propriétaire foncier, permet d'évaluer la vigueur de chacune des fractions de la bourgeoisie impliquée dans ce champ d'activité. On peut émettre l'hypothèse qui suit : ce n'est pas la propriété foncière qui confère un statut au propriétaire foncier, mais le propriétaire foncier, qui par la place qu'il occupe dans le mode de production et par rapport à l'appareil d'État, détermine le statut de la propriété foncière.

L'analyse de la carte concernant la structure de la propriété, revue à la lumière des contraintes imposées par le schéma d'aménagement de la C.R.O., nous permet d'amorcer une analyse plus qualitative et plus politique de la question foncière. Attaquons-nous d'abord au secteur ouest.

> Pour le secteur ouest, 77 % de l'accroissement de 26 000 habitants prévu d'ici 1991 est affecté aux trois unités d'aménagement situées au sud du Chemin McConnell. C'est dire que la majorité des mises en chantier résiduelles devront se localiser dans les espaces vacants entre les développements existants[17].

Cela signifie donc que la presque totalité des propriétaires fonciers du secteur ouest sont situés dans une zone où l'aménagement est différé au moins jusqu'en 1991. Seul Costain (300 acres), Coleshill (44 acres), Omega Lucerne (78 acres), Campeau et Cadillac Fairview ont des terrains à l'intérieur du périmètre devant se développer.

> À plus long terme cependant, il faudra assurer le parachèvement d'une structure urbaine complète et relativement autonome à l'échelle du district. C'est dans ce but que nous prévoyons dès le début des années 90 l'amorce du développement d'un nouveau quartier résidentiel dans la partie Lucerne-nord et le déménagement de certaines activités centrales de district... Il s'agit d'un espace d'une superficie de 650 AC. qui est délimité au nord par le chemin Boucher, à l'ouest par le futur boulevard Deschênes et au sud et à l'est par l'axe Laramée-McConnell[18].

À l'intérieur de cette zone on retrouve comme propriétaires fonciers, la compagnie Costain (200 acres), Assaly, M. et Assad, J. (600 acres), Western Realty Projects (200 acres), Jedfro Inc. (70 acres), Moore et Kertzer in Trust (208 acres) et Leonard J. Smith Estate (37 acres). La volonté de la C.R.O. quant au développement du secteur ouest est donc de le limiter le plus possible, en privant ce secteur des infrastructures nécessaires.

---

[17] C.R.O., *Schéma, op. cit.*, p. 35.
[18] *Ibid.*, p. 66.

Dans le secteur est, le volume déjà très important de la population justifie que des mesures concrètes soient prises dès maintenant pour susciter l'émergence d'un centre de district. Pour cette raison, près de 50% de la croissance prévue pour l'ensemble du secteur au cours des 15 ans à venir devra se localiser dans l'unité Le Baron, siège de l'éventuel centre de district. Le reste de l'accroissement est destiné à assurer l'intégration des quartiers existants particulièrement à Touraine, à Pointe-Gatineau et dans cette partie de l'ex-ville de Gatineau au nord de la voie ferrée. Nous prévoyons également dans l'unité de Templeton une croissance suffisante pour permettre la mise en place des services d'utilité publique et d'équipements communautaires de quartier [19].

Contrairement au secteur ouest, le secteur est devrait se développer assez uniformément, dans toute sa partie située au sud de l'autoroute 50.

Compte tenu de l'hypothèse que nous avons énoncée voulant que le statut de la propriété foncière soit corollaire de la place occupée par le propriétaire foncier dans le système capitaliste, il nous apparaît maintenant comme essentiel à la poursuite de notre analyse de connaître les acteurs cachés derrière les noms d'incorporation.

Les résultats de cette recherche sont à la fois très surprenants et très révélateurs. Nous avons en effet constaté que la presque totalité des propriétaires de terrain dans le secteur est sont des membres de la petite bourgeoisie locale francophone. Que ce soit les Beaudry, Philips, Bérard, Desnoyers, J.P. Maloney, tous sont des « locaux ». Seuls Wittington Realty, Dufferin Creek Estates et David Azrieli font exception à la règle. Par contre, le secteur ouest, lui, est dominé par des propriétaires dont la base d'affaires est soit ontarienne (Ottawa ou Toronto), soit ailleurs au Québec.

En plus de nous fournir des renseignements sur l'origine des actionnaires des différentes corporations, nos recherches nous ont aussi permis d'effectuer certains regroupements de compagnies.

Quand allons-nous considérer qu'il y a un lien entre deux compagnies? Nous pouvions en effet ne considérer que les compagnies

---

[19] *Ibid.*, p. 316.

Tableau — n° 12

SECTEUR EST — RÉPARTITION DE LA CROISSANCE ENTRE 1976 ET 1991, SELON LES UNITÉS D'AMÉNAGEMENT.

Accroissement 1976-1991

	Nombre	%
Touraine	9 800	17,6
Le Baron	27 500	49,4
Pte-Gatineau	7 100	12,7
Gatineau nord	5 300	9,5
Gatineau sud	1 500	2,7
Templeton	4 500	8,1
Total	55 700	100,0

où l'ensemble des actionnaires sont strictement les mêmes. Cette approche nous est apparue, suite aux entrevues et à l'analyse du processus d'appropriation foncière que nous avons menées, comme étant très loin de la réalité. En effet, dans le contexte des luttes que se sont livrées la petite bourgeoisie locale et certains représentants du grand capital pour la propriété de l'espace foncier régional, il est apparu très clairement qu'une fraction de la petite bourgeoisie locale déjà impliquée dans le commerce du sol et la production du cadre bâti s'est liguée à un certain moment afin de contrer la percée que tentait d'effectuer une fraction du grand capital. Afin de bien rendre cette réalité, nous avons donc décidé d'établir des liens entre les individus, ce qui fait en sorte que la seule présence d'un individu au sein de deux compagnies suffit à établir un lien entre deux compagnies[20]. Les résultats que nous avons obtenus sont très significatifs, et apportent un éclairage nouveau à la fois sur la question de la concentration de la propriété et sur les alliances et les luttes à l'intérieur même du camp de la petite bourgeoisie locale.

Tout le secteur est est dominé par deux groupes. Nous allons les identifier de la façon suivante: le groupe «Philips» et le groupe «Bérard/Beaudry». Le groupe Philips, contrôlé à 100% par la succession Fernand Philips[21], agissait dans le domaine foncier par le biais de la compagnie Gatineau Westgate qui deviendra par la suite Gestion Philips (tableau II-3). Pour le groupe Philips, 1974 est un point tournant. C'est en effet à ce moment que Philips vendit à S.B. McLaughlin, un groupe de financiers de Toronto, 50% des parts de la compagnie Gatineau Westgate (essentiellement des terrains et des hypothèques sur ces terrains). Cette transaction permettait à Philips de refinancer une partie importante des emprunts qu'il avait dû contracter afin d'acheter des terrains, et lui assurait en même temps une source importante de financement pour l'avenir. Cette année est d'autant plus importante pour le groupe Philips, puisque c'est au cours de cette même année que la vielle association entre Fernand Philips et Roland Théorêt[22] prit fin. Comment expliquer cette rupture au moment où Philips réussit un coup de maître en attirant S.B. McLaughlin? Nous ne sommes pas en mesure de répondre de façon certaine à cette question, car trop d'éléments de réponse nous manquent. Nous croyons cependant que cette rupture fit suite à des divergences de vue tant sur le plan politique[23] que sur l'orientation du développement

---

[20]   Nous utilisons ainsi la même méthode que Wallace CLEMENT dans *The Canadian Corporate Elite*, McClelland and Stewart, Carleton Library, 1975.

[21]   Fernand Philips est mort à l'hiver de 1976.

[22]   Nous avons retracé des liens d'affaires entre les deux hommes qui remontent au milieu des années 50.

[23]   Pendant de nombreuses années, Philips et Théorêt étaient de fervents partisans de l'Union Nationale. Théorêt fut même élu député de ce parti au milieu des années 60. Philips changea d'allégeance au début des années 70 pour passer aux libéraux. Ironie du sort, Théorêt lui-même devient libéral vers 1977.

Tableau II-3

Le groupe Philips.

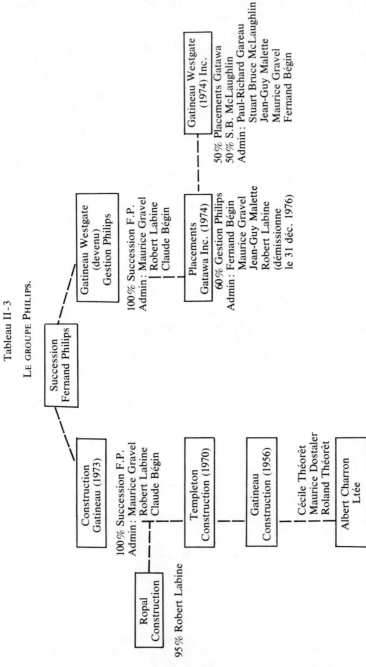

Notes: Les pointillés qui relient les compagnies de construction à l'organigramme sont là pour montrer l'implication de Philips dans le domaine de la construction résidentielle.

dans le secteur est. Suite à cette rupture, Théorêt s'est joint au groupe Bérard/Beaudry.

En 1974, le groupe Bérard, formé autour du noyau que représente la compagnie de camionnage et d'excavation Bérard et Jémus, s'allie au groupe Beaudry dont le principal élément est la famille Beaudry elle-même. Cette famille était déjà très active dans le domaine immobilier au début des années 60. Ces activités n'ont fait que prendre de l'ampleur au cours des ans. Les Beaudry sont devenus des propriétaires fonciers, des constructeurs et des propriétaires d'immeubles. Le groupe Bérard pour sa part est d'origine beaucoup plus modeste. En effet, Bérard et Jémus ont monté leur « affaire » vers la fin des années 60 à partir de rien. Actuellement ils sont d'importants propriétaires fonciers. Ils contrôlent la presque totalité des sources d'approvisionnement de gravier. En 1974, le groupe Bérard et le groupe Beaudry décidèrent de faire front commun et d'acheter tout le terrain encore disponible pour l'urbanisation. Mais faire front commun contre qui? « Contre les grosses compagnies[24]. »

Quels sont ces grosses compagnies? Essentiellement il s'agit de Campeau, qui par le biais de sa filiale Macval Développement et par son projet de grand centre commercial régional manifestait fermement sa volonté de prendre pied dans le secteur est, de Cadillac Fairview dont le principal agent dans la région était un ancien collaborateur de Philips, et finalement de S.B. MacLaughlin. Selon notre analyse de la structure de la propriété foncière, il semble que le groupe Bérard et Beaudry ait mené à bien leur stratégie, car il contrôle plus de 25% de tout l'espace sous spéculation dans le secteur est[25], soit 845,6 acres. La presque totalité de ces terrains ont été achetés par les compagnies suivantes: les Habitations de la Montée Labrosse Inc. (1974), les Habitations Gabon Inc. (1974), les Habitations Clomont Inc., Construction Balmec, Construction Cajbo, Construction Orbec et Construction Gabiger. Les actionnaires de ces compagnies sont presque systématiquement les mêmes. Il s'agit de Jacques Beaudry, de Bérard et Jémus, de Roland Théorêt, et de Lodru Inc. Ces nouvelles compagnies s'ajoutaient à d'autres plus anciennes, et dont les actionnaires n'avaient aucun lien avec des groupes extérieurs. Pour le groupe Beaudry il y avait les Placements Laleri, les Investissements Mirage et Malabois Inc. (1971).

Tableau II-4

LE GROUPE BÉRARD/BEAUDRY.

Bérard & Jémus

Les Habitations Clomont Inc.

Jacques Beaudry 11%
Lodru Inc. 33%
Roland Théorêt 11%
Bérard & Jémus 22¼%

Lodru Inc (1972)

Michel Beaudry 33%
Robert Roy 33%
Claude Lecuyer 33%

Construction Du Barry

Roger Lachapelle 98%

Auto Gatineau (1974) Inc.

Claude Bérard
Phil Latreille
Gilles Guimont

Les Habitations Gabon Inc. (1974)

Jacques Beaudry 15%
Lodru Inc. 30%
Roland Théorêt 10%
Bérard & Jémus 20%

Malabois Inc. (1971)

Charles Major 16%
Jacques Beaudry 16%
Marcel Beaudry 16%
Maurice Marois 16%
Roger Lachapelle 16%
Laframboise Holdings 16%

Les Investissements Mirage Inc. (1971)

Marcel Beaudry 30%
Maurice Marois 30%
Roger Lachapelle 30%

Les Habitations de la Montée Labrosse Inc. (1974)

Jacques Beaudry 15%
Lodru Inc. 30%
Roland Théorêt 10%
Bérard & Jémus 20%

Les Carrières de la Gatineau Ltée

Claude Bérard 33 $\frac{1}{3}$ %
Albert Bérard 33 $\frac{1}{3}$ %
Gilles Guimont 33 $\frac{1}{3}$ %

Les Habitations Cloroca Ltée (1973)

Camilien Vaillancourt 42%
Claude Bérard 14%
André Jémus 14%
Albert Bérard 14%
Maurice Parent 10%

Construction Balmec

Jacques Beaudry 10%
Lodru Inc. 30%
Roland Théorêt 10%
Bérard & Jémus 20%
Orlo Breuer Ltée 10%

Licousi Inc.

Jacques Beaudry
Marcel Beaudry
Charles Major

Beaudry Construction

(cette compagnie n'est plus en activité)

Construction Cajbo

Construction Orber

Construction Gabiger

} comme construction Balmec

Ce front commun d'une partie de la petite bourgeoisie foncière locale est essentiellement circonstanciel. En effet, en 1974-1975, la construction est en pleine période ascendante et ce, non seulement dans le domaine de la construction domiciliaire, mais aussi dans celui de la construction de services. Ainsi, par exemple, un certain nombre d'hommes d'affaires manifestaient leur intention de construire de petits centres d'achat locaux. Pour ce faire ils avaient évidemment besoin de terrains situés dans des endroits stratégiques, tel le long du boulevard Maloney, et situés dans une zone commerciale. C'est là qu'un homme comme Bérard intervient et, grâce à ses contacts, joue le rôle d'intermédiaire et livre le terrain prêt à bâtir. Or, la C.R.O. dans son schéma d'aménagement qui prévoit la construction d'un centre régional, de même qu'une certaine partie du conseil municipal de Gatineau, veulent empêcher à tout prix la construction dispersée de petits centres, qui aurait pour effet d'absorber une partie de la clientèle future d'un grand centre commercial. En d'autres termes, en 1974-1975, les affaires allant rondement, la petite bourgeoisie foncière locale ne voulait pas se faire damer le pion par une quelconque grosse compagnie. Elle voulait être la première à se servir. La conjoncture ayant changé depuis 1977, l'attitude intransigeante de la petite bourgeoisie locale foncière est beaucoup moins marquée.

Le groupe Tessier est un regroupement beaucoup moins homogène et structuré que les deux précédents. En effet, si on analyse le tableau II-5, il apparaît de façon assez évidente que les liens entre les différents actionnaires sont beaucoup plus faibles que dans le cas du groupe Bérard et Beaudry. Dans la presque totalité des cas, une seule personne rattache une compagnie à une autre. Au total cependans ce groupe «contrôle» 12,4% de l'espace foncier sous spéculation. Il est important de remarquer que ces terrains sont tous situés à la périphérie du développement.

L'étude de la concentration de la propriété, par le biais des liens de compagnies, laisse de côté certains propriétaires fonciers individuels très importants. Le plus important de tous est J.P. Maloney. Membre d'une des plus vieilles familles de l'Outaouais, J.P. Maloney possède à lui seul plus de 600 acres de terrain dans le seul secteur est. Il est important de noter cependant que 410 acres de ces terres, acquises par le biais de Desrosiers in Trust, sont situés immédiatement au nord du tracé prévu pour l'autoroute 50, ce qui les situent dans une zone différée.

Charles Desnoyers, qui est à la fois propriétaire foncier et constructeur d'habitations, en est un autre qui fut au début des années 70 un propriétaire foncier assez important. Aujourd'hui, cependant, la plupart de ses terrains sont construits et vendus. Il est un de ceux qui, par le biais de D.M.T. Inc., vendirent à la compagnie C.J.C.

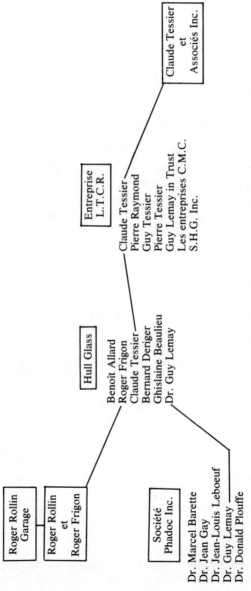

Tableau II-5
LE GROUPE TESSIER.

Roger Rollin
Garage

Roger Rollin
et
Roger Frigon

Hull Glass

Benoît Allard
Roger Frigon
Claude Tessier
Bernard Deriger
Ghislaine Beaulieu
Dr. Guy Lemay

Société
Phadoc Inc.

Dr. Marcel Barette
Dr. Jean Gay
Dr. Jean-Louis Leboeuf
Dr. Guy Lemay
Dr. Donald Plouffe

Entreprise
L.T.C.R.

Claude Tessier
Pierre Raymond
Guy Tessier
Pierre Tessier
Guy Lemay in Trust
Les entreprises C.M.C.
S.H.G. Inc.

Claude Tessier
et
Associés Inc.

Note : Bien que les liens qui existent entre ces compagnies soient beaucoup moins étroits que dans le cas de Philips et Bérard Beaudry, ils méritent tout de même d'être notés.

Habitations le terrain sur lequel la corporation Campeau voulait construire un centre commercial. Sentant venir la crise dans le domaine de la construction, Desnoyers n'a à peu près pas racheté de terrain, ce qui lui a probablement évité de graves ennuis en 1976-1977.

Après cette analyse, il est nécessaire de reformuler nos premiers constats concernant la concentration de la propriété foncière dans le secteur est. En effet, trois groupes (Philips, Bérard/Beaudry, Tessier) contrôlent 57,9% de tout l'espace foncier sous spéculation. Le groupe Bérard/Beaudry et le groupe Philips contrôlent à eux seuls 45,9% des terres sous spéculation dans ce secteur. On peut donc maintenant parler de concentration de la propriété, et même de polarisation entre deux groupes, un représentant la petite bourgeoisie locale et l'autre cherchant à s'allier au grand capital national.

L'analyse de la structure de la propriété dans le secteur ouest fournit des résultats très différents de ceux obtenus pour le secteur est. Nous avons déjà constaté que la moyenne des superficies détenues par les propriétaires du secteur ouest était légèrement supérieure à celles détenues par les propriétaires du secteur est. De plus, on trouve dans le secteur ouest trois propriétaires fonciers qui détiennent plus de 400 acres chacun (Jarvis Freedman in Trust, 506 acres Costain Construction, 501 acres et Nancliffe et McLeod Ltd., 427 acres alors que dans le secteur est seul J.P. Maloney (Desrosiers in Trust) possède plus de 400 acres. Comment expliquer cette différence dans l'importance des superficies entre les deux secteurs? L'importance du capital dont disposent les acheteurs nous semble être la réponse. En effet, nous avons déjà démontré que le secteur est était avant tout la propriété de la petite bourgeoisie locale. Leurs sources de financement bien qu'importantes ont une base forcément plus limitée puisqu'essentiellement locale. C'est la raison pour laquelle Philips chercha à s'allier au grand capital. Or dans le secteur ouest les plus importants propriétaires fonciers sont soit des fiducies, soit de grosses compagnies. Costain Construction par exemple, dont le siège social est à Toronto et qui fait des affaires dans les principales villes de l'Ontario, a accumulé en 1976 des revenus de $56 426 300. Nous sommes loin des quelques millions dont dispose la petite bourgeoisie locale. La compagnie McLeod Ltd, bien qu'elle ait dû déclarer faillite en 1977, était elle aussi une compagnie d'une assez grande envergure. Contrairement au secteur est, où tous les propriétaires fonciers à quelques exceptions près sont des membres de la petite bourgeoisie locale, les propriétaires fonciers du secteur ouest sont majoritairement des gens de l'extérieur. Cette hétérogénéité d'origine des compagnies explique le fait qu'il n'y a pas de liens entre les compagnies comme ceux qui existent entre les compagnies sises dans le secteur est. Finalement, une différence significative entre les deux secteurs vient du fait qu'un grand nombre des compagnies propriétaires fonciers dans le secteur ouest sont aussi des constructeurs. En effet, Costain, McLeod, R. Scholle, Moffat, Western Realty Project, Placement Omega Lucerne, Campeau, Trentwood Development, Cadillac Fairview, sont à la fois des propriétaires fonciers et des constructeurs.

Il existe donc une différence très nette entre les propriétaires fonciers du secteur est et ceux du secteur ouest, quant à leur origine et à leur importance. Comment expliquer cette « séparation » entre les deux secteurs ? Les raisons sont nombreuses et complémentaires. La faiblesse relative de la capacité de financement de la petite bourgeoisie locale limitait son expansion. L'alliance entre Philips et S.B. McLaughlin nous montre jusqu'à quel point le capital local est limité dans ses moyens. Nous ne croyons pas cependant que ce facteur ait été le plus important. Suite à l'analyse que nous avons menée, nous sommes enclins à croire que la question de l'espace économique, de la zone d'influence, soit l'aspect le plus significatif. En effet, le groupe Philips tout comme le groupe Bérard/Beaudry que nous avons identifiés comme étant les principaux propriétaires fonciers du secteur est ont pour ainsi dire les deux pieds solidement ancrés dans le secteur est. Ils ont toujours fait des « affaires » dans ce secteur et leur influence à tous les paliers de décision est importante. Ce localisme expliquerait l'absence quasi complète de propriétaires fonciers du secteur est dans le secteur ouest et vice versa. Un autre facteur tout aussi important, et conséquent de « l'emprise » de la petite bourgeoisie locale sur les paliers de décision, est l'importance des investissements gouvernementaux pour la construction de routes et d'infrastructures dans le secteur est, alors qu'à peu près rien n'a été fait dans le secteur ouest. La réalité des priorités des différents paliers du gouvernement dans les investissements au niveau des infrastructures démontre avec éclat la vigueur politique de la petite bourgeoisie locale.

En résumé, nous pouvons donc dire que la presque totalité de l'espace disponible pour l'urbanisation dans la zone urbaine de l'Outaouais québécois est sous spéculation. Nous pouvons aussi affirmer que la structure de la propriété est fondamentalement différente dans les deux secteurs est et ouest. De plus nous pouvons affirmer que l'attitude de la petite bourgeoisie locale impliquée dans la spéculation foncière n'est pas homogène quand on aborde la question du partage de la rente foncière avec le grand capital. La concentration à l'est des équipements d'infrastructure, de même que la présence massive de la petite bourgeoisie francophone locale dans ce même secteur, sans valider de façon catégorique notre hypothèse voulant que le statut de la propriété foncière dépend de la place qu'occupe le propriétaire foncier dans le mode de production, nous permet tout de même de constater l'importance du palier local dans l'aménagement du territoire, et le lien étroit qui semble unir les intérêts de l'État local et ceux de la bourgeoisie locale.

LE PROCESSUS D'APPROPRIATION DE LA PROPRIÉTÉ FONCIÈRE.

L'analyse du processus d'appropriation dévoile, entre autres, les sources de financement, les modes de paiement, les transactions entre les propriétaires spéculateurs et les constructeurs, c'est-à-dire l'accessiblité au terrain.

LE SECTEUR EST. — LE CAS DU GROUPE PHILIPS.

Nous allons d'abord nous intéresser aux transactions foncières du groupe Philips. La première transaction que nous avons retracée remonte au 26 avril 1963. Il s'agit des lots 18A et 18B dont la superficie totale est de 100 acres. (voir tableau II-6). Ces lots, Philips les avaient acquis d'un fermier, Arthur Madore, au coût de $0,03 du pi^2. Situés à la limite est de l'ancienne ville de Gatineau, accessibles seulement par une route gravelée et n'étant dotés d'aucune infrastructure, ces terrains ne semblaient pas particulièrement bien situés à ce moment-là. Malgré tout, quatre ans plus tard, le 26 avril 1967, Fernand Philips et Roland Théorêt, maintenant incorporés sous le nom de Gatineau Westgate, vendent à la Commission scolaire régionale de l'Outaouais, 59,4 acres des 100 acres composant les lots 18A et 18B au prix de $0,05 le pi^2. Comment expliquer que la C.S.R.O. ait décidé de se porter acquéreur de cet espace bien précis alors qu'il y en avait tant d'autres disponibles? Ce n'est pas notre propos de répondre à cette question, mais nous savons cependant que la C.S.R.O. ne construira une école sur ce terrain que six ou sept ans plus tard, soit immédiatement après la construction d'une partie du boulevard La Vérendrye en 1971. L'ouverture de ce boulevard est sûrement directement responsable de l'achat en septembre 1973 par Gatineau Westgate des lots (19A partie, 19-B-8, 18B-77) d'une superficie de 14 acres, ces lots étant situés à proximité de ceux acquis en 1963. Fait intéressant ces lots ont été achetés par l'intermédiaire d'un trust du nom de Sébastien Valente. Ce dernier négocia l'achat du terrain avec J.P. Maloney, lui-même un spéculateur foncier. L'entente fut conclue au prix de $0,01 le pi^2. Le lendemain, Sébastien Valente in Trust revendit à Gatineau Westgate la totalité des lots acquis pour la somme nominale de $1,00. Cette tactique visait tout probablement à ne pas éveiller les soupçons du vendeur, qui n'aurait sûrement pas manqué de faire monter les enchères, sachant que Philips s'intéressait à ce coin de terre. J.P. Maloney avait acheté ces lots en juin 1958 de Harold Brooks.

Tableau II-6

L'APPROPRIATION DE LA PROPRIÉTÉ FONCIÈRE — LE GROUPE PHILIPS (LOTS 18-19).

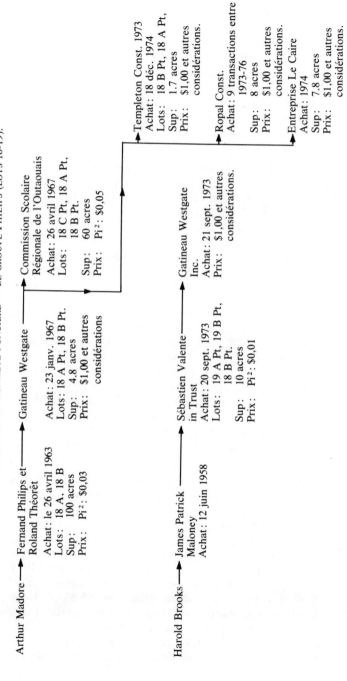

Cette première analyse nous permet de constater que la localisation d'un terrain n'est pas nécessairement un facteur important dans la décision d'acheter ou de ne pas acheter un terrain. Le poids politique et économique du propriétaire semble cependant être un facteur décisif pour l'avenir d'un terrain.

Les transactions les plus importantes faites par le groupe Philips dans le domaine foncier se regroupent autour des lots 5,7,8 et 9. L'histoire de ces transactions va nous fournir un portrait assez complet de l'ensemble des transactions qui interviennent entre le moment où le cultivateur vend sa terre, et le moment où le constructeur vend un terrain bâti (voir tableau II-7).

Les lots 5,7,8 et 9 sont tous situés sur le territoire de l'ancienne municipalité de Pointe-Gatineau. Les lots 5,7 et 8 d'une superficie de 157 acres furent acquis d'un fermier du nom de Louis Laurin au coût de $0,08 le pi^2. La promesse de vente qui avait été conclue en octobre 1972 se concrétise en mai 1973. Le lot 9 d'une superficie de 53 acres appartenait à Louis Cyr. En décembre 1969, la Compagnie d'Habitation Ltée (Aurèle Letang, Rosaire Lafrenière, Georges Amyot, Josephat Devat) achète ce lot d'une superficie de 2 308 680 pi^2 au coût de $0,03 le pi^2. Fait important à souligner, cette transaction eut lieu au beau milieu du débat qui opposait Pointe-Gatineau et Gatineau sur la question de l'annexion d'une partie du territoire de Templeton ouest. Ce n'est cependant pas avant la fin de 1972 que Philips fit montre d'un certain intérêt pour les lots situés dans ce secteur. En effet, il fait signer une promesse de vente à Louis Laurin pour les lots 5,7,8 au mois d'octobre 1972. Au début de décembre de la même année il achète de la Compagnie d'Habitation Ltée le lot 9. Le prix d'achat du lot 9 s'élève à $0.11 le pi^2. En d'autres termes, le prix de ce lot a triplé entre décembre 1969 et décembre 1972. À noter qu'il n'y a aucun investissement qui justifie cette augmentation de valeur, si ce n'est l'intérêt payé sur le capital emprunté.

L'alliance entre S.B. McLaughlin et Philips dont nous avons déjà parlée dans l'analyse de la structure de la propriété survient le 19 juin 1974. Le contrat (230-104) consacre la création de la nouvelle compagnie Gatineau Westgate (1974). Pour devenir partenaire à part égale dans cette compagnie, S.B. McLaughlin dut payer le prix fort. Sans connaître le montant exact, nous savons cependant que Gatineau Westgate vend à Gatineau Westgate (1974), c'est-à-dire la compagnie formée par S.B. McLaughlin et Philips, les lots 5,7,8 et 9 pour la somme totale de $5 233 050, soit environ $0,57 le pi^2. Cette transaction nous fournit certains renseignements sur le financement et le mode de paiement de ces achats. Il semble y avoir trois types de financement. Le premier que nous avons noté est à la fois un mode de financement et un mode de paiement.

Tableau II-7

APPROPRIATION DE LA PROPRIÉTÉ FONCIÈRE AU CENTRE-VILLE DU SECTEUR EST :
LE GROUPE PHILIPS (LOTS 5, 7, 8, 9).

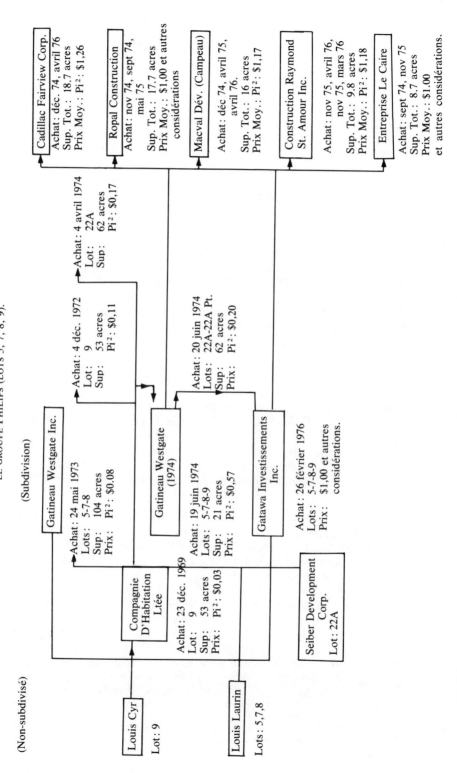

En effet, comme nous allons le voir pour d'autres cas, il est de pratique courante pour l'acheteur de « s'hypothéquer » auprès du vendeur. Cette pratique permet à l'acheteur de ne pas avoir à effectuer un gros emprunt. En contrepartie, elle permet au vendeur de ne pas payer un gros montant d'impôt sur un gain de capital. La seconde source de financement est le capital détenu par Philips lui-même. Le troisième type de financement nous a, au premier abord, très surpris. Il s'agit des compagnies d'huile. Nous disons surpris car nous n'avons pas rencontré d'autres propriétaires fonciers qui se soient financés de la sorte. Après en avoir discuté avec des spécialistes en évaluation, il nous fut confirmé que cela était assez fréquent. Dans le cas de Philips il s'agit de la Compagnie Imperial Oil de qui il avait emprunté en mai 1973 la somme de $800 000. La Compagnie Imperial Oil par le biais de cette hypothèque (lots 18 partie 1 à 126, 135-137, 18B partie 1 à 7, 9 à 65, 76, 78 à 80 et les lots 7,8,9) fait en sorte que toutes les maisons construites sur les lots concernés devront être équipés de fournaises Esso et de chauffe-eau Esso. De plus l'acheteur devra se fournir en huile à chauffage auprès d'un concessionnaire Esso.

L'intérêt de ce genre de prêt pour les compagnies d'huile est évident. En plus de faire un bon placement, les compagnies sont assurées de vendre leurs produits. Mais, l'intérêt principal pour ces compagnies dans ce genre de transaction se situe au niveau plus général de la forme du développement résidentiel en banlieue. La banlieue existe en fonction de la voiture et tout ce qui encourage la voiture est, évidemment, profitable pour les compagnies d'essence. Cette participation des compagnies pétrolières au développement urbain a été signalée d'ailleurs par Henry Aubin dans son livre sur les véritables propriétaires de Montréal[26].

Un autre aspect intéressant se dégage de cette analyse du processus d'appropriation de la propriété foncière. Il s'agit du rapport entre le spéculateur foncier et le constructeur d'habitations. Pour ce dernier, l'accessibilité au sol est un facteur essentiel pour la réussite de son entreprise. En effet, le profit réalisé par le constructeur ne se situe pas tellement au niveau de l'habitation elle-même mais bien au niveau du sol: de la rente foncière. Il lui importe donc d'acquérir des espaces dont la valeur urbaine est élevée et ce au meilleur coût possible. Dans le secteur est, les constructeurs d'habitations n'étant pas généralement des propriétaires fonciers, le rapport des uns avec les autres prend donc une dimension très particulière.

---

[26] Henry AUBIN, *Les vrais propriétaires de Montréal*, Montréal, Éditions l'Étincelle, 1977, p. 394. « Il peut sembler bizarre qu'une société pétrolière comme Gulf Oil soit le promoteur d'une ville qui devra accueillir 30 000 personnes dans la banlieue montréalaise. Toutefois, Gulf Oil n'est que l'exemple le plus frappant d'une tendance qui se généralise de plus en plus. »

L'étude des transactions intervenues entre Philips et quelques constructeurs nous renseigne sur l'importance des liens privilégiés entre le propriétaire foncier et le constructeur. Après avoir été lui-même impliqué dans la construction domiciliaire entre 1955 et 1973, par le biais d'une compagnie qui portera successivement les noms de Gatineau Construction, de Templeton Construction et de Templeton Construction (1973)[27], Philips vend cette compagnie à celui qui en était le gérant, Raymond St-Amour. La nouvelle compagnie portera le nom de Raymond St-Amour Construction. Cet abandon de l'activité de constructeur de la part de Philips, correspond dans le temps au début de la période d'effervescence dans le domaine de la construction. Pourquoi avoir abandonné la construction au moment où les affaires s'annonçaient prospères? Nous ne pouvons formuler qu'une réponse hypothétique. Le profit réalisé par la vente de terrains prêts à bâtir à des constructeurs était plus grand que s'il s'occupait lui-même de la construction. Chose certaine, la vente de terrain à d'autres constructeurs lui permettait de liquider plus rapidement son stock de terrains, que s'il avait lui-même construit des maisons sur ces lots.

Qui sont les constructeurs avec lesquels Philips faisait affaires? Première constatation: on retrouve parmi ses clients à la fois des constructeurs locaux et de grosses compagnies. Les grosses compagnies sont au nombre de deux. Il s'agit de Cadillac Fairview qui, entre 1974 et 1976, a acquis de Philips environ 20 acres de terres dans le secteur Le Carrefour à un coût variant entre $1,06 et $1,45 le pied carré, et Campeau, qui par le biais de sa filiale Macval Corporation, s'est porté acquéreur d'environ 16 acres de terres dans le même secteur au cours de la même période. Ces terrains lui ont coûté entre $1,11 et $1,26 le pied carré (tableau II-7).

Les constructeurs locaux à qui Philips a vendu des terrains sont au nombre de trois. Il s'agit de Ropal Construction (Robert Labine), Raymond St-Amour Construction (ancien employé de Philips) et des Entreprises Le Caire. Pour deux des trois constructeurs, il est évident qu'il y avait des liens privilégiés qui existaient avant même les ententes contractuelles. Robert Labine était un vieil ami de Philips. Il en est aujourd'hui l'exécuteur testamentaire. Dans le cas de St-Amour, Philips avait recruté ce dernier pour en faire le gérant de sa compagnie de construction. Dans le cas des Entreprises Le Caire, de pareils liens ne semblent pas exister. Chose certaine cependant, cette entreprise a bénéficié du même privilège que les deux autres. Ce privilège, c'est l'accessibilité au sol. En effet, pour des membres de la petite bourgeoisie locale, ne disposant

---

[27] On évalue à plus de 2 000 le nombre de maisons qu'il aurait construit dans Gatineau.

que d'un capital très limité, il aurait été difficile, sinon impossible, de se porter acquéreur d'une réserve de terrains assez importante. Afin de leur faciliter les choses, Philips avait, avec ces trois constructeurs, des contrats basés sur la somme nominale de $1,00 et autres considérations. Qu'est-ce que cela signifie exactement? Nous n'avons pas de réponse précise à cette question, les constructeurs que nous avons interrogés ayant été très avares de commentaires. Nous connaissons cependant l'interprétation générale qu'il faut donner à ce genre de contrat. Essentiellement, le vendeur et l'acquéreur s'entendent sur le prix à payer au pied carré pour la totalité des terrains impliqués dans la transaction. Il n'y a là rien de très différent des contrats classiques. Là où les choses sont différentes, c'est que celui qui va réellement défrayer le coût de terrain n'est pas le constructeur, mais celui qui va se porter acquéreur de la maison qui aura été construite sur ce lot. En d'autres termes, le constructeur n'a pas à immobiliser un capital important afin d'avoir accès au sol, il n'a donc pas d'intérêt à payer, ce qui aurait pour effet de réduire sa marge de profit. Tous ces frais sont absorbés par le client. La seule limite à ce genre de contrat, c'est qu'il est entendu au départ que le constructeur d'habitations doit avoir construit et vendu la totalité des terrains dont il s'est porté acquéreur avant une date limite. On comprend mieux maintenant l'intérêt de ce type d'entente contractuelle pour un petit constructeur. L'importance de l'accessibilité au sol se traduit dans le volume de maisons construites par les constructeurs ayant des liens privilégiés avec les propriétaires fonciers par rapport aux autres, qui eux doivent payer « le plein prix ».

Le cas du groupe Bérard et Beaudry.

Comme nous l'avons précédemment expliqué, ce groupe a été formé en 1974 par la réunion des intérêts du groupe Beaudry et de ceux du groupe Bérard.

Le groupe Beaudry était déjà, avant 1974, passablement actif dans le domaine foncier au niveau du secteur est. En effet, dès 1971, Beaudry par le biais des Placements Laleri Inc. acheta 82,1 acres (lots 21D et 21C partie) d'un fermier du nom de Reginald Sharpley. Le prix du terrain était de $0,01 le pi^2 (tableau II-8). Puis successivement en novembre 1972 et en janvier 1973, il achète, mais cette fois sous le nom des Investissements Mirage Inc., plus de 7 000 000 pi^2. La première de ces transactions a été conclue avec J.P. Maloney. Ce dernier avait acheté le lot 25D partie d'une superficie de 2 305 700 pi^2 de Hector Aubin, cultivateur, pour la somme de $0,02 le pi^2. Beaudry l'a payé, deux ans plus tard, $0,06 de plus le pied carré. La seconde transaction impliquait elle aussi un intermédiaire. Il s'agit de René Labelle Realties Ltd. Là aussi la présence d'un intermédiaire a eu pour effet de faire grimper le prix du terrain. De $0,01 le pied carré qu'il était en décembre 1970 il fut acquis par les Investissements Mirage aux prix de $0,10 le pi² en janvier 1973 (lots 26B, 26A partie, 27 partie). Le 7 septembre 1973, Beaudry vendit 2 151 700 pi² à l'Hydro-Québec pour $0,12 le pi². Finalement le 3 janvier 1974, les Investissements Mirage acquirent 31,9 acres (lots 12 Partie-19) de Eusèbe Maisonneuve au prix de $0,15 le pied carré. Avant de poursuivre, il est important de noter que la presque totalité des transactions foncières conclues avant 1974, soit avant le moment où le regroupement municipal ne devienne une évidence irrévocable, a eu lieu sur le territoire nouvellement annexé de Pointe-Gatineau, plus apte à être pourvu de services d'eau et d'aqueduc, et non dans Gatineau ou ailleurs dans le secteur est. Cette constatation dénote sûrement l'importance qu'avait pour les propriétaires fonciers l'attitude de l'État local face à la question du financement des infrastructures.

L'analyse des transactions réalisées par le groupe Bérard/Beaudry ne fait que confirmer ce que nous savons déjà, à savoir qu'en 1974, les deux groupes ont cherché à bloquer la venue du grand capital dans le secteur est. Ainsi en décembre 1973 Claude Bérard se porte acquéreur du lot 18A d'une superficie de 110 acres au prix de $0,03 le pi². Le 1er mai 1974, les Habitations Montée Labrosse achète les lots 16A, B et C partie d'une superficie de 133,06 acres au coût de $0,10 le pi². Le 6 août de la même année, il acquiert par le biais des Habitations Gabon Inc. 46,1 acres au prix de $0,12 le pi². De ces transactions, on doit retenir deux faits importants. Dans chacune de ces transactions, il n'est intervenue aucun intermédiaire. Deuxièmement, le prix du terrain au pied carré a augmenté avec régularité, ce qui témoigne de la conscience des vendeurs de la valeur marchande de leurs terrains.

Le groupe Bérard, tout comme le groupe Philips, avait aussi sa propre compagnie de construction: la compagnie Cloroca, mais cette activité était très marginale. Alors que Philips faisait affaire avec Ropal. Le Caire et St-Amour, Bérard faisait affaire avec Vancel Construction, Ropal et d'autres constructeurs locaux moins importants.

Les petits constructeurs locaux ne semblent pas accorder beaucoup d'importance au désaccord qui existait entre le groupe Philips et le groupe Bérard/Beaudry, car ils négocient l'achat de terrains avec l'un et l'autre. Ils nous ont d'ailleurs fait remarquer qu'il existe entre les principaux constructeurs (Ropal, Le Caire, Vancel, St-Amour, Bérard) une entente tacite, favorisant l'échange de services du genre « Je fais l'électricité dans ton projet, tu fais l'excavation et le terrassement du mien ».

Tableau II-8

L'APPROPRIATION DE LA PROPRIÉTÉ FONCIÈRE — LE GROUPE BÉRARD/BEAUDRY.

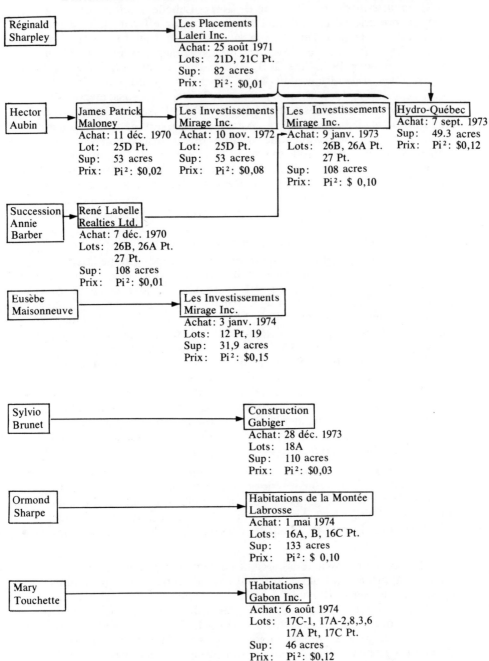

Réginald Sharpley → Les Placements Laleri Inc.
Achat: 25 août 1971
Lots: 21D, 21C Pt.
Sup: 82 acres
Prix: Pi² : $0,01

Hector Aubin → James Patrick Maloney
Achat: 11 déc. 1970
Lot: 25D Pt.
Sup: 53 acres
Prix: Pi² : $0,02

→ Les Investissements Mirage Inc.
Achat: 10 nov. 1972
Lot: 25D Pt.
Sup: 53 acres
Prix: Pi² : $0,08

→ Les Investissements Mirage Inc.
Achat: 9 janv. 1973
Lots: 26B, 26A Pt.
27 Pt.
Sup: 108 acres
Prix: Pi² : $ 0,10

Hydro-Québec
Achat: 7 sept. 1973
Sup: 49.3 acres
Prix: Pi² : $0,12

Succession Annie Barber → René Labelle Realties Ltd.
Achat: 7 déc. 1970
Lots: 26B, 26A Pt.
27 Pt.
Sup: 108 acres
Prix: Pi² : $0,01

Eusèbe Maisonneuve → Les Investissements Mirage Inc.
Achat: 3 janv. 1974
Lots: 12 Pt, 19
Sup: 31,9 acres
Prix: Pi² : $0,15

Sylvio Brunet → Construction Gabiger
Achat: 28 déc. 1973
Lots: 18A
Sup: 110 acres
Prix: Pi² : $0,03

Ormond Sharpe → Habitations de la Montée Labrosse
Achat: 1 mai 1974
Lots: 16A, B, 16C Pt.
Sup: 133 acres
Prix: Pi² : $ 0,10

Mary Touchette → Habitations Gabon Inc.
Achat: 6 août 1974
Lots: 17C-1, 17A-2,8,3,6
17A Pt, 17C Pt.
Sup: 46 acres
Prix: Pi² : $0,12

L'analyse du processus d'appropriation foncière, appliquée aux cas de Philips et de Beaudry/Bérard, nous a permis de confirmer ce que nous avions déjà constaté au niveau de la structure de la propriété foncière, à savoir que le groupe Beaudry/Bérard a cherché à endiguer dès 1974 la poussée du grand capital au niveau foncier dans le secteur est. Cette analyse nous a aussi permis de découvrir certaines sources de financement des propriétaires fonciers, de même que certaines modalités de paiement entre l'acquéreur et le vendeur. Mais l'élément qui se dégage avec le plus de force, c'est le rapport entre le propriétaire foncier et le constructeur. Le propriétaire foncier spéculateur, dans les périodes de forte croissance urbaine, se spécialise dans la mise en marché de lots prêts à bâtir, alors que le constructeur, lui, doit, pour se développer, avoir accès au sol au meilleur coût possible.

LA QUESTION D'UN CENTRE COMMERCIAL RÉGIONAL À GATINEAU.

Entre 1975 et 1977, le secteur est, plus particulièrement le secteur devant devenir le nouveau centre-ville, fut l'objet d'une controverse. L'essentiel du débat tournait autour de la question, à savoir : qui serait celui qui érigerait ce fameux centre commercial régional ? Au début, plusieurs candidats sont en lice. Tous veulent construire le centre commercial aux environs de la montée Paiement. Il s'agit de Campeau, Gatineau Westgate et de Cadillac Fairview (voir tableau II-9). Plus à l'ouest cependant, dans le secteur Pointe-Gatineau, un autre entrepreneur propose de construire un centre un peu plus modeste, mais suffisamment important pour interférer avec le projet d'un centre régional. Ce promoteur est David Azrieli.

Le premier acte officiel de cette «comédie dramatique» s'est déroulé lors de la dernière assemblée du conseil municipal de Pointe-Gatineau, quelques heures avant son intégration à la nouvelle municipalité regroupée de Gatineau. Lors de cette assemblée, le promoteur Azrieli obtient du conseil de ville de Pointe-Gatineau toutes les autorisations nécessaires pour aller de l'avant avec son projet : «Les Promenades de l'Outaouais». Nous sommes le 31 décembre 1975. Mais les véritables débuts de cette histoire remontent à quelques années auparavant. En effet, David Azrieli avait déjà été au début des années 70 le promoteur d'un autre centre d'achat d'envergure moyenne sur le territoire de Pointe-Gatineau, «Les Galeries Gatineau». Il connaissait donc bien les élites locales. L'analyse des transactions foncières (voir tableau II-10) qui ont été nécessaires à Azrieli pour regrouper le terrain dont il avait besoin pour la construction des Promenades de l'Outaouais nous fournit d'autres détails intéressants pouvant expliquer les motifs qui ont amené le conseil municipal de Pointe-Gatineau à accorder un permis de construction à David Azrieli. Sans énumérer la totalité des transactions

Tableau II-9

LE CENTRE-VILLE DE GATINEAU (PROJETS CADILLAC FAIRVIEW, GATINEAU WESTGATE, CAMPEAU).

(Emplacement du projet Cadillac Fairview)

Oscar Lafontaine ⟶ E.B. Eddy Co. ⟶ Loblaw Groceteria Ltd. ⟶ Wittington Realty et Const. Ltd.
Lucien Lafontaine   Achat: 21 mars 1946   Achat: 25 avril 1968   Achat: 7 janv. 1975
Léopold Lachapelle   Prix: $1,00 et autres   Lots: 42 Pt.N., 43 Pt,   Lots: identique
Maurice Gratton   considérations   44 Pt, 49, 50, 51,   Sup: 142 acres
                                       52 Pt, 56 Pt, 57.   Prix: Pi^2: $ 0,11
                                   Sup: 142 acres
                                   Prix: Pi^2: $0,04

(Emplacement du Projet de Gatineau Westgate)

François Laurier Laurin ⟶ Gatineau Westgate ⟶ Gatineau Westgate (1974)
Louis Laurin   Achat: 7 oct. 1970   Achat: 19 janv. 1974
                              Lots: 14, 15 Pt, 17.   Lots: 14, 15 Pt, 17.
                              Sup: 92,3 acres   Sup: 92,3 acres
                              Prix: Pi^2: $ 0,01   Prix: Pi^2: $ 0,57

(Emplacement du Projet Campeau)

Howard Filton Harris ⟶ D.M.T. ⟶ Rock Properties ⟶ [branches]
            Achat: 27 nov. 1970   Achat: 23 oct. 1973
            Lots: 23B, 23C Pt.   Lots: 23B, 23C Pt.
            Sup: 142. acres   Sup: 142
            Prix: Pi^2: $0,04   Prix: Pi^2: $ 0,27

C.J.C. Habitation
Achat: 5 avril 1976
Lots: 23B et 23C Pt.
      (33% de la valeur
      totale)
Prix: Pi^2: $ 0,17

Rock Properties
Achat: 6 mai 1976
Lots: 23B et 23C Pt.
      (67% de la valeur
      totale)
Prix: Pi^2: $ 0,23

Tableau II-10

LE CENTRE-VILLE DE GATINEAU (PROJET AZRIELI).

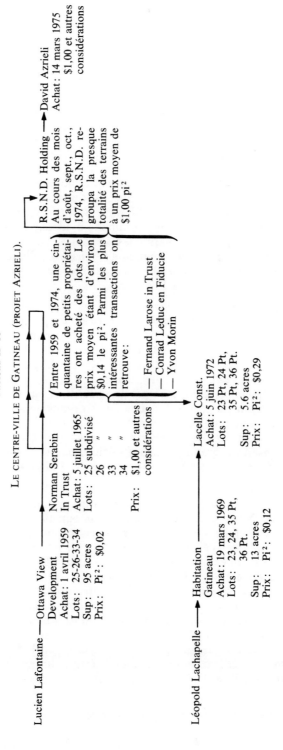

Lucien Lafontaine ——Ottawa View
Development
Achat : 1 avril 1959
Lots : 25-26-33-34
Sup : 95 acres
Prix : Pi² : $0,02

Norman Serabin
In Trust
Achat : 5 juillet 1965
Lots : 25 subdivisé
26 "
33 "
34 "
Prix : $1,00 et autres
considérations

Entre 1959 et 1974, une cinquantaine de petits propriétaires ont acheté des lots. Le
prix moyen étant d'environ
$0,14 le pi². Parmi les plus
intéressantes transactions on
retrouve :

— Fernand Larose in Trust
— Conrad Leduc en Fiducie
— Yvon Morin

R.S.N.D. Holding —— David Azrieli
Achat : 14 mars 1975
$1,00 et autres
considérations

Au cours des mois
d'août, sept., oct.,
1974, R.S.N.D. re-
groupa la presque
totalité des terrains
à un prix moyen de
$1,00 pi²

Léopold Lachapelle —— Habitation
Gatineau
Achat : 19 mars 1969
Lots : 23, 24, 35 Pt,
36 Pt.
Sup : 13 acres
Prix : Pi² : $0,12

Lacelle Const.
Achat : 5 juin 1972
Lots : 23 Pt, 24 Pt,
35 Pt, 36 Pt.
Sup : 5.6 acres
Prix : Pi² : $0,29

qui sont intervenues sur les lots 25,26,33 et 34 depuis 1959, date à laquelle la compagnie Ottawa Development les acheta au coût de $0,02 le pied carré, nous pouvons dégager les transactions qui nous semblent les plus significatives. Ces transactions sont importantes à la fois par leur superficie, mais surtout pour les vendeurs. En effet, parmi la cinquantaine de transactions qui ont été nécessaires à R.S.N.D. Holding[28] afin de remembrer les terrains nécessaires à son projet, nous retraçons les noms de membres influents de la petite bourgeoisie locale de Pointe-Gatineau. C'est ainsi par exemple que nous retrouvons des hommes comme le notaire Fernand Larose, le conseiller municipal Conrad Leduc, le docteur Guy Lemay et le propriétaire du Motel Sancho's, M. Morin, qui sera élu membre du conseil du grand Gatineau. Il n'y a aucune évidence qui nous permet d'affirmer que la présence parmi les vendeurs de ces membres influents de la scène politique municipale puisse expliquer la décision de dernière minute du Conseil municipal de Pointe-Gatineau, mais il n'y a rien qui nous prouve le contraire.

L'une des premières décisions prises par le nouveau conseil municipal du Gatineau regroupé fut de rescinder la résolution adoptée par le conseil de Pointe-Gatineau, accordant au promoteur Azrieli un permis de construction pour le centre d'achat «les Promenades de l'Outaouais». Les raisons invoquées par les tenants du «non» faisaient à peu près toute référence à la non-conformité de ce projet avec les plans envisagés par la C.R.O. et par le service d'urbanisme de Gatineau. En effet, ces deux organismes prévoyaient la construction d'un centre commercial régional près de l'axe de la Montée Paiement et du boulevard St-René. Après des débats orageux, le conseil du grand Gatineau décida, par vote divisé, de retenir le permis de construction qu'avait émis Pointe-Gatineau à David Azrieli.

Il ne nous appartient pas de reconstituer chaque détail du projet d'Azrieli. Nous nous intéressons beaucoup plus aux motifs profonds qui sont plus en mesure de nous fournir des explications. Comment expliquer en effet tout ce débat. Il n'y a pas une réponse unique à cette question. Nous croyons cependant que la réponse la plus satisfaisante se situe en termes d'intérêts de classe. Avant d'aborder cette explication nous pouvons quand même dire qu'il y avait aussi des motifs d'intérêt personnel. Sans vouloir faire de procès d'intention, on ne peut que constater que certaines des personnes ayant appuyé le projet Azrieli ont retiré des bénéfices de la construction de ce centre. Le conseiller Morin par exemple obtient un fort prix pour son motel, ce qui lui permis d'en acheter un autre en Floride. Le conseiller Audette, pharmacien de pro-

---

[28] Compagnie par laquelle Azrieli achetait les terrains.

fession, a ouvert une autre succursale des pharmacies Audette dans le centre d'achat. Robert Labine, qui n'était pas conseiller en 1975, au moment où le vote fut pris, mais qui était membre du conseil de l'ancienne municipalité de Gatineau, et qui sera nommé échevin en remplacement d'un des échevins élu à la députation provinciale, obtient le contrat d'électricité et de réfrigération. Ce ne sont là que les cas les plus évidents de «conflit d'intérêts». Un autre facteur a pu jouer un certain rôle. Il s'agit de la vieille rivalité qui existait entre Gatineau et Pointe-Gatineau, surtout au sujet de la question du développement. Cette rivalité qui avait été évidente lors du débat sur l'annexion d'une partie du territoire de Templeton ouest par Pointe-Gatineau, a pu avoir un certain impact car, malgré le regroupement, certains échevins continuaient à vouloir défendre les intérêts de leurs anciennes municipalités.

Nous croyons toutefois que le motif premier de toute cette histoire réside dans la lutte que se sont livrée deux fractions de la petite bourgeoisie foncière locale, autour de la participation du grand capital au développement de l'espace économique local. En effet, le groupe Beaudry/Bérard appuya ouvertement[29] Azrieli dans son projet, et ce contre le projet de Campeau[30]. Les raisons motivant le groupe Beaudry/Bérard sont simples, mais très significatives. En effet, le groupe Beaudry/Bérard, tout particulièrement Bérard, avait mis au point un système pour la vente de terrain à des promoteurs de moyenne envergure, désirant construire de petits centres d'achat. Bérard se portait acquéreur d'un terrain quelconque, généralement situé près d'un artère important, mais dont le zonage n'était pas commercial, ce qui lui permettait de l'acheter à meilleur prix. Suite à cet achat il entreprenait «toutes les démarches» nécessaires afin d'obtenir de la ville de Gatineau qu'elle modifie le zonage afin de permettre la construction d'un centre commercial[31]. Après avoir obtenu ce changement de zonage, il revendait le terrain à un acheteur avec qui il avait préalablement conclue une entente. Cette pratique démontre très clairement l'importance de l'utilisation de l'appareil d'État local par la petite bourgeoisie locale, les promoteurs extérieurs préférant passer par les agents locaux plutôt que d'y aller directement.

[29] Dans une entrevue qu'il nous accordait, Bérard nous a dit clairement que Campeau était venu chercher son appui, lui laissant entendre qu'il y aurait du «give and take».

[30] La compagnie Campeau avait conclu une entente avec la compagnie C.J.C. Habitation qui s'était portée acquéreur de D.M.T. des lots 23B et 23C Partie d'une superficie de 1 588 640 pi² au coût de $0,27 le pi².

[31] Dans un cas en particulier, il alla même jusqu'à faire un «mini sondage» pour prouver au Conseil municipal que les gens désiraient la construction d'un centre d'achat dans leur quartier.

Ce commerce lucratif était menacé par la construction d'un centre commercial régional tel que proposé par les planificateurs régionaux (C.R.O., S.A.O.), municipaux, et le promoteur Campeau. En effet, toute la planification régionale visait à empêcher la construction de petits et de moyens centres d'achat, afin de préserver le marché pour un centre de plus grande envergure. Ici, les intérêts d'Azrieli et de Bérard se rejoignent. En effet, l'acceptation par le conseil du grand Gatineau et par les membres du conseil de la C.R.O. du permis de construction du projet d'Azrieli signifiait à toute fin pratique la remise en question, si non de toute la planification commerciale du secteur est, du moins de son développement chronologique. Une fraction de la petite bourgeoisie locale a donc réussi à bloquer, pour un temps du moins, la pénétration du grand capital immobilier, et ce grâce à sa main-mise sur l'appareil d'État local.

Malgré la polarisation des forces, la question de la propriété foncière dans le secteur est ne se résume pas aux seuls groupes de Philips et de Bérard/Beaudry. Il y a en effet un certain nombre de propriétaires fonciers individuels d'importance. L'un d'entre eux, Charles Desnoyers, celui-là même qui vendit les terrains à la compagnie Rock Entreprises, impliquée avec Campeau dans la question du centre commercial régional, ne fait pas que le commerce du sol. En effet, Charles Desnoyers est l'un des plus vieux constructeurs d'habitations de Gatineau. Il commença ses activités de constructeur vers la fin des années 50, sur le territoire de l'ancienne municipalité de Gatineau. Malgré l'importance relative de ces activités, il demeura toujours un constructeur tout à fait local. Contrairement à la plupart des constructeurs locaux, qui sont très dépendants des gros propriétaires fonciers, Desnoyers a toujours été très autonome. En effet il a toujours construit sur des terrains dont il avait lui-même fait l'achat. Au début de sa carrière de constructeur, il défrayait même le coût de l'installation des infrastructures. Cette pratique fit en sorte que le prix de ses maisons était plus élevé que celui de ses concurrents qui, eux, procédaient par règlements d'emprunt. Cette situation l'incita à changer de politique, mais c'est pour ainsi dire la seule concession qu'il ait faite dans ce domaine. L'autonomie dont il a toujours fait montre face aux gros propriétaires fonciers locaux confirme en partie l'importance du lien que nous avons établi entre l'accessibilité au sol et l'importance des constructeurs locaux.

Un autre propriétaire foncier-constructeur qui a été important dans la région est Roger Lachapelle. Comme le tableau II-11 le souligne, il acheta beaucoup de terrains des cultivateurs et, par le biais de Du Barry Construction, il a construit une quantité considérable de maisons. Mais Lachapelle a vendu tous ses terrains, au

Tableau II-11

L'APPROPRIATION DE LA PROPRIÉTÉ FONCIÈRE AU CENTRE-VILLE, SECTEUR EST : ROGER LACHAPELLE.

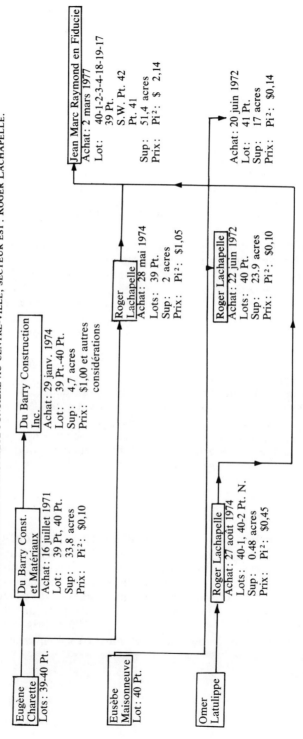

début de 1977, à Jean-Marc Raymond en Fiducie. Il est donc disparu en tant que propriétaire foncier de la région. Mais, pour l'ensemble de la période étudiée, il a été un constructeur important. Tout comme Desnoyers, Lachapelle a combiné les fonctions de propriétaire foncier et de constructeur.

LE CAS DE L'AUTOROUTE 50.

Le projet de l'autoroute 50 fait partie d'une réorganisation complète du réseau routier de l'Outaouais québécois. Cette autoroute doit relier l'ouest québécois à la région de Montréal. La présence de cette artère a suscité un vif intérêt chez les propriétaires fonciers du secteur est. En effet, si nous analysons la liste des propriétaires impliqués dans l'expropriation nécessitée par la construction de l'autoroute (voir l'Annexe II-A), nous retrouvons des noms qui nous sont maintenant familiers. Le groupe Bérard et Beaudry est représenté par les compagnies Construction Balmec Ltée, Construction Orbec Ltée, Les Habitations Cloroca et par les Placements Laleri Inc. Philips est représenté par le biais de Gatineau Westgate (1974). Charles Desnoyers, J.P. Maloney (Desrosiers in Trust) y sont aussi. Sur un total approximatif de 20 365 556 pi^2 expropriés, 54,1% étaient la propriété de compagnies ou d'individus dont l'achat de la propriété remontait à moins de cinq ans. Desrosiers in Trust (J.P. Maloney) par exemple avait acheté la presque totalité des lots impliqués dans cette expropriation entre 1971 et 1972 (tableau II-12). Dans le cas du groupe Bérard nous savons qu'ils n'ont pu être achetés avant 1974. Une telle concentration de spéculateurs indique bien l'importance qu'a l'infrastructure routière sur la rente foncière et par conséquent l'intérêt que cela suscite chez les spéculateurs fonciers.

LE SECTEUR OUEST.

L'analyse du processus d'appropriation foncier du secteur ouest nous fournit des résultats fort différents de ceux obtenus pour le secteur est. En effet, à l'exception de quelques compagnies dont Campeau et Cadillac Fairview, la plupart ont acquis leurs terrains directement du fermier. En ce sens, l'analyse du processus d'appropriation nous a appris peu de chose de plus que l'analyse de la structure de la propriété ne nous avait déjà appris. Pour cette raison nous n'avons pas voulu nous étendre trop longuement sur la question.

Tableau II-12

APPROPRIATION DE LA PROPRIÉTÉ FONCIÈRE: DESROSIERS IN TRUST.

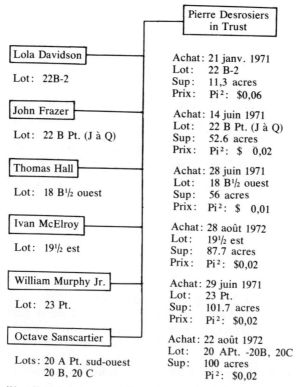

	Pierre Desrosiers in Trust
Lola Davidson Lot: 22B-2	Achat: 21 janv. 1971 Lot: 22 B-2 Sup: 11,3 acres Prix: Pi²: $0,06
John Frazer Lot: 22 B Pt. (J à Q)	Achat: 14 juin 1971 Lot: 22 B Pt. (J à Q) Sup: 52.6 acres Prix: Pi²: $ 0,02
Thomas Hall Lot: 18 B½ ouest	Achat: 28 juin 1971 Lot: 18 B½ ouest Sup: 56 acres Prix: Pi²: $ 0,01
Ivan McElroy Lot: 19½ est	Achat: 28 août 1972 Lot: 19½ est Sup: 87.7 acres Prix: Pi²: $0,02
William Murphy Jr. Lot: 23 Pt.	Achat: 29 juin 1971 Lot: 23 Pt. Sup: 101.7 acres Prix: Pi²: $0,02
Octave Sanscartier Lots: 20 A Pt. sud-ouest 20 B, 20 C	Achat: 22 août 1972 Lot: 20 APt. -20B, 20C Sup: 100 acres Pi²: $0,02

La ville d'Aylmer ayant fourni beaucoup plus tard que les villes sises à l'est de la Gatineau les infrastructures nécessaires pour la construction de logements, et ce de façon beaucoup plus parcimonieuse, il ne faut donc pas se surprendre du coût relativement plus élevé des terrains prêts à bâtir à Aylmer par rapport à Gatineau. En effet, les terrains achetés par Campeau et Cadillac Fairview en janvier 1975 de la compagnie Coleshill leur ont coûté entre $1,50 et $2,00 le pied carré. Il est important de noter aussi que le prix des terrains de ce genre a grimpé plus rapidement que ceux du secteur est. De $0,05 le pi² qu'ils étaient en avril 1973, ils ont atteint les $2,00 en deux ans. Cette inflation est corollaire de la rareté des terrains prêts à bâtir à Aylmer. Si nous comparons le prix des autres terrains du secteur ouest, mais situé dans les rangs trois (3), quatre (4) et cinq (5), on constate, que malgré leur situation stratégique, leur prix est relativement modeste par rapport a ceux du rang deux (2) qui possèdent des infrastructures. Que ce soit les terrains de 330 014 Ontario Ltd à $0,20 le pi², ceux de R.

Scholle dans le rang cinq (5) à \$0,01 le pi², ceux de McLeod dans les rangs trois (3) et quatre (4) à \$0,03 le pi², et même ceux de Costain, qui bien que situés dans le rang deux (2) ne possèdent pas d'infrastructure, tous sont au-dessous de \$0,20 le pi².

Finalement, le secteur ouest est intéressant surtout comme point de comparaison avec le secteur est. Certaines différences sont visibles au niveau des propriétaires. Les propriétés sont de plus grande envergure et les propriétaires viennent plus de l'extérieur de la région. Il est plus intéressant encore de constater que les rapports entre les propriétaires fonciers et l'État local ne sont pas les mêmes dans les deux secteurs. Ces rapports ont été plus intimes, plus soutenus dans le secteur est, tandis que dans le secteur ouest, ces rapports se sont développés plus lentement. Cette situation se voit, dans le secteur ouest, par la pénurie des terrains prêts à bâtir et, par conséquent, par les prix plus élevés.

CONCLUSION

L'analyse de la structure de la propriété foncière et du processus d'appropriation nous a permis de confirmer l'une des conclusions à laquelle nous étions arrivés à la fin du premier chapitre, à savoir que la propriété foncière était un des derniers bastions de la petite bourgeoisie locale. Elle nous a aussi permis de dégager certains éléments du processus d'urbanisation que nous allons explorer plus en détail au cours des prochains chapitres. Il s'agit du rapport constructeurs-propriétaires fonciers, et surtout du rapport État local-propriétaires fonciers, État régional-propriétaires fonciers; en d'autres termes, tout le rôle de l'État dans le développement de l'espace urbain.

ANNEXE II-A

LISTE DES PROPRIÉTAIRES EXPROPRIÉS POUR L'AUTOROUTE 50.

Rang	Propriétaire	Superficie
II	M. Cornelius De Waard	502 000 pi. car.
II	Construction Balmec Ltée	319 900 pi. car.
II	Construction Orbec Ltée	453 100 pi. car.
II	M. Adolphe Sanscartier	75 250 pi. car.
II	M. Adolphe Sanscartier	5 000 pi. car.
II	Gatineau Westgate Inc. (1974)	298 300 pi. car.
II	D.M.T. Ltée	878 000 pi. car.
II	Succession Arthur E. Barber	450 500 pi. car.
III	M. George MacLaurin McIntosh	78 400 pi. car.
III	Les Habitations Clomont Inc.	426 900 pi. car.
III	M. Wilfrid Williams	790 950 pi. car.

III	M.M. Bernard Croteau, Wilfrid Dupuis Pharmacie Paris Pharmacy Ltd.	863 600 pi. car.
III	Les Entreprises L.T.C.R. Inc.	910 300 pi. car.
III	M. Georges-Henri Courval	17 050 pi. car.
III	M. Marcel Piché	10 150 pi. car.
III	M. Jean-Pierre Chandonnet	36 600 pi. car.
III	M. Jean-Pierre Chandonnet	235 200 pi. car.
III	M. Raoul Charbonneau	33 700 pi. car.
III	M. Raoul Charbonneau	600 pi. car.
III	M. Raoul Charbonneau	33 660 pi. car.
III	M. Raoul Charbonneau	33 660 pi. car.
III	M. Jean-Claude Thibault	41 700 pi. car.
III	M. Robert Joseph	17 800 pi. car.
III	M. Michel Bigras	15 050 pi. car.
III	M. Gilles Bigras	15 050 pi. car.
III	M. Ernest Charron	27 400 pi. car.
III	M. Roger Charbonneau	57 700 pi. car.
III	M. Roger Charbonneau	68 900 pi. car.
III	M. Richard Désormeaux	6 300 pi. car.
III	M. Réjean St-Pierre	15 000 pi. car.
III	M. Arthur Charette	15 000 pi. car.
III	M. Gérard Valiquette	15 000 pi. car.
III	M. Robert Lagacé	15 000 pi. car.
III	M. Richard Poirier	10 500 pi. car.
III	Dame Christine Pelletier	33 000 pi. car.
III	M. Bruno Latreille	30 000 pi. car.
III	M. Pierre Charbonneau	14 000 pi. car.
III	M. André Langelier et al	444 400 pi. car.
III	M. Elwin Melvyon Peterkin	439 400 pi. car.
III	M.M. Roger Frigon et Roger Rollin	434 300 pi. car.
III	M. Pierre Desrosiers « en fiducie »	438 100 pi. car.
III	M. Pierre Desrosiers « in trust »	440 600 pi. car.
III	M. Claude P. Maloney	450 800 pi. car.
III	Dr. Guy Lemay et al	439 900 pi. car.
III	M. Pierre Desrosiers « in trust »	497 200 pi. car.
III	M. Keith Scullion	442 900 pi. car.
III	Les Placements Laleri Inc.	449 200 pi. car.
III	M. Pierre Desrosiers « en fiducie »	886 200 pi. car.
III	M. Pierre Desrosiers « en fiducie »	1 494 900 pi. car.
III	Dame Lola McClelland-Davidson	38 300 pi. car.
III	M. William Murphy	72 850 pi. car.
III	M. Pierre Desrosiers « en fiducie »	1 333 100 pi. car.
III	M. Pierre Desrosiers « en fiducie »	6 100 pi. car.
III	M. Henry S. Scullion	733 050, pi. car.
III	M. Charles Desnoyers « en fiducie »	931 080 pi. car.
III	M. Charles Desnoyers « en fiducie »	104 800 pi. car.
III	M. Charles Desnoyers « en fiducie »	6 000 pi. car.
III	M. Clifford Norris	295 100 pi. car.
III	Les Investissements Mirage Inc.	1 967 100 pi. car.
III	M. Armel Roussel	78 500 pi. car.
III	M. Raoul Roussel	76 500 pi. car.
III	M. Yvon Roussel	74 700 pi. car.
III	Dame Lucienne Roy	21 300 pi. car.
III	Dame Lucienne Roy	83 000 pi. car.
III	Les Investissements Mirage Inc.	734 600 pi. car.
III	M. Kenneth Kerr	462 700 pi. car.

CHAPITRE III

La production du cadre bâti

Dans ce chapitre, nous nous intéresserons à la production du cadre bâti, et particulièrement à l'identification des agents impliqués dans cette production. Nous avons vu dans le dernier chapitre comment le processus d'appropriation du sol s'est effectué. Nous voulons maintenant voir comment ce processus s'est poursuivi à la phase suivante, la construction des édifices. Nous voulons voir les différents types de développement dans la région et, en même temps, nous voulons savoir qui a été responsable de cette production du cadre bâti.

En étudiant ces agents, nous cherchons à savoir comment ils influent sur l'utilisation du sol et quels sont leurs rapports avec les autres agents impliqués dans la production de l'espace. Cette orientation est semblable à celle suivie par Christian Topalov dans son étude des promoteurs immobiliers.

> Cette étude a pour objet le comportement des promoteurs immobiliers en tant qu'il détermine les modes d'utilisation du sol dans les agglomérations... Nous définirons le promoteur immobilier comme un agent social qui assure la gestion d'un capital immobilier de circulation dans sa phase de transformation en marchandise logement[1].

Mais, avant d'aborder l'étude des promoteurs immobiliers comme telle, il est important de situer la production dans sa conjoncture spécifique. L'industrie de la construction immobilière dans la région de l'Outaouais québécois a connu, pendant la période 1960-1976, un très fort taux de croissance. Le tableau III-1 nous indique que cette croissance a été particulièrement rapide à partir de 1969. Il y eu une première poussée au tout début des années 60 et, ensuite, une expansion beaucoup plus considérable à la fin de la décennie. La démarcation de 1969 devient très évidente si l'on compare la moyenne annuelle de logements construits. Ainsi entre 1960 et 1968 la moyenne de logements parachevés était de 715 alors qu'elle a grimpé à 2 641 entre 1969 et 1976.

L'intervention du gouvernement fédéral à Hull a donc profondément marqué l'évolution de la construction des logements dans

---

[1] Christian TOPALOV, *Les promoteurs immobiliers*, Paris, Mouton, 1974, p. 15.

tout l'Outaouais québécois. La croissance très rapide de la construction s'explique également par une certaine récupération de la forte demande de logement unifamilial en Ontario. Faute de terrains et poussée par les coûts exhorbitants des logements dans la région d'Ottawa, la construction s'est accrue du côté québécois. La décision du gouvernement fédéral de s'implanter à Hull a accentué encore plus cette tendance. Cette expansion a atteint un sommet en 1974 avec la production de 4 383 logements. 1975 a marqué le début d'une période de récession sérieuse.

Le tableau III-1 indique l'importance croissante de la production de logements de l'Outaouais québécois à l'intérieur de la région métropolitaine d'Ottawa-Hull de même que par rapport à l'ensemble du Québec. Au début des années 60 la partie québécoise de la région métropolitaine d'Ottawa-Hull représentait environ 15% des nouveaux logements mais, à partir de 1969, la part de l'Outaouais québécois augmente. Pour les trois dernières années de la période étudiée, 1974-76, la partie québécoise s'est accaparée environ le tiers des nouveaux logements construits dans toute la région d'Ottawa-Hull.

Tableau III-1

LOGEMENTS PARACHEVÉS PAR ANNÉE.

Année	Outaouais québécois	Ottawa Hull	Outaouais québécois par rapport à Ottawa-Hull	Québec	Outaouais québécois par rapport au Québec
	Nombre	Nombre	Pourcentage	Nombre	Pourcentage
1960	661	4 651	14,2	31 311	2,1
1961	957	5,456	17,5	31 756	3,0
1962	914	5 669	16,1	35 782	2,5
1963	697	5 391	12,9	38 989	1,7
1964	851	6 958	12,2	43 658	1,9
1965	661	6 239	10,5	42 565	1.5
1966	464	5 217	8,8	40 412	1,1
1967	481	3 510	13,7	39 108	1,2
1968	753	4 813	15,6	38 961	1,9
1969	1 480	5 140	28,7	44 605	3,3
1970	1 528	6 917	22,0	36 608	4,1
1971	2 393	10 396	23,0	48 783	4,9
1972	2 278	10 852	20,9	53 466	4,2
1973	3 444	11 799	29,1	55 260	6,2
1974	4 383	13 873	31,5	58 596	7,4
1975	3 526	11 313	31,1	51 540	6,8
1976	2 095	6 556	31,9	41 323	5,0

Source: Statistique Canada.

L'importance croissante de la production régionale de logement se perçoit également par rapport à l'ensemble du Québec. Là encore, l'année 1969 est une plaque tournante. En effet, alors que la moyenne pour la période 1960-1968 est de 1,9%, elle passa à 5,3% pour la période 1969-1976. L'Outaouais québécois occupe donc à ce moment là une part plus importante du marché québécois en matière d'habitation. La conjoncture particulière de la fin des années 60, l'intervention du gouvernement fédéral à Hull et les coûts du logement à Ottawa ont fait en sorte que la production de logements dans l'Outaouais québécois s'est rapidement accrue. Cette production a atteint un maximum pendant les années 1973-74 pour connaître un certain fléchissement par la suite. La période étudiée est donc dans son ensemble une période très active pour la construction résidentielle.

Comme nous l'avons précédemment démontré le mouvement de croissance de la population dans la région ne s'est pas distribué également au niveau régional. Ainsi, la ville de Hull absorbe la plus grande part de cette croissance régionale pendant la période 1960-1975, avec 40,2% de la production des logements. Pointe-Gatineau occupe la deuxième place (avec 18,6% de la nouvelle production), suivie de Gatineau (16,9%) et d'Aylmer (12,4%). Le tableau III-2 indique également l'évolution de l'activité de construction à l'intérieur de la région. L'augmentation rapide commence à Hull à partir de 1969. Entre 1968 et 1969, le nombre de nouvelles constructions résidentielles à Hull est passé de 285 à 940. Pour la période 1969 à 1972, Hull a accaparé plus de la moitié de tous les nouveaux logements construits de la région. L'explosion d'activité s'est produite par vagues successives, partant du centre vers les municipalités périphériques. Ainsi de 1969 à 1973, on peut voir que les pôles de développement se déplacent successivement de Hull vers l'est, soit Gatineau, Pointe-Gatineau, Touraine, puis à partir de 1971, vers le secteur ouest soit Aylmer et Lucerne. Hull, tout en restant la municipalité la plus active en matière de construction de logements, perd, du moins partiellement, sa position dominante vers le milieu des années 70. Ceci correspond, comme nous l'avons déjà vu, à la rareté des terrains à Hull. La municipalité n'avait plus de terrains à exploiter, contrairement aux municipalités sises en banlieue. Ce mouvement est encore plus perceptible dans le cas de la municipalité de Templeton, située à l'extrême est de la région, qui commence à connaître une certaine croissance dans le secteur de la construction à la toute fin de la période étudiée. À Templeton l'activité fait plus que quadrupler entre 1973 et 1974 et cette croissance se poursuit en 1975, contrairement à l'ensemble de la région.

Tableau III-2

NOUVELLES CONSTRUCTIONS RÉSIDENTIELLES PAR MUNICIPALITÉ DE L'OUTAOUAIS QUÉBÉCOIS — 1960-1975

	Hull	Aylmer	Lucerne	Deschênes	Gatineau	Pte-Gatineau	Templeton	Touraine	Total
1960	236 (35,7)	79 (11,9)	77 (11,6)	12 (1,8)	163 (24,7)	74 (11,2)	20 (3,0)	—	661
1961	332 (34,7)	112 (11,7)	67 (7,0)	— (0,0)	289 (30,2)	129 (13,5)	28 (2,9)	—	957
1962	375 (41,0)	87 (9,5)	60 (6,6)	1 (0,1)	268 (29,3)	111 (12,1)	12 (1,3)	—	914
1963	324 (46,5)	24 (3,4)	78 (11,2)	— (0,0)	150 (21,5)	107 (15,4)	14 (20)	—	697
1964	415 (48,8)	17 (2,0)	187 (22,0)	4 (0,5)	137 (16,1)	81 (9,5)	10 (1,2)	—	851
1965	292 (44,2)	27 (4,1)	114 (17,3)	1 (0,2)	167 (25,3)	58 (8,8)	2 (0,3)	—	661
1966	134 (28,9)	13 (2,8)	79 (17,0)	— (0,0)	153 (33,0)	77 (16,6)	8 (1,7)	—	464
1967	117 (24,3)	3 (0,6)	95 (19,8)	— (0,0)	128 (26,6)	134 (27,9)	4 (0,8)	—	481
1968	285 (37,8)	13 (1,7)	49 (6,5)	— (0,0)	179 (23,8)	198 (26,3)	29 (3,9)	—	753
1969	940 (63,5)	8 (0,5)	32 (2,2)	— (0,0)	242 (16,4)	219 (14,8)	39 (2,6)	—	1 480
1970	802 (52,5)	18 (1,2)	19 (1,2)	13 (0,9)	455 (29,8)	176 (11,5)	45 (2,9)	—	1 528
1971	1 314 (54,9)	39 (1,6)	49 (2,1)	39 (1,6)	490 (20,5)	432 (18,1)	30 (1,2)	—	2 393
1972	1 242 (52,8)	257 (10,9)	45 (1,9)	2 (0,1)	389 (16,5)	339 (14,4)	6 (0,3)	73 (3,1)	2 278
1973	1 094 (32,1)	804 (23,6)	107 (3,1)	36 (1,1)	386 (11,3)	702 (20,6)	34 (1,0)	247 (7,2)	3 444
1974	1 475 (34,0)	838 (19,3)	155 (3,6)	6 (0,1)	545 (12,6)	942 (21,7)	140 (3,2)	234 (5,4)	4 383
1975	857 (24,8)	826 (23,8)	180 (5,2)	4 (0,1)	160 (4,6)	975 (28,2)	173 (4,9)	284 (8,2)	3 526
TOTAL	10 234 (40,2)	3 165 (12,4)	1 393 (5,5)	118 (0,5)	4 301 (16,9)	4 754 (18,6)	594 (2,3)	838 (3,3)	25 471

Source: Statistique Canada, Catalogue 64-002.

Les permis de construction sont un autre instrument permettant d'évaluer la distribution de la croissance régionale et le type particulier de cette croissance. Pour la période 1961-75, le secteur résidentiel domine nettement, représentant 56,4% de la valeur totale des permis de construction émis. Le second secteur en importance, le secteur institutionnel, arrive loin derrière, avec seulement 23,2% de la valeur totale des permis émis. Nous retrouvons le secteur commercial avec 15,5% et, indice éloquent du peu d'attrait exercé par la région sur les industries, le secteur industriel ne recueille que 4,9% de la valeur totale des permis émis. Il y a seulement une année, 1974, où le secteur résidentiel n'est pas en première place; en 1974 la valeur des permis de construction émis dans le secteur institutionnel a légèrement dépassé ceux du secteur résidentiel. D'ailleurs, comme le tableau III-3 l'indique, l'importance du secteur institutionnel a augmenté au cours de la période étudiée, passant de 14.7% entre 1961-65 à 24,9% entre 1971-75. Ce tableau illustre bien les transformations centrées autour des pôles de construction résidentielle et de construction gouvernementale.

Tableau III-3

VALEUR DES PERMIS DE CONSTRUCTION PAR SECTEUR
POUR L'OUTAOUAIS QUÉBÉCOIS
(en millions de dollars)

	Total	Résidentiel Nombre (%)	Industriel Nombre (%)	Commercial Nombre (%)	Institutionnel Nombre (%)
1961-1965	75 530	49 245 (65,2)	2 859 (3,8)	12 350 (16,4)	11 064 (14,7)
1966-1970	139 044	83 111 (59,8)	11 571 (8,3)	14 987 (10,8)	29 375 (21,1)
1971-1975	562 945	305 754 (54,3)	23 760 (4,2)	93 229 (16,6)	140 202 (24,9)
Total	777 519	438 110 (56,4)	38 190 (4,9)1	20 566 (15,5)	180 641 (23,2)

Source : Étude de la Société d'Aménagement de l'Outaouais.

Il s'agit maintenant de déterminer les caractéristiques de ce développement résidentiel. Quelle genre d'habitation a-t-on construit dans l'Outaouais québécois? Le tableau III-4 nous indique cette répartition, en termes du nombre de permis de construction, entre les unités de maisons simples, maisons doubles, maisons en rangée et maisons d'appartements pour l'ensemble de la période 1960-1975. Le nombre d'unités d'appartements commence à être important à la fin des années 60 et c'est en 1968 qu'il dépasse, pour la première fois, le nombre de maisons simples. De 1969 à 1973 le nombre d'unités d'appartements a largement dépassé le nombre de maisons simples, mais cette tendance se renverse pour les années 1974-75. Ces chiffres pour l'ensemble de la région masquent des différences intéressantes entre les villes de Hull, Gatineau et Aylmer. À Hull, le nombre d'unités d'appartements dépasse celui des maisons simples à partir de 1963 et les maisons simples ne constituent, pour la période 1960-75, que 13,9% de l'ensemble des unités d'habitation construites, tandis que les unités d'appartements représentent 77,9% du total.

Tableau III-4

TYPE DE LOGEMENTS, SELON LES PERMIS DE CONSTRUCTION, POUR L'OOUTAOUAIS QUÉBÉCOIS 1960-1975.

	Maisons simples Nombre %	Maisons doubles Nombre %	Maisons en rangée* Nombre %	Maisons d'appartements Nombre %	Total Nombre
Hull	1 618 (13,9)	824 (7,1)	104 (0,9)	9 021 (77,9)	11 567
Gatineau	6 989 (48,9)	1 133 (9,3)	346 (2,8)	4 766 (38,9)	13 234
Aylmer	2 629 (49,9)	984 (18,7)	524 (9,9)	1 131 (21,5)	5 268
Outaouais québécois	11 236 (36,0)	2 941 (9,9)	974 (3,3)	14 918 (50,7)	30 069

* Cette catégorie n'existe qu'à partir de 1972.

Source: Statistique Canada.

Par contre, la maison unifamiliale est beaucoup plus importante à Gatineau. Pour l'ensemble de la période 1960-75, cette forme de construction représente 48,9% de l'ensemble des permis émis, comparée à 38,9% pour les appartements. Les unités d'appartements sont plus nombreuses pour les années 1970-73 et 1975. Même pour ces années, les différences dans le nombre de ces deux types d'habitation sont beaucoup moins importantes que dans le cas de Hull. À Aylmer, le développement résidentiel s'est fait encore moins en fonction des appartements. Il y a eu seulement deux années — 1963 et 1971 — où le nombre d'unités d'appartements a dépassé celui des maisons simples. Pour l'ensemble de la période, les unités d'appartements ne représentent que 21,5% du total des unités de logements construites. De fait, la maison unifamiliale, qui représente 49,9% des unités construites à Aylmer, est à peu près aussi importante qu'à Gatineau. Mais dans le cas d'Aylmer, les maisons doubles et en rangées représentent 28,6% du total, comparées à 12,1% dans le cas de Gatineau (et 8% pour le cas de Hull).

La maison unifamiliale est donc très importante, particulièrement dans les secteurs de Gatineau et d'Aylmer. D'ailleurs cette forme de construction a marqué le développement de toute la région. L'étude sur l'habitation faite pour la Communauté régionale de l'Outaouais arrive aux mêmes constatations en comparant les types de construction résidentielle du côté québécois à ceux du côté ontarien de la région.

Il s'est en effet construit autant d'unifamiliaux au Québec qu'en Ontario pour une population trois (3) fois moins grande. Pour les autres types de bâtiments (bifamiliaux, maisons en rangée et multifamiliaux), il s'en est construit 20% au Québec et 80% en Ontario[2].

Cette brève description du développement de la construction résidentielle dans l'Outaouais québécois nous a permis de faire ressortir les principales caractéristiques de cette construction. La région a connu une période de croissance extrêmement rapide, période qui va de 1969 jusqu'au milieu des années 70. Cette croissance a commencé à Hull pour s'étendre aux municipalités périphériques. La construction des maisons unifamiliales a dominé en périphérie, tandis qu'à Hull ce fut l'appartement qui a été la forme principale de construction. Pour mieux identifier les intérêts sociaux impliquées dans cette production, nous allons étudier de plus près les différents types de développement, en commençant par le centre-ville de Hull, pour ensuite nous attarder à la construction d'appartement et finalement en arriver aux constructeurs des maisons unifamiliales, particulièrement actifs dans les municipalités périphériques.

Le centre-ville de Hull.

La transformation du centre-ville de Hull a été mise en branle par la décision du gouvernement fédéral d'y construire des bureaux gouvernementaux. C'est par cette transformation que le centre-ville de Hull passe aux mains des grandes compagnies immobilières et des gouvernements. Certains éléments dynamiques de la petite bourgeoisie locale se sont trouvés des places profitables mais secondaires à l'intérieur de cette transformation, notamment dans le domaine de la restauration. Mais de façon générale la petite bourgeoisie locale a été remplacée par un capital national. L'intervention gouvernementale a été décisive dans cette dépossession car, comme nous l'avons déjà vu[3], des représentants de la petite bourgeoisie locale avaient tenté de prendre en charge la transformation du centre-ville. Mais cette petite bourgeoisie locale n'a pas eu l'appui des appareils politiques qui ont préféré l'accorder aux grandes compagnies. Cette prise en charge par les grandes compagnies immobilières a été d'autant plus profitable pour ces dernières que leurs ententes avec les gouvernements ont réduit les risques tout en garantissant les profits.

Le rôle d'appui des gouvernements fédéral et québécois face aux grandes compagnies immobilières ressort clairement de l'analyse de la transformation du centre. D'une part, les gouvernements ont

---

[2] URBATIQUE INC., *Étude sur l'habitation*, juin 1976, p. 28.
[3] Voir chapitre I, pp. 39-40.

favorisé l'élimination de l'obstacle foncier en facilitant le remembrement des terrains nécessaires pour des projets d'envergure et, d'autre part, les gouvernements ont assuré une location à long terme. L'importance du rôle de l'État pour surmonter l'obstacle foncier a déjà été signalée dans d'autres études, notamment celle de Preteceille.

> Pour réaliser de telles opérations, il était nécessaire de surmonter l'obstacle de la propriété foncière. Ceci a été rendu partiellement possible par le développement des procédures de l'appropriation publique des sols pour construire, et en particulier de l'usage de l'expropriation[4].

Les deux projets majeurs du centre-ville impliquent deux des plus importantes compagnies immobilières au Canada : Cadillac-Fairview Corporation Ltée et Campeau Corporation Ltée. Le tableau suivant indique le revenu total des deux compagnies pour la période 1973-77.

Tableau III-5

	Cadillac-Fairview	Campeau
1973*	$109 961 000	$ 94 172 621
1974*	151 966 000	90 657 011
1975	161 073 000	139 969 000
1976	200 396 000	173 601 000
1977	253 385 000	170 917 000

* Les chiffres pour 1973 et 1974 sont les chiffres combinés pour Cadillac CEDC, Fairview Canada et Fairview Ontario.

Il est également important de connaître les sources de revenu de ces deux compagnies. Le tableau III-6 donne la distribution des revenus promenant des locations commerciales, de la construction résidentielle, des terrains et d'autres sources.

Tableau III-6

Année	Location (%)		Logement (%)		Terrains (%)		Autres (%)	
	Cad.-F.	Campeau	Cad.-F.	Campeau	Cad.-F.	Campeau	Cad.-F.	Campeau*
1973	65,2	40,0	23,4	29,8	8,9	1,2	2,5	29,0
1974	56,1	48,8	31,9	21,6	9,5	2,6	2,5	27,0
1975	65,1	36,1	20,8	36,8	11,6	3,5	2,5	23,5
1976	61,3	30,4	23,0	37,8	13,4	4,2	2,3	27,6
1977	58,1	33,5	23,9	34,5	15,0	4,3	3,0	27,7

* Ces autres revenus de Campeau proviennent principalement de la vente du bois et des matériaux de construction et, après 1975, de l'hôtellerie.

---

[4] PRETECEILLE, op. cit., p. 153.

Dans le cas de Cadillac-Fairview, les revenus de location sont beaucoup plus importants que ceux venant de la construction des logements. Ceci est moins vrai pour Campeau, particulièrement pour la dernière partie de la période. Ces revenus de location sont extrêmement importants pour la stratégie de croissance de ces compagnies, comme le laissent entendre les rapports annuels.

Les résultats sont particulièrement importants étant donné l'amélioration très substantielle de l'autofinancement issu des immeubles de rapport. Ils sont importants non seulement parce que les objectifs à long terme de la compagnie consistent à obtenir une majeure partie de son autofinancement des revenus de ses loyers, mais parce que cette partie de l'autofinancement constitue justement une base stable à laquelle s'ajoutera le revenu des loyers des nouvelles propriétés[5].

The company has adopted a strategy of minimizing risk through diversification of its asset base and its long-term policy is to achieve a position where about 75 percent of its income will come from rental properties and the balance from housing and land sales[6].

Cette recherche de la diversification, en termes de types d'activité mais également en termes géographiques, est liée au mouvement d'intégration verticale des grosses compagnies immobilières. Elles tendent à maximaliser leur autonomie afin d'être en mesure de contrôler l'ensemble des facteurs économiques et politiques pouvant influencer leur croissance.

Ces citations mettent en lumière l'importance des sources de financement pour ces compagnies. Elles entretiennent des liens très étroits avec les grandes institutions financières[7], tout en comptant sur un autofinancement. Comme les auteurs de *Highrise and Superprofits* l'ont souligné, c'est l'activité financière qui prédomine.

For contrary to appearances, the development industry is basically a financial industry (apart from the actual building construction which is the only stage of a project in which real value is created — through the workers' labour). That is, it uses capital to generate profits, not primarily by manufacturing a product but by speculating on land, investing in and leasing properties to gain rental revenue, and if necessary, constructing buildings (or paying construction firms to build) for sale or rent[8].

Les auteurs continuent en soulignant les conséquences de ce pouvoir sur l'ensemble du développement urbain.

And because the large corporations, through increased financial drawing power and through vertical integration, are in a much stronger position than smaller companies, they determine the market for smaller companies[9].

---

[5] CADILLAC-FAIRVIEW, *Rapport annuel 1975*, p. 3.

[6] CADILLAC-FAIRVIEW, *Annual report 1976*, p. 2.

[7] Campeau a un représentant de la Banque de Nouvelle-Écosse dans son conseil d'administration et Cadillac-Fairview, le président de la Banque Toronto-Dominion et un vice-président du North America Life Insurance Company.

[8] G. BARKER, J. PENNEY et W. SECCOMBE, *High rise and Superprofits*, Kitchener, Dumont Press Graphix, 1973, p. 32.

[9] *Ibid.*, p. 40.

Ce que ces auteurs ne mentionnent pas cependant, c'est que ces grosses compagnies bénéficient également de l'appui des appareils étatiques et que cet appui leur est essentiel. Une analyse des relations entre l'État et les compagnies immobilières ayant œuvré au centre-ville de Hull[10] nous démontre jusqu'à quel point les actions de l'État sont déterminantes pour les projets des compagnies.

La Place du Centre construite par Cadillac-Fairview et les Terrasses de la Chaudière de Campeau sont les deux grands ensembles que nous avons retenus. Les débuts du projet de Place du Centre se situent en 1968 quand le gouvernement du Québec prit la décision de construire un nouveau Palais de Justice et, en même temps, de centraliser ses bureaux régionaux à Hull[11]. Le projet a été modifié et élargi en 1969 suite à la décision du gouvernement fédéral de s'implanter à Hull. Au moment même où le gouvernement fédéral annonçait sa décision d'exproprier quinze acres au centre-ville, le gouvernement québécois de son côté annonçait l'expropriation de deux acres et demie. Poussé par l'intervention fédérale, le projet québécois a pris de l'ampleur.

> Le projet par ailleurs a pris des proportions beaucoup plus considérables, depuis 1970, alors que le gouvernement fédéral, au même moment où le Québec se portait acquéreur de deux acres et demie, se portait acquéreur, deux jours auparavant, d'une superficie de quinze acres en plein centre de la ville de Hull.

> C'est donc là qu'est née la nécessité pour le gouvernement du Québec, de faire une intervention, au centre de la ville de Hull, afin de doter le centre-ville de Hull d'un élément représentatif du gouvernement du Québec[12].

Le caractère improvisé de la décision du gouvernement du Québec explique les retards dans la réalisation du projet. Après quelques années, le gouvernement a annoncé en 1972 que le projet était confié à l'entreprise privée, mais avec la participation financière de la Caisse de dépôt et de placement. En 1973, la Caisse s'est retirée du projet, laissant le ministère des Travaux publics et de l'Approvisionnement seul responsable de la participation gouvernementale. Pendant l'été 1975, un protocole d'entente fut signé entre le ministère des Travaux publics et la compagnie Cadillac-Fairview. Finalement, au printemps 1976, les travaux commencèrent. L'ouverture du centre commercial eut lieu au mois de mars 1978 et l'ouverture officielle du Palais de Justice le 11 septembre, 1978.

---

[10] Nous n'avons pas analysé la construction des projets, comme les différentes phases de Place du Portage, qui ont été réalisés par le gouvernement fédéral. Une telle analyse serait très intéressante pour une meilleure compréhension du rôle du gouvernement vis-à-vis de l'industrie de construction. On pourrait voir, entre autres, quelles compagnies ont reçu des contrats et de quelle façon ces contrats ont été accordés.

[11] Arrêté-en-conseil n° 3248, Chambre du Conseil exécutif, le 9 octobre 1968.

[12] Oswald Parent, Assemblée nationale, *Journal des Débats*, Commission permanente des affaires municipales, le 26 février 1974, n° 4, p. B-120.

Le projet global comprend six éléments d'une superficie globale d'environ 354 127 pieds carrés. Les six éléments sont un édifice fédéral, un édifice provincial (le Palais de Justice et les bureaux des ministères québécois), un centre commercial, un hôtel et, finalement, un édifice de stationnement. Il y a également place pour un centre de congrès. La première phase du projet comprenait la construction de l'édifice provincial et du centre commercial.

Pour saisir la nature de l'entente entre le gouvernement du Québec et Cadillac-Fairview, nous pouvons le considérer sous deux angles : la location des terrains par Cadillac-Fairview et la location des édifices par le gouvernement du Québec[13]. Comme nous l'avons déjà indiqué, le gouvernement du Québec avait procédé à l'expropriation, en 1969, des terrains situés immédiatement à côté des terrains expropriés par le gouvernement fédéral. Ayant éliminé de cette façon l'obstacle foncier, les gouvernements n'avaient qu'à s'entendre sur la propriété des terrains. Ceci s'est fait en 1975. Le tableau suivant indique la propriété des terrains avant l'entente.

Tableau III-7

Groupe 1 (édifice fédéral)		
M.T.P.A. (ministère québécois des Travaux publics et de l'Approvisionnement)	54 813	pieds carrés
C.C.N.	26 287	pieds carrés
	81 100	pieds carrés
Groupe 2 (Édifice québécois, centre commercial, hôtel)		
M.T.P.A.	195 577	pieds carrés
C.C.N.	41 039	pieds carrés
Cité de Hull	610	pieds carrés
	237 226	pieds carrés
Cité de Hull (boulevard Maisonneuve)	14 820	pieds carrés
C.C.N. (boulevard Maisonneuve)	24 435	pieds carrés
	276 481	pieds carrés
Groupe 3 (stationnement)		
Cité de Hull	19 995	pieds carrés
M.T.P.A.	38 795	pieds carrés
Ministère des Transports du Québec	12 833	pieds carrés
	71 623	pieds carrés

Le gouvernement du Québec a donc échangé ses terrains du groupe 1 (54 813 pieds carrés) contre les 41 039 pieds carrés de la

---

[13] Nos informations viennent des arrêtés-en-conseil du Gouvernement du Québec.

C.C.N. dans le groupe 2[14]. En plus, le gouvernement québécois s'est porté acquéreur des 24 435 pieds carrés du boulevard Maisonneuve appartenant à la C.C.N. pour la somme nominale de $1,00 et la ville de Hull, elle, a cédé ses terrains. Une fois ces négociations terminées, le gouvernement du Québec était propriétaire de l'ensemble des terrains des groupes 2 et 3 du projet. Les terrains étaient ensuite loués à la Corporation Cadillac-Fairview par baux emphytéotiques, « d'une durée d'environ 75 ans commençant le 1er octobre 1975 et se terminant le 31 mai 2050[15] ». Le taux de la rente a été établi à 8⅝% l'année de l'évaluation des terrains et l'évaluation initiale a été fixée à $20,00 le pied carré. Cette évaluation sera révisée périodiquement, en 2007, 2012, 2022, 2032 et 2042. Donc, pour les 32 premières années, l'évaluation reste fixe et le gouvernement ne bénéficie pas de l'augmentation de la valeur. En plus, les terrains utilisés pour l'édifice du gouvernement du Québec auront une rente nominale de $1,00 « tant et aussi longtemps que le ministère des Travaux publics et de l'Approvisionnement sera le locataire de l'édifice[16] ». Dans le cas des terrains pour l'hôtel, la compagnie n'est pas obligée de payer la rente pour les deux premières années, mais cette rente sera capitalisée avec le coût du terrain. Dans le cas de l'édifice à stationnement, la compagnie ne paiera qu'un dollar par année jusqu'au début des travaux (mais là aussi cette rente sera capitalisée avec le coût du terrain et, une fois les travaux commencés, la nouvelle rente sera basée sur la valeur accrue du terrain). Pour l'hôtel et l'édifice à stationnement, l'arrêté-en-conseil stipule que la compagnie doit avoir complété les travaux dans un délai de six ans.

La location des terrains est donc avantageuse pour Cadillac-Fairview. L'évaluation reste constante pour les 32 premières années du contrat, ce qui permet à Cadillac-Fairview de s'approprier, pendant ce temps, l'augmentation dans la valeur des terrains.

L'entente avec Cadillac-Fairview prévoit la location, par le gouvernement du Québec, de l'édifice pour loger le Palais de Justice ainsi que les différents services du gouvernement du Québec[17]. Le bail est de 30 ans et, au terme du bail, le M.T.P.A. aura l'option d'acheter l'édifice pour $3 500 000 de renouveler le bail ou de

---

[14]   Le gouvernement du Québec se trouvait ainsi « perdant » par 13 774 pieds carrés. L'arrêté-en-conseil indique que cette différence doit faire « l'objet des négociations futures entre le Gouvernement du Québec et la Commission de la Capitale nationale ». GOUVERNEMENT DU QUÉBEC, *Arrêté-en-conseil* n° 5356-75, le 10 décembre 1975.

[15]   GOUVERNEMENT DU QUÉBEC, *Arrêté-en-conseil*, n° 3529-75, le 31 juillet 1975.

[16]   *Ibid.*, p. 3.

[17]   GOUVERNEMENT DU QUÉBEC, *Arrêté-en-conseil*, ° 3528, le 31 juillet 1975.

quitter l'édifice. Le prix du loyer a été établi entre $6,70 et $7,80 le pied carré, selon l'évolution des prix de la construction[18]. De plus, le gouvernement est responsable de tous les frais relatifs à l'entretien et à l'exploitation de l'édifice, de toutes les taxes reliées directement à l'immeuble ainsi que d'une quote-part des taxes relatives aux aires communes et d'une quote-part des coûts d'entretien et d'exploitation des aires communes. En plus de louer l'édifice, le gouvernement du Québec participe financièrement à la construction des aires communes dans Place du Centre. L'arrêté-en-conseil numéro 3527-75 autorise des dépenses ne dépassant pas $1 000 000.

Le gouvernement a également prévu une participation dans un éventuel centre de congrès. Un arrêté-en-conseil de juillet 1975 autorise la Société d'aménagement de l'Outaouais (S.A.O.) à contribuer jusqu'à concurrence de $3 000 000 au coût de construction du centre de congrès. Cette participation sera appuyée par celle de la ville de Hull qui a été établie à $1 500 000[19].

Il apparaît maintenant de façon beaucoup plus nette par quels moyens le gouvernement du Québec a facilité la construction du complexe de Cadillac-Fairview. Tout d'abord la compagnie n'a eu aucun problème à rassembler les terrains nécessaires, le gouvernement québécois l'ayant fait par le biais des expropriations et ensuite par des échanges de terrains avec le gouvernement fédéral. La profitabilité du projet a été considérablement rehaussée par le fait que le gouvernement aide financièrement à la construction des aires communes et par le fait que le calcul de la rente reste fixe pour les 32 premières années. En plus le gouvernement loue des espaces à bureaux pour une période de 30 ans.

Il n'est pas surprenant, compte tenu de cette entente, que le nouveau gouvernement du Québec ait tenté de modifier les termes du contrat voire même de résilier le bail. Dans un document préparé pour étude par le gouvernement, on peut lire:

> Quant à renégocier, en tout ou en partie, soit l'entente complète ou encore uniquement les termes du bail de location, il semble peu probable à

---

[18] *Ibid.*,

[19] En avril 1979 le gouvernement du Québec autorise la S.A.O. à contribuer jusqu'à $5 millions et la ville de Hull jusqu'à 2,5 millions. Il est intéressant de noter que l'enthousiasme de la ville de Hull a beaucoup diminué à cause des changements dans le système de financement des municipalités au Québec. Ne bénéficiant plus d'une ristourne de 2% de la taxe de vente ni de la taxe d'hôtellerie, les dirigeants municipaux ne voient plus ce projet comme aussi intéressant pour la ville. «Bref, selon le maire, la position de la municipalité n'est plus du tout la même puisqu'elle ne retirera rien en taxes de vente, alors que certaines études antérieures avaient laissé entendre qu'elle bénéficierait de quelque $250 000 en taxe de vente par année» (*Le Droit*, le 3 avril 1979). Ceci confirme l'importance des calculs fiscaux dans la stratégie des dirigeants municipaux.

première vue que le promoteur consente de plein gré à céder les avantages acquis dans une convention ayant fait l'accord des deux parties[20].

Le gouvernement décidait donc de continuer le projet dans l'ensemble même si la question du centre de congrès restait encore à l'étude (le gouvernement a finalement approuvé le projet au printemps 1979). Le centre commercial a ouvert ses portes en mars 1978. Dans la publicité entourant l'ouverture, on insiste sur le renouvellement du centre-ville et le rôle de la Place du Centre comme lieu de consommation.

> Ce serait le carrefour qui, joignant l'utile à l'agréable, donnera à la Place du Centre l'attrait que suscitent les créations modernes de notre époque.

> Des restaurants licenciés, des salles de cinéma, des boutiques, des magasins, la foire alimentaire, les facilités de l'hôtel réservées aux salles à manger, aux spectacles et aux congrès font partie de ce gigantesque projet d'urbanisme. Les voies d'accès conduisant aux moyens de transport, au jardin sur le toit, à toutes les passerelles, aux édifices à bureaux adjacents et aux terrains de stationnement ont été minutieusement élaborées. Des kiosques, des jardins paysagers aux verdoyants feuillages, le toit en verre où le soleil « explosera en nouveaux soleils » seront tout à la fois le thème et les caractéristiques du nouveau « Centre-ville[21] ».

Les thèmes de modernité, science, centralité et consommation sont tous interreliés — on tente de faire de Place du Centre un symbole de la transformation du centre-ville de Hull. La publicité prétend que le complexe favorise les petits marchands locaux ainsi que la population locale, mais en même temps elle annonce assez clairement que le Centre a été d'abord et avant tout pensé en fonction des intérêts des nouveaux marchands et de ceux de la nouvelle population des fonctionnaires.

> La partie centre commercial de la Place du Centre comblera les exigences des quelques 25,000 employés de bureaux qui travailleront dans le cœur de la ville. Il est prévu que ces employés, ainsi que les visiteurs des divers édifices, traverseront chaque jour le centre commercial. La galerie avec ses magasins de détail servira aussi de centre d'approvisionnement pour les autres grands édifices commerciaux et les projets résidentiels des alentours, les résidents de Hull et de la banlieue[22].

Si nous examinons maintenant le complexe des Terrasses de la Chaudière, le même modèle se dessine. Le gouvernement, fédéral dans ce cas, a aidé la compagnie immobilière Campeau à remembrer les terrains et il a aussi garanti la location des bureaux.

D'abord, si nous regardons la question de l'acquisition des terrains, le projet se fait en partie sur des terrains achetés par la

---

[20]   Documents sur Place du Centre fournis par le ministère des Travaux publics et de l'Approvisionnement.

[21]   *Le Droit*, le 4 mars 1978.

[22]   *Le Droit*, le 4 mars 1978.

compagnie et en partie sur des terrains du gouvernement. Sur une superficie totale de 294 000 pieds carrés, 210 000 pieds carrés (71,3%) appartiennent à Campeau et 84 000 (28,7%) au gouvernement fédéral. Les terrains du gouvernement fédéral abritaient le bureau de poste et un édifice de l'Hydro-Québec. Le site du bureau de poste avait été acheté par le ministère des Travaux publics en 1963 pour $25,00 le pied carré et le site de l'Hydro-Québec en juin 1976 pour $83,46 le pied carré. Pour sa part, Campeau a acheté une partie des terrains le 22 août 1975 pour une somme évaluée à $30,00 le pied carré[23]. Campeau a également acheté les terrains de la taverne Standish Hall de J.P. Maloney le 13 février 1975 pour $21,30 le pied carré. Le gouvernement fédéral a ensuite loué ses terrains à Campeau pour une période de 99 ans, les 35 premières années à une rente d'un dollar par année. De cette façon, le gouvernement fédéral a facilité l'acquisition des terrains nécessaires pour la réalisation du projet, prenant sur lui les parties les plus coûteuses de l'acquisition.

Le rôle du gouvernement a également consisté à réduire les risques pour la compagnie en assurant la location des bureaux. Le bail sera de 35 ans et le prix du loyer va être d'environ $7,00 le pied carré, avec des ajustements prévus selon les changements dans le taux d'intérêt[24]. Les autres conditions du contrat sont également très avantageuses pour Campeau, car en fait le gouvernement fédéral prend à son compte la presque totalité des coûts d'opération de l'édifice.

> The rent payable under the government office Lease is to be "fully net" to the Corporation without any deduction, abatement or set off whatsoever.
>
> The Tenant will be responsible at its own cost and expense for operating, heating, air-conditioning, maintaining and keeping the premises in good order and condition, including the making of structural repairs. The Tenant will also be responsible for the payment of all real property taxes[25].

Le gouvernement fédéral aura le choix, une fois le premier bail terminé, d'acquérir l'édifice ou de renouveler le bail. Si le gouvernement décide d'acheter l'édifice, le contrat stipule que le gouvernement devra encore louer l'espace pour l'hôtel et pour le stationnement à Campeau pour $1,00 par année et ce, pendant 25 ans.

En plus de remembrer les terrains et d'assurer la location des édifices, le gouvernement fédéral a également investi dans l'aménagement des terrains environnant le complexe Terrasses de la

---

[23] Gouvernement du Canada, Chambre des Communes, *Débats*, vol. 119, n° 340, 1ère session, 30e législature, mardi, le 13 juillet 1976, p. 15286.

[24] Confidential Memo for Institutional Investors only.

[25] *Ibid.*

Chaudière, dépenses qui vont augmenter les profits retirés par le promoteur. Ce rôle joué par la Commission de la capitale nationale faisait partie des plans du promoteur et, en dévoilant la maquette du projet, il a insisté sur la participation des gouvernements à l'embellissement du quartier.

> Les promoteurs prévoient d'autre part que la rue Principale sera fermée au sud du complexe et que « toute la région entourant les Terrasses, à l'ouest et au sud, sera mise en valeur par la Commission de la capitale nationale (C.C.N.) à titre de parcs, et autres aménagements ouverts au public depuis le ruisseau de la Brasserie. » Les deux entrepôts de la Compagnie E.B. Eddy reconnus comme faisant partie du patrimoine hullois seront, dit-on, « conservés et convertis en installations publiques ».

> La Corporation Campeau semble également certaine que la rue Principale sera un jour transformée en promenade pour piétons qui reliera les deux grands complexes de Place du Portage et les Terrasses de la Chaudière[26].

L'aménagement d'un parc à proximité des Terrasses de la Chaudière a été entrepris par la C.C.N. qui a procédé à la démolition de 16 logements sur la rue Montcalm. L'importance « vitale » du réaménagement des environs du complexe se traduit dans l'empressement avec lequel la C.C.N. a aidé à reloger les locataires, allant même jusqu'à leur garantir aucune hausse de loyer pour les deux prochaines années, et ce, en plus du remboursement de leurs frais de déménagement[27]. De plus, la C.C.N. a procédé à l'achat d'un hôtel et d'un restaurant situé en face des Terrasses. Dans ce dernier cas, le propriétaire du restaurant a résisté à la démolition et la C.C.N. a choisi de l'exproprier. Selon les révélations faites en cour, les décisions fédérales étaient le résultat des pressions faites par l'entrepreneur.

> Me Hamon dit posséder, entre autres, des lettres expédiées au début de 1978 par M. Campeau aux ministres Buchanan et Ouellet ainsi qu'au président d'alors à la C.C.N., M. Pierre Juneau, dans lesquelles l'entrepreneur menaçait d'arrêter les travaux de l'hôtel des Terrasses de la Chaudière s'il n'obtenait pas la garantie d'un parc à l'angle de la rue Montcalm et du boulevard Taché[28].

Bien que nous ayons insisté sur le rôle du gouvernement fédéral dans ce projet, les autres niveaux du gouvernement et particulièrement le palier municipal, ont également contribué à la rentabilisation du projet. Le conseil municipal a emprunté tout près de $2 millions pour les infrastructures dans le secteur des Terrasses de la Chaudière[29]. Le maire a justifié cette dépense en parlant des recettes fiscales qui reviendraient à la ville.

---

[26] *Le Droit*, « Le creusage débute aux Terrasses de la Chaudière », le 20 novembre, 1975.

[27] *Le Droit*, « La C.C.N. démolira 16 logements », le 22 août, 1978.

[28] *Le Droit*, « La C.C.N. coupe court en expropriant », le 14 novembre, 1978.

[29] *Le Droit*, le 8 décembre, 1976. Il s'agit des travaux de reconstruction d'égouts et aqueducs, de canalisation souterraine électrique, ceux pour les systèmes d'éclairage et pour les feux de circulation.

Suite à l'adoption de ces résolutions, autorisant ces dépenses, le maire de Hull, M. Gilles Rocheleau, a tenu à souligner que ce montant de près de deux millions de dollars n'était rien à côté des sommes qui reviendront plus tard dans la caisse municipale sous forme de taxes provenant de la Corporation Campeau. À ce sujet, M. Rocheleau a parlé de plusieurs millions par année[30].

Tout comme Cadillac-Fairview dans le cas de la Place du Centre, la Corporation Campeau a réussi à faire assumer, par les gouvernements, les parties les plus coûteuses et les plus risquées du complexe des Terrasses de la Chaudière. Le gouvernement fédéral a aidé au remembrement des terrains. Ensuite le gouvernement municipal reconstruit les infrastructures dans le secteur. Le gouvernement fédéral réduit encore les risques en assurant la location des espaces. Et, finalement, la C.C.N. aménage les espaces autour du projet, utilisant ses pouvoirs d'expropriation et ses ressources financières de façon à augmenter la rentabilité du projet.

Cette description illustre l'importance du rôle des appareils étatiques face au problème de l'obstacle foncier. Comme Preteceille le souligne dans son étude de la production des grands ensembles, « la question décisive est sans nul doute la levée de l'obstacle foncier[31] », question qui soulève « la nécessité d'une intervention étatique[32] ». Nous retrouvons nos exemples de l'Outaouais québécois dans la catégorisation établie par Preteceille pour démontrer les différentes solutions de l'État face à l'obstacle foncier.

1. Un premier type comporte deux phases: une phase d'acquisition directe par le promoteur, puis l'aide de l'État soit pour des acquisitions complémentaires, soit pour augmenter la constructibilité de la zone, ce qui augmente le profit et diminue la rente relativement.
   ...
2. Un second type correspond à l'appropriation publique des sols, les terrains étant ensuite attribués à des promoteurs[33].

La première solution est celle du gouvernement fédéral à l'égard de Campeau et la deuxième celle du gouvernement québécois en faveur de Cadillac-Fairview[34].

Il est donc évident que les gouvernements ont appuyé, de façon ferme, les grandes compagnies immobilières dans la transfor-

---

[30] *Ibid.*
[31] PRETECEILLE, *op. cit.*, p. 35.
[32] *Ibid.*, p. 42.
[33] *Ibid.*, pp. 51-52.
[34] Preteceille souligne que c'est la première solution qui est préférée par les gros promoteurs et par l'État. « Cette solution, appropriation privée du sol avec l'aide de l'État, est donc, pour les promoteurs qui en ont les moyens..., la solution la plus intéressante — et c'est aussi la solution la plus intéressante pour l'État, car elle représente le triple avantage d'éviter l'immobilisation de fonds publics, de ne pas dresser les propriétaires fonciers contre l'État et de permettre des interventions sélectives » (*op. cit.*, p. 52).

mation du centre-ville de Hull. Nous avons déjà vu que des représentants de la petite bourgeoisie locale avaient initié certains projets mais que ces derniers n'avaient pas eu l'appui des appareils étatiques et que par conséquent ceux-ci n'ont pas abouti. Cette aide de l'État est essentielle à la réalisation des profits par les compagnies. Le rôle principal du gouvernement consiste donc à réduire les risques, d'une part pour le remembrement des terrains et d'autre part pour la location des espaces. Le grand capital a été choisi et favorisé par les gouvernements.

Cette transformation du centre a évidemment des répercussions sur l'ensemble de la région. La création d'un pôle d'emploi pour les fonctionnaires au centre-ville a entraîné un double mouvement dans la construction résidentielle: une densification la construction dans les parties les plus urbanisées des municipalités et plus loin, sur des terrains non encore urbanisés, un développement résidentiel de type unifamilial. Nous allons d'abord analyser la question du développement des immeubles à appartements et ensuite, suivant le mouvement de régionalisation du centre vers la périphérie, étudier le développement de la banlieue.

LES IMMEUBLES À APPARTEMENTS.

Ce qui marque le plus le secteur des immeubles à appartements c'est le rôle important des capitaux étrangers. En général ces immeubles ont été construits par des entrepreneurs locaux mais par la suite ils ont été vendus à des intérêts étrangers, particulièrement à des intérêts allemands. Seulement deux des entrepreneurs locaux (Bisson et Desnoyers) ont gardé un certain nombre de leurs immeubles à appartements. Ce mouvement correspond à l'incapacité des entrepreneurs locaux de conserver une place importante dans ce secteur. Les entrevues que nous avons menées avec les entrepreneurs locaux nous fournissent les motifs qui les ont incités à s'engager dans ce secteur de la construction, de même que les raisons qui les ont amenés à s'en retirer.

La plupart des constructeurs ont déclaré que le secteur de la construction d'appartements n'a pas été rentable pour eux. Deux séries de facteurs en sont, selon eux, responsables: les conditions juridico-politiques et l'expertise. D'une part les entrepreneurs considèrent que la législation québécoise en matière de relations entre locateurs et locataires est beaucoup trop favorable à l'égard des locataires et diminue ainsi la réalisation des profits chez les entrepreneurs. D'autre part les entrepreneurs trouvent que la gérance des immeubles est un fardeau très lourd et ceci les incitait à choisir entre la construction et la gérance. De façon générale, ils ont préféré se décharger de la gérance en vendant leurs immeubles. La vente a été d'autant plus facile grâce à un mouvement de capitaux européens vers l'Amérique du Nord.

> Des centaines de milliers de petits et de gros capitalistes ont ainsi pris la fuite devant la poussée supposée de la gauche et de l'économie dirigée[35].

> L'afflux de ces capitaux (capitaux italiens) remonte aux années 60, mais depuis l'année qui a suivi la percée des Communistes aux élections régionales de 1975, il vaudrait mieux parler en termes d'inondation[36].

Comme ces deux citations le soulignent, les investissements européens sont motivés par des considérations politiques tout autant que des facteurs strictement économiques. Pour cette raison, les investisseurs ne recherchent pas nécessairement le maximum de profits à court terme. Ils visent beaucoup plus la sécurité à long terme et, par conséquent, ils ont pu offrir des prix très intéressants aux constructeurs locaux.

Le tableau suivant (tableau III-8) démontre les principales compagnies représentant des intérêts étrangers qui ont acheté des immeubles à Hull. Nous y avons inclu les directeurs de ces compagnies afin d'indiquer les liens existant entre chacune d'elles. Il est évidemment beaucoup plus difficile de connaître l'origine réelle des fonds investis par ces compagnies mais il existe certaines indications sur quelques compagnies. Par exemple, Lehndorff semble, selon l'analyse d'un journaliste allemand, réunir l'argent des membres des professions libérales.

> Le professeur Hans Gunther Abromeit, conseiller financier de M. Werner Otto (le spécialiste Lambourgeois de la vente par correspondance), trouva l'expérience tellement séduisante qu'il amena deux mille cinq cents personnes aux revenus élevés — avant tout des médecins, des avocats et autres membres des professions libérales, à exporter leur surplus d'argent vers le Canada. M. Abromeit créa, avec le négociant Lambourgeois Jan von Haeften, la S.A.R.L. d'administration de biens Lehndorff. Le nom sonore fut fourni par l'épouse de l'associé, Mme Mona von Haeften, née Lehndorff et sœur du mannequin Veruschka von Lehndorff. Grâce à l'attirance exercée par ce blason de noblesse, les Lambourgeois ont obtenu jusqu'à présent quelque 650 millions de marks pour leurs affaires immobilières et mobilières outre-mer[37].

L'étude d'Aubin sur les propriétaires de Montréal nous fournit d'autres renseignements. Selon lui, Lehndorff est une des trois ou quatre plus grandes compagnies immobilières au Canada[38]. Le président de Cranleigh Towers Ltée, une autre compagnie qu'on retrouve à Hull, est également le président de Fidinam, compagnie regroupant des capitaux italiens.

---

[35] Kart BLAUHORN, « La liberté de presse et l'expansion des investissements allemands à l'étranger », *Le Monde diplomatique*, février 1978, p. 4.
[36] AUBIN, *op. cit.*, pp. 46-47.
[37] BLAUHORN, *art. cit.*, p. 4.
[38] AUBIN, *op. cit.*, p. 186.

Tableau III-8

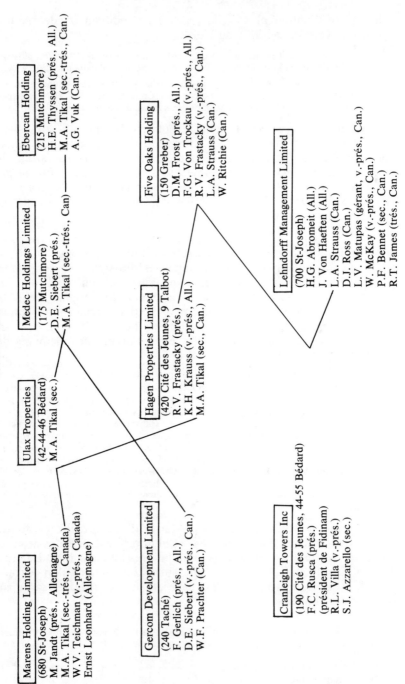

Marens Holding Limited
(680 St-Joseph)
M. Jandt (prés., Allemagne)
M.A. Tikal (sec.-trés., Canada)
W.V. Teichman (v.-prés., Canada)
Ernst Leonhard (Allemagne)

Ulax Properties
(42-44-46 Bédard)
M.A. Tikal (sec.)

Medec Holdings Limited
(175 Mutchmore)
D.E. Siebert (prés.)
M.A. Tikal (sec.-trés., Can)

Ebercan Holding
(215 Mutchmore)
H.E. Thyssen (prés., All.)
M.A. Tikal (sec.-trés., Can.)
A.G. Vuk (Can.)

Gercom Development Limited
(240 Taché)
F. Gerlich (prés., All.)
D.E. Siebert (v.-prés., Can.)
W.F. Prachter (Can.)

Hagen Properties Limited
(420 Cité des Jeunes, 9 Talbot)
R.V. Frastacky (prés.)
K.H. Krauss (v.-prés., All.)
M.A. Tikal (sec., Can.)

Five Oaks Holding
(150 Greber)
D.M. Frost (prés., All.)
F.G. Von Trockau (v.-prés., All.)
R.V. Frastacky (v.-prés., Can.)
L.A. Strauss (Can.)
W. Ritchie (Can.)

Lehndorff Management Limited
(700 St-Joseph)
H.G. Abromeit (All.)
J. Von Haeften (All.)
L.A. Strauss (Can.)
D.J. Ross (Can.)
L.V. Matupas (gérant, v.-prés., Can.)
W. McKay (v.-prés., Can.)
P.F. Bennet (sec., Can.)
R.T. James (trés., Can.)

Cranleigh Towers Inc
(190 Cité des Jeunes, 44-55 Bédard)
F.C. Rusca (prés.)
(président de Fidinam)
R.L. Villa (v.-prés.)
S.J. Azzarello (sec.)

Bien sûr, Fidinam n'est que l'une des multiples sociétés reliées à la Suisse ou au Liechtenstein qui participent à la mutation brusque qu'ont connue les grandes villes canadiennes depuis une décennie; cependant, presque aucune n'a su égaler son habileté à se tenir en équilibre sur cette ligne ténue qui sépare le légal de l'illégal. D'ailleurs, peu ont répandu autant d'argent dans les milieux politiques canadiens...

Au Canada, le Groupe Fidinam a plus de 20 filiales. De son siège administratif à Toronto, il gère des biens immobiliers qui sont situés dans tout le Canada et dont la valeur s'élève à plus de $350 millions, ce qui le range parmi les douze premières sociétés immobilières au Canada. En tout, Fidinam est le locateur d'au moins 15,000 Canadiens, la plupart dans la région de Toronto (où il possède quelque $200 millions en biens immobiliers), dans certaines villes de l'Ouest dont Winnipeg par exemple et, dans la province de Québec, à Hull et à Montréal[39].

Malheureusement, Aubin n'a pas pu identifier les investisseurs de Fidinam, entre autres, parce que les contrôles italiens sur l'exportation de capitaux rendent illégaux ces investissements. Il se limite à citer le président de Fidinam qui a déclaré qu'«il s'agit d'institutions et d'individus en provenance d'Italie, d'Allemagne et de Suisse[40]».

Mais le plus important pour nous n'est pas la présence de capitaux étrangers dans le domaine de l'immobilier, mais plutôt l'absence ou la retraite de la petite bourgeoisie locale de ce secteur. Comme nous l'avons dit plus tôt, un certain nombre des entrepreneurs locaux avaient construit des immeubles à appartements pour, par la suite, décider de les vendre, trouvant l'entreprise non rentable. Il y a seulement deux entrepreneurs locaux qui ont gardé un certain nombre d'immeubles d'appartements, Bisson à Hull et Desnoyers à Gatineau. Bisson est le propriétaire de huit édifices importants à Hull dont la valeur imposable moyenne est de $389 200. Quant à Desnoyers il contrôle au moins quinze édifices à appartements à Gatineau, d'une valeur imposable moyenne de $144 800[41]. Dans ces deux cas, les entrepreneurs ont poursuivi leurs activités dans le domaine de la construction unifamiliale, tout en gardant la gérance des immeubles construits.

Mais dans d'autres cas les entrepreneurs locaux ont cédé leurs immeubles aux capitaux étrangers. Ces ventes ont permis aux entrepreneurs locaux de réaliser des profits importants, mais en se retirant de ce secteur d'activité. L'importance de la petite bourgeoisie locale dans ce secteur de l'immobilier s'est donc réduite. L'analyse d'un certain nombre de cas nous permet de saisir ce phénomène de façon concrète.

---

[39] Ibid., pp. 52-53.

[40] Ibid., p. 55.

[41] Ces données ont été compilées à partir du rôle d'évaluation de la C.R.O. Nous avons vérifié les propriétaires des édifices les plus considérables.

Les intérêts liés à la famille Beaudry ont été impliqués dans bon nombre de ventes à des intérêts étrangers. Par exemple, l'édifice sis au 680 boulevard St-Joseph (évaluation: $1 875 000) qui appartenait à Malabois, Inc.[42] a été vendu en 1972 à Marens Holdings Limited pour $2 028 425. Ces mêmes intérêts ont vendu l'édifice sis au 175 rue Mutchmore (évaluation $1 744 700) en septembre 1973 à Medec Holdings pour $1 825 000. Un an plus tard, Medec le vendit à Rast Corporation pour $2 007 500. Dans d'autres cas, nous retrouvons des entrepreneurs extérieurs à la région qui jouent un rôle d'intermédiaire entre les capitaux locaux et les intérêts étrangers. Par exemple, l'édifice situé au 42-44-46 rue Bédard (évaluation $3 179 325) appartenait à Bisson Construction mais il a été cédé à Talvin Enterprises (actionnaires principales: S. Sternthal, S. Vineberg) dans un échange de terrains. Par la suite il a été vendu à Ulax Properties pour la somme nominale de $1 et autres considérations. Nous retrouvons le même S. Vineberg dans le cas de l'édifice sis au 190 boulevard Cité des Jeunes (évaluation: $2 365 600). Ici le terrain a été vendu aux appartements Parc de la Montagne (S. Vineberg) en 1972 et, trois ans plus tard, ayant construit l'immeuble, Vineberg le vend à Cranleigh Towers pour $1 et « valables considérations[43] ». La valeur réelle de ces transactions est, malheureusement, souvent impossible à calculer en raison du type de contrat (d'un dollar et autres considérations). La présence limitée des entrepreneurs locaux dans le secteur des immeubles à appartements est quand même plus importante que leur présence directe au centre-ville où, comme nous l'avons vu, la petite bourgeoisie locale a été complètement supplantée par les grandes compagnies nationales.

Pour retrouver les entrepreneurs locaux en force, il faut aller encore plus vers la périphérie de la région, là où la construction résidentielle de type unifamilial est dominante. Une indication claire de cette situation vient des chiffres que nous avons recueillis sur la taille des constructeurs dans le secteur urbain de l'Outaouais québécois pour la période de 1965-1976. Le tableau III-9 indique la présence d'un phénomène de concentration dans l'industrie de la construction au cours de la période que nous avons étudiée. En 1965, 57,1% des logements construits l'ont été par des petits constructeurs, c'est-à-dire par les entrepreneurs construisant moins de 25 unités de logements par année. Onze ans plus tard, en 1976, seulement 11,5% des logements étaient le produit des petits constructeurs. Autrement dit, tandis qu'en 1965 il n'y avait pas de cons-

---

[42] Les actionnaires principaux sont Jacques Beaudry, Marcel Beaudry, Charles Major, Maurice Marois, Roger Lachapelle et Laframboise Holdings.

[43] Pour plus de détails sur ces exemples et d'autres cas, voir l'Annexe A de ce chapitre. Pour la description des sources de ces données, voir le Chapitre II, pp. 63-64.

tructeur produisant plus de 100 unités par année, en 1976 61,8% de tous les logements construits l'ont été par de gros constructeurs. Mais là il faut faire certaines distinctions entre les différents secteurs composant la région urbaine. La concentration de l'industrie de la construction est très poussée à Hull et à Aylmer, mais elle l'est beaucoup moins à Gatineau. Le tableau III-9 nous démontre que les petits et moyens constructeurs à Gatineau ont continué à occuper une place importante dans la construction. En 1976, seulement 14,9% des logements avaient été construits par des constructeurs produisant plus de 100 logements par année tandis qu'à Hull 98,5% des logements ont été le produit des gros constructeurs, et à Aylmer 83,4%. Le même phénomène se voit au niveau du nombre de constructeurs. En 1976, 60% des constructeurs à Hull étaient de la catégorie de ceux qui produisent plus de 100 logements par année, 22,2% à Aylmer mais seulement 2,6% à Gatineau. Il y a donc une assez nette différenciation entre le profil de l'industrie de la construction à Gatineau et la situation à Hull et Aylmer. Il y a eu concentration partout mais beaucoup moins à Gatineau. Le secteur des petits et moyens constructeurs est plus vivant à Gatineau qu'ailleurs.

Tableau III-9

TAILLE DES CONSTRUCTEURS 1965-1976

Proportion du nombre de logements construits

		Petits (moins de 25 unités)	Moyens (25 à 99 unités)	Gros (100 unités et plus)
Hull	1965	53,1	46,9	—
	1971	3,1	19,8	76,9
	1976	1,6	—	99,5
Gatineau	1965	59,9	40,1	—
	1971	32,6	67,3	—
	1976	20,3	64,7	14,9
Aylmer	1965*	—	—	—
	1971	35,4	64,5	—
	1976	9.7	6,8	83,4
Outaouais québécois (secteur urbain)	1965	57,1	42,8	—
	1971	7,6	28,7	63,7
	1976	11,5	25,4	61,8

Proportion du nombre de constructeurs

		Petits	Moyens	Gros
Hull —	1965	87,5	12,5	—
	1971	33,5	38,8	27,7
	1976	40,0	—	60,0
Gatineau —	1965	87,5	12,5	—
	1971	68,7	31,2	—
	1976	76,3	21,0	2,6
Aylmer —	1965*	—	—	—
	1971	83,3	16,6	—
	1976	72,2	5,5	22,2
Outaouais	1965	87,5	12,5	—
québécois	1971	55,0	32,5	12,5
(secteur				
urbain)	1976	71,6	15,8	12,6

;Source: Chiffres compilés à partir des permis de construction
*   Chiffres non disponibles.

Un autre indice de la vitalité de l'industrie de la construction à Gatineau se fait jour dans le tableau III-10 qui démontre l'évolution du nombre de constructeurs ayant un siège social dans les trois localités de Hull, Aylmer et Gatineau. À Gatineau, il y a eu une expansion considérable au milieu des années 70, tandis qu'à Hull le nombre de constructeurs diminue au cours des années 70. En 1976, il y avait 40 constructeurs avec un siège social à Gatineau, 18 à Aylmer et seulement 5 à Hull. En plus d'indiquer l'augmentation rapide du nombre de constructeurs à Gatineau, ces chiffres suggèrent que l'origine des entrepreneurs est plus locale à Gatineau car les compagnies ont leur siège social à cet endroit.

Ces tableaux indiquent que de façon générale la construction du cadre bâti est de plus en plus assurée par des entrepreneurs ayant une certaine envergure mais que ceci est moins vrai à Gatineau. Comment expliquer cette situation? Nous avons tenté de compléter nos renseignements sur les entrepreneurs par des entrevues effectuées au cours de l'été 1977[44]. Les constructeurs rencontrés sont majoritairement des entrepreneurs locaux. Des 21 constructeurs rencontrés, 12 représentent des compagnies locales de

---

[44] Nous avons fait 21 entrevues. Dans la plupart des cas, la personne interviewée était le président de la compagnie mais ceci n'a pas toujours été le cas (particulièrement avec les plus grandes compagnies). Nous avons formulé un guide d'entrevue mais nous l'avons suivi de façon très souple. Les entrevues ont duré d'une demie-heure à deux heures. Les sujets abordés ont été l'histoire de la compagnie, l'activité de construction (le type, la quantité, le financement), la question du financement des infrastructures, l'accès aux terrains, les relations avec les gouvernements et, finalement, les opinions des entrepreneurs sur la situation générale du logement.

Tableau III-10

Évolution du nombre de constructeurs pour Gatineau, Aylmer et Hull
de 1965 à 1976.

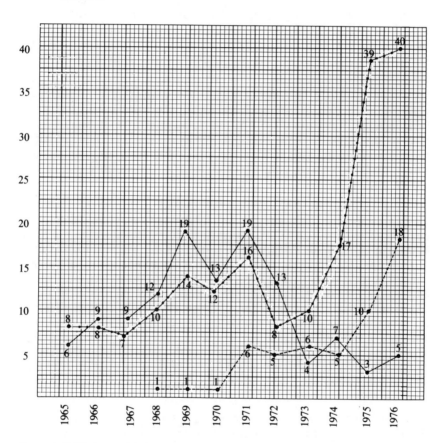

Source : Chiffres compilés à partir des permis de construction.

l'Outaouais québécois. Quatre autres (Johanssen/Payette, Lemay, Krueger, Beaudry) sont des compagnies qui avaient commencé leurs activités dans le secteur ontarien de l'Outaouais mais qui, par la suite, ont étendu leurs activités à l'Outaouais québécois. Dans le cas de Lemay, Krueger et Beaudry, l'activité de la compagnie est majoritairement localisée du côté québécois de la région. Ces compagnies sont donc, tout comme le premier groupe, essentiellement locales. Nous avons ensuite interviewé cinq autres constructeurs représentant des compagnies non locales. Dans deux cas (Cantus, Grand Prix) les compagnies avaient débuté leurs activités à Montréal et, même si dans le cas de Cantus la compagnie est maintenant localisée à Ottawa, elles ne construisent pas uniquement dans la région. Une autre compagnie, Goldlist, est une compagnie torontoise dont la très grande majorité des activités se concentrent à Toronto. Finalement deux compagnies, Cadillac-Fairview et Campeau, sont, par l'échelle de leurs activités, des compagnies nationales même si dans le cas de Campeau, le siège social est à Ottawa.

Il s'agit donc majoritairement d'entrepreneurs qui ont concentré leurs activités sur une base locale. Pour la plupart, et c'est le groupe qui nous intéresse plus particulièrement, l'Outaouais québécois représente le lieu principal, sinon exclusif, de leur activité. Nous avons tenu compte des réponses obtenues des compagnies « non locales » surtout pour les comparer à celles fournies par les entrepreneurs locaux.

La majorité de ces compagnies sont d'origine assez récente. Les dates de leur création suivent fidèlement le rythme d'activité de la construction dans l'Outaouais québécois tel que nous l'avons démontré en début de chapitre. De toutes les compagnies locales que nous avons interviewées, une a débuté ses activités avant la fin des années 50 (1953). Quatre autres ont commencé leurs activités dans la période 1959-62. Il faut ensuite attendre 1969 pour voir la mise sur pied de nouvelles compagnies. Entre 1969 et 1975, sept compagnies furent fondées. L'effervescence de la période commençant en 1969 est également illustrée par les dates auxquelles les compagnies « non locales » ont fait leur entrée sur la scène régionale. Deux compagnies ont débuté leurs activités au cours de la période 1959-62 ; cinq ont commencé au cours des années 1969-70 et deux autres en 1973-74.

Ces dates démontrent bien le caractère conjoncturel de l'industrie de la construction. Elles illustrent également ce qui est la caractéristique principale des compagnies locales : leur caractère artisanal. Les compagnies se créent facilement en période d'expansion mais elles demeurent peu structurées et peu permanentes. En période moins favorable, les compagnies vont, ou résister en réduisant au minimum leurs activités, ou disparaître.

Devenir entrepreneur en construction est chose facile ; c'est du moins l'avis de ceux que nous avons interviewés. Dans la grande majorité des cas, la personne présentement responsable de la compagnie est celle qui l'a créée. Dans trois cas, il existait déjà une compagnie familiale dans le domaine de la construction qui a servi de base pour une activité accrue. Mais ces cas font figure d'exception. Typiquement, il s'agit de personnes qui avaient une certaine expérience pratique dans un des métiers liés à la construction. Trois personnes avaient été menuisiers, deux autres ouvriers de la construction, une autre céramiste, une autre avait commencé comme ébéniste et, finalement, un autre est ingénieur. Dans plusieurs cas, les gens avaient travaillé comme sous-entrepreneurs pour des compagnies de construction avant de décider de créer leur propre compagnie. Il y a un cas (d'ailleurs une compagnie « non locale », Lemay) où l'expérience a été administrative (comptabilité) mais ceci est beaucoup plus rare que l'expérience pratique.

Le caractère artisanal des compagnies est souligné également par le rôle joué par des membres de la famille de l'entrepreneur initial. En plus des trois cas où une firme familiale existait déjà, plusieurs autres constructeurs se sont associés à des parents pour créer leur compagnie de construction. Dans au moins trois cas le beau-frère du constructeur fait partie de la compagnie et, dans presque tous les cas, la femme du constructeur y travaille. Cette structure familiale permet plus facilement au constructeur, si nécessaire, de surmonter des périodes d'activité lente en réduisant ses dépenses. En même temps, cette structure a été utilisée pour permettre l'accumulation du capital initial suffisant pour mettre la compagnie sur pied. De cette façon la structure familiale, artisanale, permet à l'entrepreneur de débuter sans avoir besoin des institutions financières.

Les débuts dans l'industrie de la construction sont aussi facilités par le fait qu'il n'est pas nécessaire d'avoir un capital initial très important. Trois des constructeurs locaux nous ont dit qu'ils avaient débuté en hypothèquant leur propre maison. Dans d'autres cas, les gens se sont lancés en affaire avec l'argent qu'ils avaient économisé. La mise de fonds initiale relativement peu élevée s'explique par le fait que certains des constructeurs ont commencé en ne construisant que des maisons vendues d'avance. Avec un tel système, le constructeur court moins de risques et, de plus, il ne doit financer la construction que pour une courte période de temps. Au moins quatre des constructeurs nous ont dit que toutes les maisons qu'ils avaient construites au début étaient vendues d'avance.

La structure artisanale des compagnies locales se voit aussi par le nombre d'employés. Ce qui frappe surtout c'est moins le fait que les compagnies n'ont pas beaucoup de personnel que le fait que les compagnies peuvent réduire ce nombre de façon draconienne en période de faible activité. Le noyau permanent des compagnies est très limité. Ceci se voit particulièrement à partir de 1977, période extrêmement lente pour la construction. La grande majorité des compagnies locales avaient cinq personnes ou moins à l'emploi de la compagnie pendant l'été 1977. Ce chiffre inclut tous les employés, y compris le constructeur lui-même ainsi que les membres de sa famille. Dans presque tous les cas (sauf dans les cas où le constructeur n'a jamais eu d'employés) ce nombre avait été plus élevé dans le passé. Deux exemples: une compagnie a trois personnes à son emploi tandis qu'auparavant elle employait de huit à dix personnes; une deuxième compagnie, dont le personnel au moment de l'entrevue était de cinq employés, avait déjà employé 33 personnes. Cette réduction de personnel démontre que les compagnies ne sont pas structurées de façon complexe, leurs structures restent très simples. Ceci permet au moins à certaines de ces compagnies de survivre aux mauvaises périodes. D'ailleurs cette stratégie a été confirmée dans les interviews par le fait qu'aucun des constructeurs locaux ne s'est dit « obligé » de construire pour faire travailler ses employés et aucun n'a expliqué le nombre de logements construits en fonction de la capacité de la compagnie. Par contre, ces réponses sont venues à plusieurs reprises des représentants des compagnies « non locales », généralement plus grandes et plus structurées. Pour ces compagnies, la structure de la compagnie les incite à maintenir une certaine activité tandis que les compagnies locales, plus artisanales, peuvent arrêter de construire pendant les périodes lentes.

Le nombre d'unités de logement construit est aussi un indice du type de compagnie. Nous avons comparé l'activité des compagnies locales et non locales de façon à mettre en évidence l'activité limitée des entrepreneurs locaux.

Tableau III-11
NOMBRE D'UNITÉS DE LOGEMENT CONSTRUIT.

Nombre d'unités par année [45]	Compagnies locales	Compagnies non locales
moins de 10	2	0
10 — 24	3	1
25 — 49	4	0
50 — 99	0	2
100 — 199	2	2
200 et plus	0	3

---

[45] Il faut insister sur la nature très approximative de ces chiffres. Certains des constructeurs nous ont donné un chiffre global d'unités construites tandis que d'autres un chiffre d'activité par année. Dans ce deuxième cas il n'est pas toujours clair si ce chiffre vaut pour l'ensemble des années d'activité ou pour la période la plus active. Il ne faut donc pas considérer les chiffres comme absolus mais plutôt comme un indice des tendances.

Neuf des onze constructeurs locaux sur qui nous avons pu obtenir des informations ont construit moins de 50 logements par année. Il s'agit donc de compagnies de petite envergure. Deux exceptions parmi les compagnies locales : Ropal (la compagnie de Robert Labine) qui a construit environ 150 unités par année depuis 8 ans et la compagnie de J.G. Bisson qui a construit environ 2 600 unités au cours de la période 1953-77. À ces deux compagnies il faut également inclure la compagnie Beaudry Construction qui a construit environ 1 700 unités dans l'Outaouais québécois entre 1961 et 1971. Cette compagnie est d'origine ontarienne. Elle est donc considérée comme une compagnie non locale mais son activité a été localisée dans l'Outaouais québécois pendant la période 1961-1971. Ces trois compagnies (Ropal, Bisson, Beaudry) représentent donc les plus grandes compagnies parmi celles qui ont eu l'Outaouais québécois comme base de leurs activités. L'activité des autres constructeurs ne s'est pas faite sur une très grande échelle ; quatre constructeurs disent avoir construit entre 25 et 50 unités par année et cinq autres moins de 25 unités. Il faut souligner quand même que ces chiffres représentent une moyenne pour plusieurs années d'activité et certains de ces constructeurs ont construit jusqu'à 100 unités dans une année en particulier.

Les informations sur le type de logements construits nous offrent également des éclaircissements sur les opérations des constructeurs locaux. Comme nous l'avons déjà vu, le type de développement résidentiel de l'Outaouais québécois, particulièrement à Gatineau et à Aylmer, consiste surtout en maisons unifamiliales. Nous avons cherché à savoir comment les constructeurs décident du type de construction et quels facteurs les ont influencés dans leurs choix. Les réponses des constructeurs locaux confirment la prédominance de la maison unifamiliale ; la moitié des constructeurs locaux n'a construit que des maisons unifamiliales et, presque tous les autres, surtout des maisons unifamiliales. La seule exception vient d'une des plus grandes compagnies locales : Bisson Construction. Cette compagnie a construit autant d'appartements que de maisons unifamiliales. Comme nous l'avons déjà souligné, le choix de la maison unifamiliale s'explique surtout en fonction de deux éléments : la demande et les difficultés rencontrées avec les immeubles à appartements. Cette dernière réponse est venue fréquemment dans les discussions avec les constructeurs locaux. Selon ces répondants, les immeubles à appartements sont une source de problèmes, surtout au niveau de la gérance de ces immeubles. Plusieurs personnes se sont plaintes de la Régie des loyers, disant que la législation québécoise favorisait indûment les locataires aux dépens des propriétaires. Pour la plupart des compagnies locales, la gérance des immeubles semble représenter un fardeau trop lourd pour leur organisation. Mais ce n'est pas seulement la gérance qui décourage les entrepreneurs locaux de construire des immeubles à appartements ; il y a aussi des facteurs liés au processus de construction. La construction des maisons unifamiliales requiert une mise de fonds moins considérable que celle des immeubles à appartements et de ce fait elle correspond plus aux possibilités de financement des petites compagnies. Certains des constructeurs ont répondu dans la même veine en justifiant leur préférence pour la maison unifamiliale par le fait qu'ils ne voulaient pas prendre trop de risques ni grandir trop rapidement. Le développement résidentiel basé sur la maison unifamiliale correspond donc aux possibilités et aux aptitudes des petites compagnies artisanales. C'est une forme de développement qui ne demande pas une mise de fonds considérable de la part du constructeur et qui ne demande pas, non plus, beaucoup de ressources ou d'expertise.

Il y a d'autres facteurs qui ont joué un rôle dans la décision des constructeurs quant au type de logement à construire. La demande pour des maisons unifamiliales a été très forte et donc ce type de construction était, en période active pour la construction, facile à vendre. En plus l'accessibilité des terrains joue un rôle important. Ceci a été soulevé par plusieurs constructeurs et, comme nous l'avons vu dans le chapitre précédent, la plupart des constructeurs avaient un accès facile aux terrains, soit en les contrôlant directement, soit par liens privilégiés avec des lotisseurs. L'importance de la disponibilité des terrains a été soulignée par une des compagnies non locales qui ne faisait que la construction d'immeubles à appartements et qui expliquait ce choix par le fait que la compagnie ne pouvait pas obtenir suffisamment de terrain à bon compte, le terrain appartenant déjà aux spéculateurs ou aux constructeurs au moment où la compagnie est arrivée dans l'Outaouais québécois. Pour cette raison la compagnie ne pouvait pas construire des maisons unifamiliales qui requièrent de grandes superficies. Par conséquent, elle avait orienté ses activités vers les immeubles à appartements. C'est finalement tous ces facteurs, la demande, l'accessibilité des terrains, la taille des compagnies ainsi que leurs possibilités de financement, qui expliquent la prédominance de la construction de maisons unifamiliales.

La question du financement et particulièrement l'identification des sources du financement des constructeurs est d'une importance évidente dans l'analyse du comportement de ces compagnies. Nous avons posé des questions sur le financement mais les informations que nous avons obtenues ont été, dans la majorité des cas, d'ordre très général[46]. Comme sources de financement, les cons-

---

[46] Nous n'avons pas, malheureusement, des données sur les politiques de financement des institutions prêteuses. C'est un aspect fondamental de la question du développement urbain mais un aspect sur lequel il n'est pas facile d'avoir des données précises.

tructeurs mentionnent les banques, les caisses populaires, les compagnies d'assurance et les compagnies de fiducie, tout en spécifiant que les banques ont des conditions plus exigeantes que les autres types d'institutions prêteuses. De façon générale, les constructeurs disaient utiliser plusieurs sources de financement pour un même projet. Dans certains cas ils pouvaient recourir à deux sources tandis que, pour d'autres projets, le nombre de sources pouvait monter à sept ou huit. L'utilisation de plusieurs sources de financement a été expliquée comme étant un moyen de contrer l'incertitude du financement; en gardant des contacts avec le plus grand nombre d'institutions prêteuses, le constructeur court moins le risque de ne pas trouver le financement nécessaire.

Une autre façon de diminuer l'incertitude pour les constructeurs est de réserver un certain montant d'argent à une banque. Les banques, bien que plus exigeantes que les autres institutions prêteuses, ont l'avantage de permettre aux constructeurs de s'assurer d'un montant d'argent une année à l'avance. De cette façon, le constructeur peut faire une certaine planification en sachant que son financement est assuré.

Les décisions financières dépendent beaucoup de la réputation du constructeur ainsi que de ses contacts personnels. De l'avis général il est beaucoup plus facile pour les grosses compagnies d'être financées, car leur réputation et leur expérience servent de garantie. Les constructeurs locaux sont financés mais sur une échelle réduite. Le système de financement ne permet pas facilement à une petite compagnie de prendre de l'expansion, car le système favorise la continuation du taux d'activité passée pour la plupart des constructeurs.

Il faut aussi parler du rôle de l'État, particulièrement par le biais de la Société centrale d'hypothèques et de logement (S.C.H.L.), dans le système de financement de la construction. Le tableau III-12 démontre le rôle joué par la S.C.H.L. dans la région de Hull pour la période 1970-77. La Société centrale a joué un rôle très important au cours des années 1970 et 1971, finançant plus de la moitié des unités construites. Par contre, en 1976, le S.C.H.L. ne finance plus que 1,8% du total. Ce chiffre remonte, en 1977, à 18,3% mais cette augmentation représente, plus qu'autre chose, la très faible activité totale de construction à Hull (464 unités comparé à 1942 à 1 976 et à 3 034 en 1975).

Tableau III-12

CONSTRUCTIONS RÉSIDENTIELLES AYANT BÉNÉFICIÉ DE L'AIDE DE LA S.C.H.L. À HULL — 1970-1977.

	Maisons individuelles		Jumelées ou duplex		En rangée		Appartements		Total		
	S.C.H.L.	% du total	S.C.H.L.	% du total	S.C.H.L.	% du total	S.C.H.L.	% du total	S.C.H.L.	Total	% du total
1970	546	59,7	6	7,3	589	100,0	838	53,9	1 979	3 141	63,0
1971	582	52,3	2	6,3	0	0,0	437	32,6	1 021	2 538	40,2
1972	74	5,5	0	0,0	0	0,0	419	15,6	493	4 079	12,1
1973	213	11,3	0	0,0	0	0,0	130	10,8	343	3 560	9,6
1974	54	4,6	18	11,0	219	74,0	104	14,1	395	2 382	16,6
1975	43	3,9	14	25,9	73	22,3	570	37,1	700	3 034	23,1
1976	0	0,0	0	0,0	34	9,3	0	0,0	34	1 942	1,8
1977	0	0,0	0	0,0	0	0,0	85	72,0	85	464	18,3

Source : S.C.H.L., *Statistique du logement au Canada.*

Tableau III-13

MISES EN CHANTIER FINANCÉES PAR LA S.C.H.L. COMME % DU TOTAL DES
MISES EN CHANTIERS, PAR AGGLOMÉRATIONS URBAINES DU QUÉBEC.

	1970	1971	1972	1973	1974	1975	1976	1977
Hull	63,0	40,2	12,1	9,6	16,6	23,1	1,8	18,3
Montréal	39,3	23,6	12,3	15,4	11,9	14,3	4,5	9,7
Chicoutimi-Jonquière	39,2	41,1	50,6	28,3	40,4	47,0	4,6	4,6
Québec	27,8	17,0	7,9	4,8	17,6	25,9	7,8	1,2
Drummondville	22,1	34,2	43,3	11,9	30,7	62,1	0,3	*
Saint-Jean	27,7	10,5	14,7	9,2	26,0	5,5	0,0	0,0
Shawinigan	22,8	4,8	5,9	1,7	8,1	38,4	0,4	0,0
Sherbrooke	5,6	11,2	30,1	2,4	9,5	37,2	9,9	0,0
Trois-Rivières	20,4	14,3	13,8	14,5	36,1	33,0	1,8	0,0

Source : Denis CHAPUT, Le marché hypothécaire au Québec, Annexe 14: Rapport du
groupe de travail sur l'habitation, décembre 1975, tableau VII, p. 21-23,
plus S.C.H.L., Statistique du logement au Canada, 1975 et 1976.
* Drummondville ne paraît plus dans le tableau en 1977.

L'importance de la S.C.H.L. à Hull se voit encore plus clairement si on compare l'agglomération hulloise à d'autres agglomérations québécoises. En 1970, Hull était la région où la S.C.H.L.
avait été la plus active et, même en 1971, Hull n'est dépassé que
par Chicoutimi-Jonquière. Par contre, en 1974, Hull vient au sixième
rang sur une liste de neuf agglomérations et en 1975, en septième
place (tableau III-13). Ensuite, pour les années 1976-77, la S.C.H.L.
a joué un rôle très minime et ce, partout au Québec.

Ces tableaux suggèrent que la S.C.H.L. a été un facteur non
négligeable dans l'augmentation considérable de l'activité en construction résidentielle au début des années 70 et aussi dans la réduction de cette activité quelques années plus tard. D'ailleurs certains des entrepreneurs ont abondé dans le même sens en affirmant que les prêts de la S.C.H.L. ont favorisé une augmentation
trop rapide du nombre de mises en chantier. Cette surproduction
a, par la suite, contribué au ralentissement de la construction.

En plus du financement, la construction résidentielle exige nécessairement des terrains. Notre analyse du chapitre précédent nous
a démontré comment les terrains de la région ont été appropriés.
Elle a démontré également les liens existant entre propriétaires fonciers et constructeurs. Il ne s'agit ici que de rappeler comment les
constructeurs locaux font face à l'obstacle foncier. La première
constatation est que la majorité des constructeurs obtiennent leurs
terrains d'autres entrepreneurs et non pas des cultivateurs. En plus,
ils ont obtenu des terrains prêts à bâtir. Les entrevues confirment
donc que, dans la plupart des municipalités de l'Outaouais qué-

bécois, un nombre limité de gens avaient acheté beaucoup de terrains et avaient obtenu l'installation des services municipaux. Comme nous l'avons déjà vu, ce groupe est composé de gens qui avaient d'abord été des constructeurs mais qui se sont spécialisés par la suite dans la vente de terrains. Les constructeurs avaient acheté leurs terrains de ces premiers entrepreneurs. Il s'agit donc de deux fonctions fort différentes: une première qui est de transformer les terrains pour des utilisations urbaines et une deuxième qui est la construction proprement dite. La majorité des constructeurs locaux jouent ce deuxième rôle; ils achètent des terrains «prêts à bâtir». Ces entrepreneurs sont donc dans une situation de grande dépendance. Pour réussir, il faut avoir un accès assez facile au terrain. Il leur faut aussi être en mesure de récupérer rapidement leur mise de fonds. Ces petits entrepreneurs sont donc d'une part dépendants des lotisseurs propriétaires et d'autre part dépendants d'une demande forte. Dans les périodes de croissance rapide, ils sont en mesure de compléter le cycle de la construction, de l'achat du terrain jusqu'à la vente de la maison, dans une période de trois mois. Dans de telles circonstances, ils peuvent compter sur un profit d'environ 10% par rapport au capital investi[47].

La répartition de la rente foncière est très différente selon ces deux fonctions. Quand les terrains ont été acheté des cultivateurs plusieurs années avant leur utilisation pour des fins urbaines, la plus grande partie de la rente foncière va aux spéculateurs. Ce sont eux qui réalisent les profits suite au changement d'utilisation des terrains. Cette répartition de la rente foncière se voit par le calcul du prix des terrains payé par les constructeurs. Les constructeurs que nous avons interviewés ont tous affirmé que le prix du terrain est déterminé par le prix de la maison qui va y être construite. Lipietz a bien décrit ce processus.

> Ce qu'achète le promoteur, c'est un droit juridique, extra-économique, et il la paie non pas sur une part de son capital productif, mais comme une avance sur le surprofit qu'il s'attend à réaliser par rapport au profit moyen qu'il se réserve. C'est pourquoi le prix du sol n'existe pas en soi, il est suscité par l'activité du promoteur qui fait du sol un usage déterminé[48].

Selon les constructeurs, le calcul du prix est connu par tous les agents impliqués dans les ventes; en commençant par le prix de la maison on déduit les coûts de la construction et les frais d'administration plus un profit de 10% pour en arriver au prix que le constructeur serait prêt à payer. Donc celui qui vend le terrain au constructeur peut fixer le prix du terrain, toujours en fonction du prix final de la maison. Par conséquent, c'est au propriétaire foncier-lo-

---

[47] En annexe à ce chapitre, nous avons donné un exemple des prix de construction pour la compagnie Vancel.

[48] LIPIETZ, *op. cit.*, p. 105.

tisseur que revient la majeur partie de la rente foncière. Ceci démontre l'importance de notre premier groupe d'entrepreneurs, ceux qui ont d'abord acheté des terrains des cultivateurs.

La position des petits constructeurs dans le processus de production du cadre bâti est donc précaire. Ils sont en concurrence non seulement l'un avec l'autre, mais surtout avec les grosses compagnies. En même temps, ils sont dans une position de dépendance à l'égard des propriétaires fonciers-lotisseurs et également à l'égard des sources de financement. Autre indice de la précarité de leur position, les constructeurs, tout en gardant des liens très étroits avec les gouvernements municipaux, manifestent beaucoup d'inquiétude et de méfiance à l'égard de l'orientation des politiques étatiques.

Ces ambiguïtés ressortent clairement du discours des constructeurs. Le trait principal est un individualisme petit-bourgeois fort marqué. La plupart des constructeurs ont créé leur propre compagnie et ils sont fiers de leur réussite et convaincus que cette réussite est le seul résultat de leurs efforts personnels. Plusieurs ont insisté sur l'importance de travailler à leur propre compte. Pour bien des petits constructeurs, ce désir de travailler sur une base individuelle est une motivation constante et forte, au niveau de la création de la compagnie ainsi qu'à celui du maintien de son indépendance.

Par contre, les constructeurs se plaignent amèrement de tout un ensemble de facteurs qui, selon eux, sont en train de saper leur indépendance. L'augmentation des coûts de construction a été soulevée très souvent; les petits constructeurs se disent incapables de payer les salaires (surtout de la main d'œuvre spécialisée) et sont donc obligés d'abandonner la construction[49]. Devant la montée des coûts de la construction, les petits constructeurs sont bien conscients que ce sont eux, et non pas les grosses compagnies, qui vont être éliminés. En plus des coûts de construction, les petits constructeurs se plaignent de la réglementation étatique. Selon eux, les actions de l'État à l'égard de la construction ne font que retarder le temps de mise en marché et, par conséquent, augmenter les coûts. Encore ici les constructeurs ont l'impression que cette réglementation nuit particulièrement aux « petits », qui ne sont pas structurés de façon à faire face à cette bureaucratisation.

Il y a donc individualisme et méfiance à l'égard de l'État. Mais, en même temps, il y a une certaine reconnaissance de l'importance de la collaboration et une reconnaissance certaine de l'importance de se servir de l'État dans la défense de leurs intérêts. Les constructeurs locaux ont démontré, comme nous l'avons souligné dans le chapitre précédent qu'ils ont été capables, à un certain

---

[49] Et, également à contourner les règlements, ce qui se fait couramment.

moment, d'une collaboration et même d'une action collective pour protéger leurs intérêts communs. L'exemple le plus frappant de cette collaboration est l'espèce d'alliance informelle des constructeurs locaux à Gatineau pour tenter de se défendre face à l'arrivée des grosses compagnies non locales. Cette attitude se voit surtout face à la Corporation Campeau[50]. Selon les gens interviewés, Campeau avait commencé d'acheter des terrains à Gatineau à des prix bien plus élevés que le prix courant. Ces achats auraient produit une augmentation générale des prix du terrain et éventuellement l'exclusion des petites compagnies locales incapables de payer des prix plus élevés. Les constructeurs, dont certains étaient aussi propriétaires de terrains, se sont rendus compte que leurs intérêts ne seraient pas servis si on permettait à Campeau de prendre trop d'ampleur. Par conséquent ils ont fait en sorte de limiter son accès aux terrains. Les constructeurs locaux ont aussi, à une autre occasion, collaboré pour acheter une grande superficie de terrain afin d'empêcher que des compagnies torontoises s'en accaparent. Les constructeurs locaux ont donc démontré une certaine capacité d'agir collectivement pour maintenir, dans la mesure du possible, leur position dominante dans le développement domiciliaire de Gatineau.

Si nous pouvons considérer cette alliance informelle des contracteurs locaux comme une facette de leur stratégie de défense de leurs intérêts, une autre facette serait leur utilisation des appareils municipaux. Tout en manifestant une certaine méfiance à l'égard de l'État, les constructeurs et lotisseurs locaux se servent des appareils locaux pour s'assurer que le développement urbain leur soit le plus profitable possible. Pour bien comprendre les relations entre ces représentants de la petite bourgeoisie locale et les appareils étatiques locaux, nous passons maintenant à l'analyse du rôle de l'État dans le processus de l'appropriation du sol et la production du cadre bâti. Le présent chapitre nous a démontré les différents intérêts en jeu dans la production du cadre bâti; il reste à voir comment les appareils locaux de l'État orientent le développement urbain, favorisant ainsi certains de ces intérêts de classe.

---

[50] Cette hostilité à l'égard de Campeau s'est peu manifestée à l'égard de Cadillac-Fairview, pourtant plus grande que Campeau. L'explication semble être que le gérant local de Cadillac-Fairview est un ancien employé d'un des entrepreneurs locaux et que la corporation Cadillac-Fairview suit les règles du jeu des compagnies locales à Gatineau, c'est-à-dire qu'elle respecte le niveau du prix des terrains et qu'elle maintient des contacts avec les constructeurs locaux. Il faut dire aussi que le projet de Campeau au centre-ville était plus sérieux que celui de Cadillac-Fairview et donc plus menaçant.

Annexe A

LES ACHATS D'IMMEUBLES À APPARTEMENTS PAR LES INTÉRÊTS ÉTRANGERS.

1. *680, boulevard St-Joseph*	évaluation $1 875 000.
14 avril 1972	Laframboise Holdings vend à Malabois (C. Major, J. Beaudry, M. Beaudry, R. Lachapelle) pour $1 et autres considérations.
18 mai 1972	Hypothèque avec la Caisse de dépôt et de placement du Québec. La Caisse prête $1 978 425 à Malabois à un taux de 9,5%.
15 septembre 1972	Malabois vend à Marens Holdings Limited pour $2 028 425.
2. *42-44-46, rue Bédard*	évaluation $3 179 325.
4 août 1972	J.G. Bisson Construction cède à Talvin Enterprises Ltée (S. Sternthal, S. Vineberg) pour échange de terrains.
8 août 1972	Talvin à Les Aménagements Parc de la Montagne Ltée (S. Sternthal, S. Vineberg) pour $1.
21 septembre 1972	Les Aménagements Parc de la Montagne à Les Constructions Penan (S. Vineberg) pour $1.
30 novembre 1973	Vineberg vend à Ulax Properties (M. Tikal) pour $1 et autres considérations.
	1) Ulax doit payer $3 922 931 à la Caisse de dépôt et de placement du Québec pour l'hypothèque de Penan Construction.
	2) $100 000 pour le 20 novembre 1974. Si le revenu est moins de $767 000/année, l'acquéreur pourra capitaliser la perte à 8% et la déduire du deuxième versement.
3. *175, rue Mutchmore*	évaluation $1 744 700.
23 mars 1973	J. Beaudry, M. Beaudry, C. Major, M. Marois, R. Lachapelle et Laframboise Holdings vendent à Licousi Inc. pour $132 000.
7 septembre 1973	Licousi vend à Medec Holdings Ltée (M. Tikal) pour $1 825 000.
30 août 1974	Medec vend à Rast Corporation pour $2 007 500.
4. *215, rue Mutchmore*	évaluation $621 900.
23 janvier 1969	Beaudry Construction vend à J. Beaudry et A. Beaudry pour $26 900.
1 août 1972	A. Beaudry et J. Beaudry vendent à Ebercan Holdings Limited (M. Tikal) pour $960 000.
5. *420, rue Cité des Jeunes* *9, rue Talbot*	évaluation $831 900. évaluation $196 650.
1 avril 1969	Les sœurs Maristes vendent le terrain à McLeod Construction et Nancliffe Ltée.
21 avril 1972	Metropolitan Trust Company en fiducie pour Lehndorff Management Ltd prête $100 000 à 12% à McLeod Construction et Nancliffe Ltée.

	3 juillet 1973	McLeod et Nancliffe vendent à Hagen Properties Limited (M. Tikal) pour $2 450 000.
	11 janvier 1974	Industrie Beteiligungsgesellschaft mit Beschraenkter Haftung (de Frankfurt) prête $550 000 à Hagen.
6.	*150, boulevard Gréber*	évaluation $1 186 000.
	28 janvier 1972	Parent Inc. vend à M. Melamed, D. Croft, J. Grainger, M. Miller, A. Miller, B. Gottlieb pour $180 710.
	9 mai 1973	M. Melamed, D. Croft, J. Grainger, M. Miller, A. Miller, B. Gottlieb vendent à Five Oaks Holdings Limited pour $2 011 519.
7.	*190, rue Cité des Jeunes*	évaluation $2 365 600.
	19 septembre 1972	S. Dennison vend à Les Appartements Parc de la Montagne (S. Vineberg) pour $45 000.
	11 septembre 1975	Les Appartements Parc de la Montagne (S. Vineberg) vend à Cranleigh Towers pour $1 et valables considérations.
8.	*700, boulevard St-Joseph*	évaluation $3 679 200.
	13 avril 1970	Ciment Lafarge reprend la propriété suite à un jugement contre Amyot Ready Mix Ltd.
	30 décembre 1971	Ciment Lafarge (J. Gordon) vend à Charles E. Amyot en fiducie pour $225 000.
	28 septembre 1972	C. Amyot vend à Triangle Developments Ltd. (J. Wolofsky) pour $350 000.
	6 décembre 1973	Triangle vend à Lehndorff Corporation pour $1.

Annexe B

LES COÛTS DE CONSTRUCTION.

	(Modèle: La Québécoise T77.01)	Construction Vancel Ltée (le 14 mars 1977) *Prévisions*	
		Matériaux	*Main-d'œuvre*
1.	Terrain	7 000,00	
2.	Service entrée d'eau	90,00	45,00
3.	Implantation avant creusage (par menuisier)		125,00
4.	Creusage, remplissage et terrassement	350,00	100,00
5.	Empattement	528,00	60,00
6.	Fondation	1 716,00	30,00
7.	Plancher ciment	744,00	25,00
8.	Poutre de fer — Telepost	220,00	
9.	Bell Trap	35,00	15,00
10.	Matériaux	4 300,00	
11.	Charpente		1 400,00
12.	Couvertures		150,00
13.	Trusses	566,80	
14.	Fenêtres — patios — portes	1 233,34	

15.	Électricité	1 055,00		
16.	Chauffage	1 050,00		
17.	Plomberie	1 325,00		
18.	Matériaux isolants			
19.	Gyproc			900,00
20.	Joints de gyproc			
21.	Calfeutrage (maison)	45,00	(cave)	45,00
22.	Brique			750,00
23.	Aluminium	1 350,00		
24.	Portes extérieures métalliques	450,00		
25.	Sand finish	140,00		25,00
26.	Galerie — avant	135,00		
27.	Galerie — arrière	75,60		
28.	Fer forgé	290,00		
29.	Finition intérieure			350,00
30.	Armoires	975,00		
31.	Escaliers	125,00		60,00
32.	Tuiles — tapis — céramique	1 300,00		45,00
33.	Cheminée	200,00		60,00
34.	Container	45,00		
35.	Peinture	900,00		
36.	Top soil et nivelage	300,00		75,00
37.	Fan — poêle et installation	25,00		30,00
38.	Trottoir	60,00		30,00
39.	Entrée de cour	130,00		30,00
40.	Nettoyage, lavage	40,00		
41.	Fixtures	75,00		
42.	Pharmacie	22,00		7,50
43.	Ventilateur — sécheuse	10,00		30,00
44.	Ciment entre maison et fondation	15,00		60,00
45.	Redressage, entretien, réajustement (porte, etc.) (menuisier)			400,00
46.	Nettoyage, entretien (journalier)			600,00
47.	Permis de construction	25,00		
48.	Assurances	85,00		
49.	Plan dessinateur	25,00		
50.	Arpentage	185,00		
51.	Dépôt inspection SCHL	35,00		
52.	Hydro	35,00		
53.	Chauffage — huile	100,00		
54.	Certification — initiale (maison neuve)	85,00		
55.		40,00		
56.	$3/10 \times 1\%$ Cie prêteuse	135,00		
57.	Intérêts sur terrain	70,00		
58.	Intérêts sur hypothèque	1 000,00		
59.	Droit ass. hypothèque	370,00		
60.	Notaire — terrain	60,00		
61.	Notaire — prêt	225,00		
62.	Notaire — vente	225,00		
63.	Commission sur vente	800,00		
64.	Plan implantation	100,00		
65.	Dépôt bonne foi	100,00		
66.	Taxes foncières	450,00		

67. Imprévus
     (1% des matériaux (4 300.)   43,00

                                              ‾‾31 113,74‾‾   ‾‾5 447,50‾‾

                           Coûts totaux   36 561,24
                    Marge de profit 10%   3 656,12
                                              ‾‾‾‾‾‾‾‾‾‾

                                               40 217.36

                       Majoration de 7%
                    Frais d'administration

                    $$\frac{100}{93} \times 40\ 217,36 = \$43\ 244,47 \text{ Prix de vente}$$

CHAPITRE IV

L'État

La place occupée par la petite bourgeoisie locale dans la production locale du cadre bâti a été importante, et l'est toujours, car elle a su assurer sa présence dans le développement futur en s'appropriant une bonne partie de l'espace régional. Les chapitres précédents ont démontré de façon très nette que le rôle économique de la petite bourgeoisie locale, bien qu'important, a toujours été parasitaire, en ce sens qu'elle n'a jamais eu les moyens de générer elle-même son propre essor économique. Avec la concentration des moyens de production, cette tendance ne fait que s'accentuer. Dans le cas du développement de l'Outaouais québécois, la rente foncière, induite au niveau de toute la région par les investissements publics au centre-ville de Hull, devient l'objet de luttes entre le grand capital et la petite bourgeoisie locale. Ce développement entraîne donc, en plus des luttes découlant de l'opposition fondamentale entre le capital et le travail que représentent les multiples formes d'expropriation et d'expulsion, des luttes secondaires entre différentes fractions du capital. Comme nous l'avons déjà vu, l'action des États fédéral et provincial a surtout favorisé les intérêts du grand capital. Par conséquent, le contrôle de l'État local devient un enjeu extrêmement important pour la petite bourgeoisie locale. Dans le chapitre suivant, nous nous proposons d'analyser le rôle de l'État local afin de mieux comprendre la place occupée par cet appareil d'État dans le développement de l'urbanisation.

L'évolution du capitalisme a été marquée principalement par deux phénomènes qui sont presque indissociables l'un de l'autre. Il s'agit de la concentration du capital qui conduit à la création d'oligopoles et de monopoles, et l'intervention grandissante des appareils d'État. L'intervention de l'État en société capitaliste se caractérise par un effort de rationalisation de l'exploitation tant par rapport aux moyens de production, à la force de travail qu'à l'utilisation de l'espace. Le capital dans sa production engendre une série de contradictions à tous les niveaux de la société. Les exigences de la concentration du capital ne font qu'accélérer l'apparition de ces contradictions qui se transforment très rapidement en goulots d'étranglement. L'État répond à ces besoins en tentant d'amoindrir les résistances provoquées par ces contradictions, afin d'assurer la domination et la reproduction du grand capital. Mais la société capitaliste n'est pas encore tout à fait celle du grand capital, celle des monopoles. Différentes fractions du capital, moins importantes, plus localisées, tentent par tous les moyens de résister à cette poussée du grand capital. Ces résistances, ces luttes, au sein même de la bourgeoisie, trouvent leur écho dans les appareils de l'État.

Les études qui se sont penchées sur la question de l'intervention publique dans le développement urbain se sont attachées beaucoup plus à cerner le rôle des niveaux supérieurs de gouvernement qu'à analyser l'importance du pouvoir local dans ce domaine. Il est d'ailleurs vrai que les grandes orientations de l'urbanisation sont plus influencées par les décisions gouvernementales des paliers supérieurs de l'État que par celles de l'État local. Comme le souligne Jacques Léveillée dans son étude de l'agglomération montréalaise :

> Ce sont d'ailleurs ces paliers supérieurs de l'Appareil d'État qui disposent des moyens juridiques, organisationnels et financiers, les plus susceptibles de promouvoir les intérêts spatiaux de ces intérêts dominants... Il appert que ce sont les institutions locales qui, tout en étant au centre des transformations structurelles de l'économie urbaine, sont généralement celles dont l'éventail de moyens pour réagir à ces transformations est le plus réduit[1].

Par contre, une analyse des interventions du palier local de l'appareil étatique permet de saisir d'une façon concrète la spécificité des luttes sociales d'un espace particulier. Nous avons donc pris la décision de nous attarder au rôle joué par l'État local dans le développement de l'Outaouais québécois. Comme le souligne Renaud Dulong dans une des rares études qui traite de la question du rôle des appareils locaux, la spécificité des régions est dûe au processus du développement du capitalisme. Les diversités régionales sont :

> ...moins la différence de traditions, de modes de vie, de tempérament, que celle des agencements entre fractions locales des diverses classes qui font de chaque zone du territoire un sous-ensemble social original. Quant à l'origine de cette diversité, elle est dûe bien évidemment à l'étalement spatial du développement inégal du capitalisme, étalement qui fait que certaines zones sont plus développées que d'autres dans lesquelles l'activité dominante est structurée à un stade antérieur du mode de production dominant au niveau national[2].

Certaines fractions de classe, dominantes dans une région particulière sans l'être au niveau national, peuvent vouloir utiliser l'appareil de l'État local pour défendre et promouvoir leurs intérêts. Mais, comme le souligne Dulong, cette utilisation des appareils locaux se fait à l'intérieur d'un cadre national. Il n'y a pas d'opposition fondamentale entre palier national et palier local mais plutôt un effort de la part des fractions dominantes sur la scène locale

---

[1] LÉVEILLÉE, *op. cit.*, p. 67.
[2] DULONG, *op. cit.*, p. 24.

afin de conserver la place qu'elles occupent tout en acceptant la domination du grand capital dont elles dépendent en raison de la concentration des ressources en société capitaliste.

...Dans ce qu'il faut bien appeler une prise partielle de pouvoir local, ces fractions régionales de classes investissent des éléments secondaires de l'appareil d'État — les «collectivités territoriales», mais aussi d'autres éléments — en sorte de réaliser leur propre hégémonie sur une zone, dans les limites déterminées par l'alliance avec la classe qui détient les éléments principaux de l'appareil d'État [3].

L'aménagement de l'espace urbain est un lieu privilégié où nous pouvons observer et analyser les luttes entre les différentes fractions du capital impliquées dans la production du cadre bâti, de même que l'implication de l'État à ce niveau.

L'État local devient l'enjeu des différentes fractions de la bourgeoisie impliquées dans la production du cadre bâti. Pour la petite bourgeoisie locale, cet enjeu est vital. En effet, comme nous l'avons démontré au cours du premier chapitre, la construction résidentielle et le lotissement constituent en quelque sorte le dernier bastion de cette fraction de classe.

Nous allons démontrer au cours du présent chapitre comment l'État local joue un rôle essentiel dans la création de la rente en milieu urbain, de même qu'au niveau de la reproduction de la force de travail.

Les pouvoirs publics par leurs programmes d'équipement d'infrastructure et plus particulièrement par l'implantation des grands axes de transport contribuent également de façon appréciable à élargir l'aire d'attente de l'expansion urbaine en créant des potentiels d'urbanisation qui se traduisent par une valeur accrue des terrains. Ce processus de création d'une plus-value par les pouvoirs publics est d'autant plus à l'avantage des propriétaires fonciers puisqu'ils n'ont eu à procéder à aucune transformation de leurs terrains [4].

L'État local joue un rôle surtout par la planification, le financement et la gestion des infrastructures nécessaires à tout cadre bâti. Ces infrastructures comprennent rues, trottoirs, égouts, aqueducs et éclairage public. Ces infrastructures sont nécessaires afin de pouvoir réaliser la valeur d'usage du logement. Même si certains éléments de l'espace résidentiel moderne, tels que l'eau courante pour ne prendre qu'un exemple, peuvent être produits sans l'intervention du capital du secteur public, on ne peut pas imaginer une seule maison dont l'utilisation ne soit liée d'une façon ou d'une autre à ce même capital.

---

[3] *Ibid.*, p. 216.

[4] M. GAUDREAU et M. SAMSON, *Appropriation, transformations de l'espace urbain et leurs effets sur le logement.* I.N.R.S.-Urbanisation, Montréal, 1975, p. 37.

L'équipement n'est pas constitué par le seul branchement terminal, mais par l'ensemble du réseau. Et l'ensemble est bien, pour l'essentiel, produit actuellement par l'intervention de financement public[5].

Dans la mesure où un espace régional, tel que celui que nous avons étudié, connaît une transformation importante de sa vocation (d'industriel à administratif, d'agricole à résidentiel), d'autres équipements doivent s'ajouter. Il s'agit d'usines d'épuration, d'usines de filtration, de conduites-maîtresses. Le réseau routier construit en fonction d'un usage plus local que régional devient rapidement inapte. Les migrations alternantes créent des embouteillages monstres. Ces goulots d'étranglement constituent de sérieuses menaces à la valeur d'usage du logement. Il devient donc de première importance pour la petite bourgeoisie locale, fortement impliquée dans la production du cadre bâti, que les conditions nécessaires à l'urbanisation soient continuellement recréées. En revendiquant une action de l'État, elle est appuyée par les résidents des nouvelles zones qui vivent quotidiennement les problèmes causés par les carences des services publics. Bien que leurs intérêts objectifs ne soient pas ceux de la petite bourgeoisie locale, les revendications des résidents, pour l'améliorations des services, rejoignent celles de la petite bourgeoisie locale. L'État récupère ses revendications en les utilisant pour justifier ses interventions.

Les décisions concernant l'implantation des services d'infrastructure, leur financement, les formes de lotissement, l'intensité d'occupation du sol et les lieux prioritaires d'implantation des conduites-maîtresses constituent les enjeux essentiels de la scène politique locale et régionale. De ces décisions dépend la survie des différentes fractions de la bourgeoisie locale impliquées dans la production du cadre bâti et l'appropriation de la rente foncière.

Afin de réaliser l'étude du rôle de l'État local dans l'aménagement de l'espace, nous allons d'abord nous intéresser à la question du financement des infrastructures. Cette analyse, basée sur la comparaison de différents postes budgétaires, situera l'importance de l'activité municipale dans la mise en place des infrastructures. Par la suite, afin de saisir la dynamique des relations entre fractions de classe et appareils d'État locaux, nous allons procéder à une analyse des différentes municipalités de la région depuis 1960. Finalement, nous nous pencherons plus spécifiquement sur les interventions de la Communauté régionale de l'Outaouais dans l'aménagement de l'espace urbain régional.

---

[5] PRETECEILLE, *op. cit.*, p. 74.

Le financement des infrastructures.

Pour bien démontrer que le financement des infrastructures représente l'activité principale des municipalités de l'Outaouais québécois pendant la période étudiée, nous devons commencer par une analyse financière des municipalités. Malgré le caractère quelque peu comptable de cet exercice, il ne faut pas voir dans une analyse des budgets et des bilans financiers des municipalités un travail dénué de toute dynamique. Comme le souligne James O'Connor dans *The Fiscal Crisis of the State*, il s'agit beaucoup plus d'une façon de comprendre « the contradictory processes which find both their reflection and cause in the government budget[6] ». Les budgets gouvernementaux sont importants, toujours selon O'Connor, parce qu'ils nous révèlent des fonctions de l'État capitaliste.

> Our first premise is that the capitalistic state must try to fulfill two basic and often mutually contradictory functions — accumulation and legitimization. ... State expenditures have a two-fold character corresponding to the capitalist state's two basic functions: social capital and social expenses[7].

L'analyse des budgets permet donc de saisir de façon concrète les priorités publiques des appareils d'État. Au niveau global, la première constatation est l'accroissement très rapide des dépenses municipales. Les dépenses d'opération ont plus que quadruplé pour l'ensemble des municipalités du Québec entre 1960 et 1975. Ces dépenses sont passées de $320 millions à $1 357 millions, ce qui représente une augmentation annuelle de 10,6%[8].

Le rôle municipal dans le financement des infrastructures se répercute sur tous les autres postes budgétaires de la municipalité. Au cours d'une période de construction intense, la municipalité devra d'abord emprunter pour couvrir le coût des travaux. L'intérêt de ces emprunts s'ajoutera par la suite au service de la dette. Mais, les nouveaux secteurs construits nécessitent des services tels que l'enlèvement de la neige, la cueillette des ordures ménagères, la protection civile, etc. Ces services entraînent eux aussi une augmentation dans les dépenses de fonctionnement des municipalités.

Ce scénario illustre bien les grandes lignes de ce qui se produit dans beaucoup de villes. Il indique aussi les rapports entre les dépenses d'immobilisation et les dépenses de fonctionnement qui s'enchevêtrent et se distinguent tout à la fois.

---

[6] James O'Connor, *The Fiscal Crisis of the State*, New York, St. Martins Press, 1973, p. 3.

[7] *Ibid.*, p. 6.

[8] Dossiers — « Les finances municipales: 300 municipalités crèvent », dans *Le Jour*, le 25 mars 1977, p. 48. Voir aussi G. Bélanger, *Le financement municipal au Québec*, Annexe du rapport sur l'urbanisation, Éditeur officiel du Québec, 1976.

Ces liens entre les dépenses de fonctionnement et les dépenses d'immobilisation sont perceptibles au niveau du service de la dette. En effet, le service de la dette représente le poste budgétaire le plus important pour les municipalités du Québec. Au cours de la période 1964-1973 il a accaparé entre 25,6% et 29,5% des dépenses des municipalités[9], soit entre un quart et un tiers des dépenses courantes des municipalités. En 1957 la dette des municipalités pour l'ensemble du Québec était de $625 millions. Elle est passée à $2 586 millions en 1973[10].

Les règlements d'emprunts consolidés au niveau de la dette obligataire sont reliés, dans une proportion écrasante, aux infrastructures. Dans le cas d'Aylmer, par exemple, entre 1969 et 1975, 100% des règlements d'emprunts avaient été contractés pour des aqueducs, des égouts, des trottoirs et du pavage. En 1976, le conseil municipal a autorisé certaines sommes pour l'aménagement de parcs et la construction d'une caserne de pompiers. À Pointe-Gatineau, 77% de la dette obligataire (dont le montant total se chiffrait à plus de $10 millions) avait servi au financement des infrastructures. À Templeton, l'ensemble des règlements d'emprunts contractés par la municipalité étaient imputables aux infrastructures. Dans le cas de Touraine, 86% des emprunts allaient aux infrastructures. Pour Hull, plus de la moitié des emprunts contractés ont servi au financement de l'installation ou de la réfection des infrastructures.

Le pourcentage plus faible dans le cas de Hull s'explique, comme nous allons le constater, par la présence d'un règlement municipal obligeant les constructeurs à défrayer une partie du coût des infrastructures. La participation considérable des gouvernements fédéral et québécois dans la mise en place des infrastructures à Hull a aussi joué un rôle important. De façon générale, on constate cependant que la dette municipale est un excellent indice permettant d'évaluer l'activité de l'appareil politique local dans le domaine de la mise en place des infrastructures.

L'évolution de la dette et du service de la dette pour les municipalités de l'Outaouais québécois a suivi la même progression que celle des autres municipalités de la province pour la période de 1968 à 1974. En analysant les données compilées dans le tableau IV-1, nous constatons que la dette a augmenté très rapidement dans la plupart des municipalités. La municipalité la plus touchée est Aylmer (accroissement annuel moyen de 320%) tandis que Hull et Templeton sont les municipalités qui semblent avoir été le moins touchées par cette augmentation (10,5% et 7,3% respectivement). Cette

⁹ G. BÉLANGER, *Le financement municipal au Québec, op. cit.*, pp. 9-10.
¹⁰ *Ibid.*, p. 11, et *Le Jour*, le 25 mars, 1977, p. 49.

différence extrême entre les municipalités s'explique à la fois par la méthode de calcul que nous avons utilisée, basée sur la différence entre deux années, mais aussi par la réalité du développement qu'a connu chaque municipalité. En effet, l'importance de la différence, donc du taux de croissance annuel moyen que nous avons établi par la suite, dépend du total des emprunts par municipalité pour 1968 et pour 1974. Or, que l'une de ces deux années soit plus basse ou plus haute que la moyenne, et nos calculs sont sensiblement influencés. Par contre, si nous avons choisi d'étudier plus particulièrement la période 1968-1974, c'est que cette période est celle où la construction domiciliaire a vraiment connu son essor[11]. C'est aussi celle où les municipalités ont le plus généralement et le plus généreusement participé à ce développement. Le taux de croissance fulgurant qu'a connu la municipalité d'Aylmer, par exemple, correspond à la réalité d'une municipalité qui, d'un taux de croissance à peu près nul, commence à s'urbaniser à un rythme accéléré. Les cas de Touraine, de Gatineau et de Pointe-Gatineau s'expliquent de la même façon. En effet, bien que ces trois municipalités aient déjà connu avant 1968 une certaine croissance urbaine[12], ce n'est qu'à ce moment-là que la véritable explosion urbaine s'est produite.

Dans le cas de la ville de Hull, la période 1968-1974 ne représente pas une période de croissance très rapide au niveau de la dette, même si de toute évidence Hull a connu beaucoup de transformations au cours de cette période. La ville de Hull ayant reçu des investissements très considérables de la part des gouvernements régional, québécois et fédéral, elle a donc pu maintenir son taux de dette à un niveau assez bas. Par exemple, en 1971, Hull a emprunté $1 million pour l'installation d'égouts et d'aqueducs sur le boulevard Maisonneuve, le gouvernement québécois ajoutant une somme complémentaire de $700 000[13]. Au cours de la même année, pour un autre projet d'installation d'égouts, d'aqueducs, de trottoirs et de pavage sur les rues Wright, Laval, Principale et Courcelette, la ville de Hull a contribué la somme de $1 160 000 et la C.C.N. $580 000[14]. Également en 1971, la municipalité de Hull a emprunté $322 157 pour la reconstruction des conduites d'aqueduc sur les rues Laurier, Dussault et Fournier, projet qui a reçu $99 157 de la C.R.O.[15]. Donc, pour ces trois ouvrages, la ville de Hull a défrayé 64% du montant total, ce qui réduit considérablement l'impact de ces travaux sur le niveau de la dette municipale.

[11] Voir l'analyse du chapitre III, pp. 104-106.
[12] Voir l'analyse du chapitre I, pp. 48-53.
[13] Règlement d'emprunt 1474.
[14] Règlement d'emprunt 1167.
[15] Règlement d'emprunt 1193.

Tableau IV-1

ÉVOLUTION DE LA DETTE.

Municipalité	Dette obligataire		Accroissement annuel moyen	Service de la dette	
	1968	1974		1968	1974
Hull	$12 863 273	$21 064 547	10,5%	$1 444 041	$2 434 145
Gatineau	5 732 942	13 185 921	23,0%	474 463	1 547 587
Pte-Gatineau	1 743 885	5 450 877	39,0%	128 874	628 402
Aylmer	234 737	4 755 000	320,0%	63 736	404 398
Touraine	776 043	4 126 431	71,0%	65 102	413 226
Templeton	795 000	1 148 000	7,3%	64 828	122 208

Source : Rapports financiers des municipalités et statistiques financières des municipalités du Bureau des statistiques du Québec.

De plus, la ville de Hull n'a pas connu d'expansion domiciliaire importante au cours de cette même période. Tout le territoire de la municipalité étant déjà urbanisé et, l'annexion d'une partie du territoire d'Aylmer ou de Hull/Ouest rencontrant de nombreux obstacles, la ville de Hull ne pouvait pas se lancer dans le développement de nouveaux projets domiciliaires. Cependant, au cours des années 60, la ville a tout de même connu un accroissement dans la construction de maisons unifamiliales, et ce sans grande augmentation du taux de la dette. Entre 1961 et 1968, la dette obligataire totale n'a presque pas varié, passant de $11 941 000 en 1961 à $12 863 273 en 1968. Rappelons qu'en 1962, la municipalité de Hull avait décidé d'obliger les constructeurs à installer les services à leurs frais. Nous étudierons cette question plus en détail mais il est évident qu'une telle mesure a eu un impact direct sur le taux d'augmentation de la dette municipale.

Le rythme de croissance de la dette et les variations existant entre les municipalités sont encore plus phénoménaux, si l'on y ajoute les données pour 1975. Ainsi pour l'ancienne municipalité de Touraine, la dette qui était de $4 126 431 en 1974 grimpe à $8 535 923 pour 1975. Dans le cas de Pointe-Gatineau, la dette passe de $5 450 877 à plus de $10 millions. Quant à la municipalité de Templeton, qui avait connu de 1968 à 1974 un taux de croissance moyen de 7,3%, elle fait plus que doubler sa dette entre 1974 et 1975, passant de $1 148 000 à $3 765 800. Comment expliquer ces hausses soudaines?

Il faut d'abord resituer les évènements dans leur contexte. 1972 et 1973 furent des années de vaches grasses pour les constructeurs d'habitations de la région. Les municipalités devaient faire des pieds et des mains afin de pourvoir en infrastructures toute la construction résidentielle. En conséquence, les emprunts se multipliaient et le niveau de la dette augmentait. De plus, la procédure suivie par les municipalités magnifie les variations. Selon le scénario habituel, après avoir reçu l'autorisation de la Commission municipale du Québec qui évalue chacune des demandes d'emprunt, la municipalité incite les entrepreneurs spécialisés dans l'installation des infrastructures à soumissionner. Après avoir choisi l'entrepreneur, on procède aux travaux. Afin de ne pas retarder les projets, la municipalité finance les travaux par le biais d'emprunts temporaires auprès des banques. Ce n'est qu'une fois les travaux terminés, que les gestionnaires municipaux en déterminent le coût final et que la municipalité effectue l'emprunt nécessaire au financement permanent sur le marché des obligations. Cet emprunt correspond au coût total des travaux, auquel on a ajouté les intérêts de l'emprunt temporaire. De plus, la plupart des municipalités avaient tendance à accumuler les règlements d'emprunt jusqu'à ce que l'emprunt total corresponde à la capacité d'emprunt maximum de la municipalité. Cette façon de procéder s'expliquait en raison des économies engendrées par la non duplication des procédures d'emprunt. Ce n'était qu'à ce moment que la municipalité redemandait à la Commission des Affaires municipales la permission d'aller sur le marché des obligations [16].

Dans le cas de Templeton, par exemple, les emprunts temporaires de $1 912 904 ont excédé, en 1974, la dette obligataire de $1 148 000. Pour Aylmer et Touraine, ces emprunts temporaires se chiffraient à plus de trois millions. À Pointe-Gatineau, les emprunts temporaires atteignaient presque le montant de la dette obligataire, soit $4 371 061 en emprunts temporaires comparés à une dette de $5 450 877 [17].

Cette façon de procéder entraîne de sérieux problèmes pour les nouveaux propriétaires. D'abord, il leur est impossible de connaître le montant de la taxe affectée à ces nouveaux services d'infrastructure puisque le règlement d'emprunt auquel ils seront assujettis n'a pas encore été émis. Parfois ils n'apprendront cette douloureuse nouvelle que deux ans après l'achat de leur maison. En 1975, au moment de la campagne électorale pour l'élection du premier conseil municipal de la nouvelle municipalité regroupée de Gatineau, le parti municipal Action-Gatineau a exploité cette question des emprunts temporaires contre l'un des candidats à la mairie, en l'occurrence l'ex-maire de Touraine et maire du conseil provisoire de Gatineau. Le parti Action-Gatineau lui reprochait alors de camoufler

---

[16] Ce processus est confirmé par des échevins et un fonctionnaire de la Commission municipale lors d'entrevues.
[17] Compilation des statistiques financières B.S.Q., 1974.

le niveau réel de la dette en utilisant les emprunts temporaires. Selon Action-Gatineau, « une brique de \$4 millions va s'abattre sur Touraine [18] ».

Le phénomène des emprunts temporaires peut jouer un rôle passablement important, d'un point de vue politique, au cours d'une période d'activité intense comme celle que nous examinons ici. Compte tenu du fait que les emprunts temporaires n'ont aucun effet immédiat sur le fardeau fiscal des contribuables-électeurs, les élus municipaux peuvent présenter la situation financière comme meilleure qu'elle ne l'est en réalité. Dans le contexte du regroupement municipal qui a touché l'Outaouais québécois, il est devenu évident, après le dépôt en 1976 du budget de la nouvelle ville de Gatineau, que les élus des anciennes municipalités avaient énormément augmenté les dépenses municipales sous les pressions des lotisseurs, tout en se disant que ce serait aux nouveaux élus de supporter l'odieux des hausses de taxes.

L'analyse que nous avons effectuée de la situation de la dette de la ville de Hull au cours des années 60 nous a montré qu'il est insuffisant de considérer seulement le niveau de la dette comme élément de mesure de la santé des finances municipales. Il paraît essentiel de mettre la dette en rapport avec l'évaluation imposable. Ces chiffres, et également ceux qui mettent en rapport le service de la dette et les revenus de la ville, nous donnent une idée plus exacte du fardeau financier qu'impose la dette. Les tableaux suivants reprennent ces éléments pour la période 1968-1974 pour les municipalités de Hull, Gatineau, Pointe-Gatineau, Aylmer, Touraine et Templeton.

Tableau IV-2

LA DETTE OBLIGATAIRE EN RAPPORT AVEC L'ÉVALUATION IMPOSABLE
(en %).

	Hull	Gatineau	Pointe-Gatineau	Aylmer	Touraine	Templeton
1968	8	7	7	6	4	21
1969	8	7	6	6	6	*
1970	8	8	3	6	7	15
1971	9	10	4	9	10	*
1972	6	10	9	14	11	*
1973	6	12	8	11	9	*
1974	9	11	8	13	10	*

* Chiffres introuvables

Source : Statistiques financières du B.S.Q. et rapport financiers des municipalités.

_____

[18] _Le Droit_, le 22 octobre, 1975.

Tableau IV-3

LE SERVICE DE LA DETTE EN RAPPORT AVEC LES REVENUS MUNICIPAUX
(en %).

	Hull	Gatineau	Pointe-Gatineau	Aylmer	Touraine	Templeton
1968	22	27	22	14	22	27
1969	20	28	18	17	28	26
1970	19	27	15	20	28	22
1971	22	29	14	19	29	24
1972	21	31	17	19	28	32
1973	21	30	23	24	30	27
1974	17	31	26	18	23	25

Source : Statistiques financières du B.S.Q. et rapports financiers des municipalités.

Pour l'ensemble des municipalités, à l'exception de Hull et de Templeton, on observe une progression constante de ces indices. Bien qu'aucune municipalité n'ait atteint à la fois le 15% de l'évaluation imposable et le 30% des revenus[19], nous pouvons dire que la dette devient un fardeau de plus en plus lourd pour les municipalités de l'Outaouais québécois, particulièrement celles de la périphérie.

Le cas de l'ancienne municipalité de Templeton mérite certaines explications. Les forts taux constatés pour les deux indices à la fin des années 60 représentent les coûts de l'installation du tout premier réseau d'aqueducs et d'égouts. L'amortissement de cette seule dette s'avérait lourd, compte tenu du petit nombre de contribuables et de la faible évaluation municipale.

On constate pour l'ancienne municipalité de Gatineau un écart entre la forte proportion des revenus affectés au service de la dette et la proportion, plus faible, de la dette par rapport à l'évaluation imposable. Cet écart s'explique par l'évaluation des usines de la C.I.P., situées à Gatineau. En effet, en 1973, l'évaluation de ces usines compte pour plus de la moitié de l'évaluation imposable de la municipalité. L'importance de cette évaluation fut d'ailleurs un des éléments du débat concernant le regroupement municipal, car certains opposants au regroupement ne voulaient pas partager la « manne » que représente la C.I.P.

---

[19] Ce sont des seuils établis par le ministère des Affaires municipales. « Les taux d'endettement qui dépassent 15% de l'évaluation foncière constituent des taux critiques. Au-delà de ce seuil, de très sérieuses questions se posent aux administrateurs municipaux », *Municipalité 77*, n° 7, juillet-août 1977.

Mais, comme nous l'avons déjà remarqué, le niveau de la dette obligataire inscrit au bilan financier d'une municipalité ne correspond pas nécessairement au niveau réel de la dette en raison des emprunts temporaires que la municipalité a pu contracter et qui ne sont pas encore financés par règlement d'emprunt. Cela est d'ailleurs confirmé par le fait que le fardeau de la dette continue d'augmenter pour la municipalité regroupée de Gatineau, même si la construction a nettement diminué depuis 1976. La ville de Gatineau indique, dans son budget de 1978, que le service de la dette représente plus de 31% des revenus[20]; la proportion de la dette obligataire sur l'évaluation imposable atteignait déjà 15% en 1976, soit davantage que pour chacune des anciennes municipalités faisant partie de Gatineau.

Toute la question des emprunts et du rôle de plus en plus important joué par le capital du secteur public dans le développement de l'espace et dans la production de la rente ne s'explique que par la volonté politique des dirigeants de l'État. Cette volonté est la manifestation des luttes menées au niveau des classes sociales. Il demeure donc très important d'étudier les rapports qui existent entre les changements d'orientation de certains des États locaux et le développement des luttes sociales. Les élections municipales offrent parfois des moments privilégiés pour observer ces luttes. À Aylmer, par exemple, le maire élu aux élections de 1970 était très nettement le candidat des « développeurs » et des propriétaires fonciers de ce secteur. Suite à son élection, l'appui de l'État municipal au développement résidentiel s'est accru. À Templeton, ce fut à peu près le même scénario. L'ancien conseil municipal, le maire en tête, voyait d'un très mauvais œil l'endettement de la municipalité, alors que d'autres membres de l'élite locale, en bons termes avec certains propriétaires fonciers locaux, favorisaient une intervention maximum de l'État local au niveau du financement des infrastructures. La dynamique du développement urbain n'a donc rien de mécanique. Elle est intimement liée à la situation des luttes au niveau des classes sociales.

L'importance du rôle joué par les municipalités dans le financement des infrastructures a été clairement démontrée. Dans la plupart des municipalités la quasi-totalité des emprunts est liée aux infrastructures. Ces emprunts représentent une partie de plus en plus considérable des budgets municipaux. Si l'on ajoute à ceci les dépenses courantes qui sont liées également à la mise en place et à la gestion des infrastructures (service des travaux publics, service de planification, etc.), nous pouvons conclure que le rôle premier des municipalités au cours de cette période consistait en la mise en place et la gestion des infrastructures. Cette importance ne se limite

---

[20]   Ville de Gatineau, Budget, 1978.

pas seulement aux montants d'argent consacrés à cette fin. En effet, chacune des décisions rendues par l'État influence directement l'évolution des luttes au sein des différentes fractions de classe. C'est par l'analyse de la politique de l'État concernant les infrastructures que nous pouvons saisir ces enjeux de classe.

POLITIQUE DES ÉTATS LOCAUX FACE À LA QUESTION DES INFRASTRUCTURES.

Ce rôle de l'État local dans le domaine des infrastructures est d'autant plus important que le rôle des autres niveaux du gouvernement reste essentiellement supplétif. Les tableaux de l'annexe IV-A montre que de façon générale les subventions accordées par l'État provincial aux municipalités de l'Outaouais québécois ne représentent pas des sommes très importantes. Cette conclusion ne s'applique pas, cependant, au projet de transformation du centre-ville de Hull où les acteurs principaux sont les gouvernements fédéral et québécois. Mais, à l'exception du centre-ville de Hull, nous pouvons voir que, pour la période étudiée, ce sont les États locaux qui ont joué le rôle principal dans le domaine des infrastructures.

Par contre, les subventions du gouvernement québécois peuvent assurer la rentabilisation d'un projet domiciliaire spécifique. Par exemple, dans le cas des Jardins La Blanche (Phase I) à Templeton, le règlement d'emprunt total pour tous les travaux d'aqueducs, d'égouts, de pavage et de bordures de rue s'élevait à $1 265 000. Le coût moyen annuel de ce règlement sera de $148 586. Sans subvention, la taxe d'amélioration locale aurait grimpé à $16,06 le pied de façade. Par contre, avec une subvention de $116 981 pendant dix ans, le taux de la taxe passe à $6,94 le pied linéaire[21]. Les subventions gouvernementales, de par leur caractère discrétionnaire, deviennent donc d'une grande importance politique même si, de façon générale, elles ne représentent pas une proportion très élevée de l'ensemble des coûts municipaux. Mais ce caractère discrétionnaire qui était à peu près total au cours de la période duplessiste diminue devant la montée de l'État bureaucratique. Les subventions pouvaient donc, dans le passé, représenter des «cadeaux» intéressants pour les municipalités mais elles ne représentent pas un rôle primordial pour le gouvernement du Québec dans le domaine des infrastructures.

---

[21]   Correspondance entre le trésorier de la ville de Gatineau et le promoteur R. Labine, annexée au *Mémoire sur la politique des services d'égout et d'aqueduc* de l'Association des Constructeurs d'habitations de la région de l'Outaouais.

LES INFRASTRUCTURES: ENJEU DE CLASSE.

L'importance des ressources consacrées par les municipalités de l'Outaouais québécois à l'installation et à la gestion des infrastructures nous apparaît maintenant de façon beaucoup plus claire. Il nous importe maintenant d'expliquer et de démontrer de quelle manière la question des infrastructures peut se rattacher aux intérêts de classe. Ceci est vrai de deux façons: d'abord à cause des types d'infrastructures et ensuite en raison de la répartition des coûts de ces infrastructures. En investissant dans tel type d'infrastructure plutôt que tel autre, la municipalité fait un choix politique, car l'utilisation des différentes infrastructures varient selon les différentes classes sociales.

> Pour ce qui concerne la détermination sociale des rapports de consommation des équipements collectifs, elle est inscrite dans le mode même de production et de reproduction de ces équipements et des services dont ils sont les supports dans le cas des consommations collectives [...]. Disons seulement qu'on ne saurait, a priori, considérer ces déterminations comme homogènes, ni dans le temps, ni d'un type d'équipement à l'autre: il faut, à chaque fois, analyser le rapport de classes, qui est à la fois général à la formation sociale et particulier au secteur considéré, et qui varie historiquement dans cette double conjoncture[22].

Comme cette citation le suggère, la meilleure façon d'analyser l'impact social des infrastructures est par le biais des analyses concrètes situant les infrastructures par rapport aux différentes classes. À titre d'exemple, nous pouvons illustrer la portée sociale de certaines infrastructures situées à Hull. Le réaménagement de son centre-ville s'est fait en fonction d'une modification dans l'utilisation du sol, d'un quartier industriel et résidentiel, surtout de nature ouvrière, à un quartier d'affaires, avec espaces résidentiels destinés surtout aux fonctionnaires. Ce changement implique une transformation dans la composition sociale du centre-ville; les intérêts des différentes classes sont donc clairement en jeu. L'orientation des investissements des gouvernements fédéral et québécois favorise les fonctionnaires aux dépens des ouvriers, en investissant massivement dans la réorganisation des réseaux d'aqueducs, d'égouts et le réseau routier afin de permettre une densification de l'espace central. L'État local, allié aux deux autres niveaux de gouvernement, a orienté ses investissements selon la même logique. Par exemple, l'aménagement du Parc Fontaine a été conçu par la ville de Hull en fonction de la nouvelle classe de résidents qu'on espèrait attirer au centre-ville. Par contre, les citoyens ont proposé un aménagement du parc en fonction des intérêts des résidents actuels. Le comité de citoyens s'est opposé au projet municipal de piste cyclable en

---

[22] E. PRETECEILLE, *Équipements collectifs, structures urbaines, et consommation sociale*, Centre de sociologie urbaine, 1975, p. 64.

affirmant que la bicyclette n'était pas la forme de loisir qui convenait le mieux aux résidents actuels : des ouvriers relativement âgés.

Un autre exemple de conflit soulevé par le changement dans l'utilisation du sol au centre-ville vient de la lutte menée par le comité Logement-va-pu, les personnes âgées des logements municipaux et les résidents du centre-ville de Hull pour l'obtention d'un feu de circulation sur le boulevard Sacré-Cœur. Dans la perspective du centre-ville de Hull comme centre régional et quartier d'affaires la rue Sacré-Cœur devrait servir d'artère important permettant le transit rapide des voitures. Augmenter le nombre de feux de circulation, c'est aller à l'encontre de la logique du nouveau réseau routier. Le conseil municipal a finalement cédé devant les pressions des citoyens mais sa résistance montre qu'il y avait plus derrière un feu de circulation qu'un simple service public.

À Gatineau, la situation est tout aussi nette. En effet, après avoir emprunté sans retenue des millions de dollars afin de permettre aux lotisseurs et promoteurs de construire beaucoup et à peu de frais, l'État municipal se dit maintenant tout à fait incapable de financer l'aménagement de quelque parc que ce soit en raison de la mauvaise situation financière de la ville ! Cette pénurie d'équipement de loisir impose des coûts aux résidents, particulièrement à ceux qui n'ont pas les moyens financiers d'assumer individuellement les dépenses de consommation. Certains secteurs de la ville de Gatineau, notamment le secteur Le Baron sont particulièrement dépourvus d'équipements collectifs. Un rapport préparé par la division des services communautaires de Gatineau nous indique d'ailleurs l'état déplorable des équipements dans les différents parcs. On peut y lire, par exemple, que dans le parc Lalery, situé dans le secteur Le Baron, il y a « 2 terrains de balle avec backstop sans lumière, 1 chalet pour être démoli[23] ». Pour le parc Lafrenière, la description de l'équipement se lit comme suit :

— 1 chalet pour être démoli
— 1 terrain de balle avec backstop et lumières
— 1 playscate pour enfants très pauvre
— 1 patinoire avec lumières[24].

Que ce soit à Hull, à Gatineau ou à Aylmer, il semble évident que le choix des dirigeants municipaux a toujours suivi la même direction.

La deuxième dimension de notre analyse des infrastructures comme enjeu de classe concerne la question de la répartition du

---

[23] *La Liste des parcs du grand Gatineau avec tous leurs accessoires, bâtiments et autres*, Services communautaires.
[24] *Ibid.*

coût de ces infrastructures. Deux aspects sont importants: qui paie pour la mise en place des infrastructures et comment ces coûts sont-ils répartis entre les différents groupes de contribuables? Richard C. Hill pose la même question dans son étude sur la crise des finances locales aux États-Unis.

> L'accumulation de revenu a rapport avec les rapports de classe et la distribution entre les classes des moyens de financement des dépenses du gouvernement (qui paye pour ce qui est produit?). La production des biens et des services reflète les rapports de classe car elle dénote les priorités budgétaires (c'est-à-dire, quels biens, quels services sont produits, comment sont-ils produits?). La circulation reflète les rapports sociaux entre les bureaucraties urbaines et les habitants ainsi que la répartition des dépenses de l'État parmi les classes (c'est-à-dire, qui bénéficie de ce qui est produit?) [25].

En général au Québec ce sont les municipalités qui financent l'installation des infrastructures. Ailleurs au Canada, ce sont les promoteurs qui doivent implanter à leurs frais les divers services. Les études qui se sont penchées sur cette question [26] s'entendent pour dire que le système utilisé pour financer les infrastructures a une influence sur le profil de l'industrie de construction, particulièrement sur la taille des compagnies. Le système ontarien, en obligeant les promoteurs à financer eux-mêmes les infrastructures, a favorisé l'émergence des grandes compagnies dans le domaine immobilier en raison des exigences qu'impose le financement initial des infrastructures. Les promoteurs doivent avancer de grosses sommes d'argent pour les infrastructures, argent qui n'est récupéré que lors de la vente des maisons. En contrepartie, le mode de financement pratiqué au Québec a favorisé le maintien et même l'émergence d'une multitude de petits entrepreneurs en construction.

Un changement dans le système actuel de financement aurait des répercussions sur le type de constructeurs. Il ne faut donc pas se surprendre de la réaction des constructeurs au moment où la municipalité de Gatineau se voyait obligée de modifier ses règlements sur le financement des infrastructures. Il est encore trop tôt pour savoir exactement quel système adoptera Gatineau dans l'avenir car la période 1976-78 n'a pas vu de demande pressante de la part des constructeurs, mais il est évident que la participation unilatérale de la municipalité au financement des infrastructures ne va pas se poursuivre. D'ailleurs, le même mouvement se dessine au niveau de tout le Québec. En 1977 le ministère des Affaires municipales a mis sur pied une mission de consultation qui a proposé

---

[25]   Richard Child HILL, «Structure spatiale, ségrégation ethnique et crise des finances locales dans les métropoles américaines», *Espaces et Sociétés*, n° 17-18, 1976, pp. 52-53.

[26]   Voir, entre autres, l'étude de l'Association des gérants municipaux du Québec, *Le financement des travaux permanents*.

un système de financement à 20% par les promoteurs et à 80% par les municipalités (avec une division suggérée d'au moins 60% aux riverains et le 20% résiduel par l'ensemble de la municipalité).

Il s'agit là en particulier d'un allégement important dans les finances municipales des villes en développement. Il s'agissait pour nous de choisir entre la formule ontarienne du financement à 100% par le promoteur aux conséquences majeures sur le coût du logement et la structure même des entreprises de construction, et la formule traditionnelle, mais en éclatement, du financement à 100% par les taxes municipales[27].

À la répartition des coûts entre promoteur et municipalité, il faut également ajouter la question de la répartition du financement des règlements d'emprunt entre les différents groupes de contribuables. Au cours des années 50, la plupart des municipalités finançaient les travaux d'infrastructure à partir de la taxe foncière générale. Tout le monde, anciens résidants comme nouveaux, contribuait au financement de ces travaux. Mais devant la montée en flèche des taxes, des ligues de propriétaires se sont organisées afin de s'opposer aux règlements d'emprunts. Les conseils municipaux ont donc été amenés à répartir les coûts de façon à ne pas ralentir la construction domiciliaire. Pour ce faire, ils imposaient le financement des nouvelles infrastructures aux futurs résidants des projets. N'étant pas encore résidants, ces derniers ne pouvaient donc s'opposer aux règlements d'emprunt. Une autre façon d'atteindre le même objectif était, pour les dirigeants municipaux, d'attribuer 75% des coûts aux riverains puisque la loi des Cités et Villes ne prévoit un référendum dans l'ensemble de la municipalité que lorsque plus de 25% d'un règlement d'emprunt affecte l'ensemble des contribuables résidants[28].

Mais plus généralement la manière d'opérer la répartition des coûts entre nouveaux et anciens résidants varie dans le temps et selon les municipalités. Cette répartition est directement un enjeu de classe dans la mesure où cette répartition permet aux dirigeants politiques locaux d'appuyer les constructeurs et les propriétaires fonciers et de rapporter les coûts des aménagements infrastructurels sur l'ensemble des petits propriétaires.

Notre analyse, jusqu'à maintenant, a porté sur différents éléments de la question des infrastructures. Il nous reste à situer ces éléments à l'intérieur des scènes politiques des différentes municipalités et ainsi à montrer la dynamique de la politique des infrastructures. C'est à travers l'analyse de cas spécifiques que nous pouvons

---

[27] Le financement des infrastructures, *Municipalité 77*, n° 10, novembre 1977, p. 7.
[28] Voir l'article 599, *Lois des Cités et Villes*.

mieux saisir l'interrelation des divers intérêts en jeu. Nous débuterons avec le cas de Hull, point central de la transformation régionale.

HULL.

Au début des années 60, la ville de Hull se trouvait en mauvaise posture financière. En 1962 le service de la dette accaparait 29% du total des dépenses municipales, une proportion qui ne sera jamais atteinte par la suite. De plus, la dette représentait 19,1% de l'ensemble de l'évaluation imposable[29]. Cette situation laissait peu de marge de manœuvre au conseil de ville, d'autant plus que le conseil, et particulièrement le maire de l'époque, voulait initier de nouvelles dépenses. Contraint par la situation financière de la municipalité, le conseil de Hull adopta une nouvelle politique vis-à-vis des promoteurs en décembre 1961. Tous les services autres que le pavage, les trottoirs, les systèmes d'alarme et d'éclairage des rues seront entièrement à la charge des subdiviseurs ou entrepreneurs. Les échevins qui ont proposé cette résolution expliquaient peu de temps après comment les nouveaux projets domiciliaires aggravaient la situation des payeurs de taxes:

> Bisson vend des maisons en vitesse, puis il s'en lave les mains et jette le blâme sur le conseil... Bisson ne s'est jamais occupé de donner les services mais il a toujours laissé cela aux frais des contribuables. ... Les développements domiciliaires de Bisson nous coûtent cher en m...[31].

Cette décision rencontrait l'approbation des petits marchands qui ne désiraient pas voir augmenter le niveau de taxation de la municipalité. Cette nouvelle politique a contribué à stabiliser le niveau d'endettement de la municipalité[32] et ce, en dépit de diverses dépenses d'immobilisation telles que la bibliothèque municipale et les casernes de pompier sur les rues Leduc et St-Joseph.

Faut-il interpréter ce geste comme une politique anti-promoteur? Nous ne croyons pas que la question se pose en ces termes. En effet, avant même l'adoption du règlement modifiant le rôle de la municipalité dans le financement des infrastructures, il y avait déjà à Hull un certain monopole exercé par un constructeur (Bisson). Ce dernier avait les moyens d'assurer le financement de ses travaux. La ville, en se retirant du financement, n'a donc pas grandement influencé les activités du seul gros constructeur.

---

[29] Compilations effectuées à partir des rapports financiers de la ville de Hull — 1958 à 1975.

[30] Résolution #45 de la réunion du 4 décembre 1961. Le maire de l'époque, aussi président de l'U.M.Q., demande de meilleures facilités de crédit pour les villes.

[31] Journal *Le Droit*, le 7 février, 1961.

[32] Le niveau de la dette obligatoire n'a presque pas varié entre 1962 et 1967.

Ce changement de politique a aussi été influencé par des calculs sur la distribution des coûts entre les différents niveaux de l'État[33]. Faire payer les infrastructures par les promoteurs revenait à les faire financer, pour une période initiale, par le gouvernement fédéral, en raison du rôle de la Société centrale d'hypothèques et de logement. La S.C.H.L., prêtait de l'argent aux constructeurs et, par la suite, une fois les maisons vendues, aidait à financer les hypothèques. De cette façon le fardeau financier initial[34] était assumé par le gouvernement fédéral et non pas par le gouvernement municipal.

Mais plus qu'un simple calcul intergouvernemental, le changement de politique représente une partie de la stratégie des dirigeants municipaux de Hull afin d'entamer le processus de rénovation urbaine. Cette stratégie s'appuyait surtout sur la venue des édifices fédéraux. Elle visait la transformation de Hull en une métropole régionale. Pour attirer les investissements des gouvernements supérieurs et du secteur privé, les édiles de Hull se voyaient obligés d'investir des sommes considérables dans la réfection des infrastructures au centre-ville. Ces nouvelles dépenses étaient politiquement inacceptables compte tenu de la situation financière de l'époque. Le financement des infrastructures dans les nouvelles zones résidentielles a été abandonné, non pas pour freiner le développement de Hull, mais pour orienter les dépenses publiques vers le réaménagement du centre-ville. Ce réaménagement, basé sur la venue des édifices fédéraux et un secteur commercial revigoré, serait le moteur du développement de toute la ville.

Le conseil municipal a été appuyé en cela par les différents porte-parole de la bourgeoisie locale, notamment par la Chambre de commerce. Le conseil municipal présente un mémoire demandant l'implantation d'édifices fédéraux à Hull dès février 1962. En même temps un comité de travail a préparé un rapport sur les possibilités de rénovation urbaine[35], alors qu'un autre comité a préparé un vaste plan d'urbanisme à l'échelle régionale. Peu de temps après, la Chambre de commerce locale dont le vice-président est devenu, par la suite, gérant municipal, a préconisé l'implantation des édifices fédé-

---

[33] Interview avec le gérant municipal de Hull. La ville de Hull a été influencée par le système en vigueur en Ontario. Pour d'autres exemples de l'influence ontarienne sur les politiques hulloises, voir ANDREW, et al., *op. cit.*, pp. 114-116.

[34] Évidemment, à plus long terme, c'est l'acheteur qui finance les infrastructures, soit à travers le coût de sa maison, soit à travers ses taxes municipales. Il ne s'agit ici que d'un calcul sur le fardeau intergouvernemental du financement initial.

[35] Ce comité publiera le rapport Gedey. Ce rapport préconise la rénovation de certains secteurs précis de l'Ile de Hull pour y substituer des tours à logements, de la verdure et des édifices.

raux ainsi que des moyens pour remédier au déclin industriel[36]. Les maires de différentes allégeances politiques qui se sont succédés à la tête du conseil municipal, tout autant que les différentes organisations de la bourgeoisie locale, sont demeurés unanimes.

L'enjeu premier était de structurer un pôle de croissance au moyen des édifices fédéraux et des nouvelles infrastructures. Les dirigeants hullois espéraient que ce pôle engendrerait un développement commercial et résidentiel. Cette stratégie visait ainsi à revaloriser, à recréer de toute pièce, une rente foncière. Les dispositifs d'aménagement des différents appareils étatiques (de nouvelles artères de circulation, un nouveau pont reliant le centre-ville de Hull à celui d'Ottawa) ont permis de rapprocher le centre-ville de Hull du Parlement et de créer une rente de situation et d'équipement sans pareil: on envisageait des complexes administratifs, hôteliers et d'habitation destinés à s'interrelier et à se compléter. La rente ainsi créée serait surtout accaparée par le grand capital immobilier, mais les dirigeants hullois croyaient faire bénéficier également la petite bourgeoisie locale en tant que propriétaire foncier et en tant que secteur commercial spécialisé.

La stratégie du réaménagement urbain a été également perçue par la ville comme une façon d'améliorer sa position financière en élargissant son champ d'imposition foncière. L'importance pour le palier municipal d'augmenter le montant d'évaluation imposable a été bien présentée dans l'étude d'E.Z.O.P.-Québec; les contraintes du financement municipal font en sorte que les municipalités sont poussées à adopter des stratégies visant à maximiser la valeur de l'évaluation imposable.

> Nous avons vu en effet comment les contraintes institutionnelles de caractère économico-politique, dans lesquelles sont placées les municipalités, trouvent leur solution partielle dans l'implication de celles-ci dans la rénovation urbaine, c'est-à-dire dans ce qu'un technicien du Service d'urbanisme de la Ville de Québec a appelé la «rentabilisation de l'urbanisation». Pour sortir de leur déséquilibre fiscal en augmentant leurs revenus autonomes autrement qu'en surtaxant davantage, les villes doivent «rénover[37]».

L'impact du réaménagement du centre-ville de Hull se voit très clairement au niveau de l'évaluation imposable. Pendant la période 1966-1970 l'évaluation imposable n'a pas augmenté très rapidement, passant de $142 990 425 à $178 624 150. Mais quatre ans plus tard, en 1974, l'évaluation imposable avait atteint $324 288 650[38].

---

[36] CHAMBRE DE COMMERCE DE HULL, *Mémoire sur la nécessité d'un regain industriel à Hull*, 1964.

[37] E.Z.O.P.-QUÉBEC, *Une ville à vendre*, cahier 3, la politique de rénovation urbaine, le cas québécois (Lionel Robert et Pierre Racicot), Québec, Conseil des œuvres et du bien-être de Québec, 1972, p. 95.

[38] Chiffres compilés à partir du Rapport annuel du Service d'évaluation de 1974 de la C.R.O. et du rapport financier 1969-70 de la ville de Hull.

Cet aspect est souligné par le directeur du Service d'urbanisme de Hull dans sa description de l'influence de l'implantation du gouvernement fédéral à Hull.

> Mais comme telle aussi l'implantation d'édifices fédéraux a une influence importante sur la ville de Hull. La valeur des édifices construits ou en construction et destinés aux fonctionnaires fédéraux dépasse $300 million; plus de la moitié de ces édifices sont construits par le gouvernement fédéral. L'évaluation foncière de ces édifices sera équivalente à la moitié de l'évaluation de toute la ville de Hull. Ils représentent donc d'importants revenus de taxes foncières ou de montants tenant lieu de taxes qui permettent la ville de mettre en œuvre plusieurs programmes municipaux de restoration, amélioration de quartiers, parcs, etc. La plupart des édifices fédéraux renferment des commerces procurant des revenus de taxes de ventes[39].

Dans leur stratégie de développement, les dirigeants municipaux ne voulaient pas uniquement se servir des édifices fédéraux comme moteur du développement. Ils n'éliminaient pas la possibilité d'un redressement industriel. En 1964 la Chambre de commerce pressait le conseil municipal d'adopter des mesures afin de relancer l'industrie:

> L'industrie constitue la colonne vertébrale d'une cité... Elle favorise l'expansion du marché local par les achats de services et de marchandises nécessaires à la fabrication. Elle favorise l'augmentation du pouvoir d'achat par les salaires et les gages qu'elle paie à ceux qui travaillent chez elle, aidant ainsi au développement du marché local du commerce de détail[40]...

Quelque temps après, en novembre 1965, la municipalité a acquis près de cent acres de terrain au coût de $525 150 afin de créer le tout premier parc industriel de Hull. Le maire de l'époque justifiait ainsi cette intervention de l'État local:

> On crie sur tous les toits que l'on a pas d'industries à Hull et que la population paye trop de taxes. Le Conseil a accepter de créer un fonds industriel de $2 000 000. Il ne lui reste maintenant qu'à acheter des terrains[41].

En vue de préparer activement le réaménagement urbain et l'intervention du gouvernement fédéral, la petite bourgeoisie a également réorganisé et restructuré l'État municipal. Ce même phénomène est analysé dans l'étude d'E.Z.O.P.-Québec sur la rénovation urbaine à Québec où Lionel Robert et Pierre Racicot établissent les liens entre les stratégies fiscales et administratives des dirigeants municipaux.

> Pour réaliser ce nouveau pattern de développement les villes doivent moderniser leur système d'administration, et s'aligner sur le modèle de gestion de l'entreprise capitaliste. Les villes doivent se munir d'un service d'urbanisme compétent, qui aura pour fonction d'établir les relations avec les ni-

---

[39] Gilles BEAUDRY, « L'influence de l'implantation du gouvernement fédéral à Hull», dans Rolf WESCHE et Marianne KUGLER-GAGNON, *Ottawa-Hull, perspectives spatiales et aménagements*, Éditions de l'Université d'Ottawa, 1978, p. 71.

[40] CHAMBRE DE COMMERCE DE HULL, *Mémoire sur la nécessité d'un regain industriel à Hull*, p. 2.

[41] *Le Droit*, « Le parc industriel: une réalité », le 29 octobre 1965.

veaux de gouvernement supérieurs, d'informer les promoteurs éventuels... et aussi les citoyens éventuellement déplacés. En un mot, on peut dire que l'effet des contraintes institutionnelles dans lesquelles sont placées les municipalités forcent les maires «plus dynamiques» à faire «des réformes administratives» qui ont pour effet de faire «progresser» les villes vers un degré plus avancé d'autofinancement[42].

À Hull, dès 1962, le conseil municipal avait demandé à une firme spécialisée de Toronto d'étudier l'administration générale de la ville, en dépit des réticences manifestées par certains échevins. En 1964 le nombre d'échevins par quartier est passé de deux à un. Cette décision, justifiée en termes d'efficacité accrue[43], signalait la fin d'une représentation forte des vieux quartiers ouvriers de Hull. L'Île de Hull avait été représentée par six échevins mais, après la décision, il ne restait que trois échevins (et, par la suite, seulement deux). Le développement des nouveaux quartiers, lié à ces décisions sur la représentation au sein du conseil, ont entraîné une marginalisation des quartiers du vieux Hull par rapport au reste de la ville, permettant ainsi l'adoption plus rapide des transformations dans le centre-ville.

Dans la même perspective, et malgré certaines oppositions, la fraction dynamique du conseil, appuyée par les Chambres de commerce locales, établissait un système de gérance en 1967. Le premier gérant était issu du milieu des Chambres de commerce locales et il avait, de plus, pris une part active aux différentes études de rénovation urbaine et à la préparation des plans pour les infrastructures régionales. Certains échevins s'opposaient au système de gérance en y voyant une perte de pouvoir (par exemple, dans le passé, les échevins exerçaient des pressions dans l'embauche des fonctionnaires; avec le gérant, les membres du conseil sont écartés de ces décisions). Le système de gérance représentait une façon de réorganiser la gestion municipale afin d'être en mesure de coordonner et de planifier les investissements publics et privés.

Les investissements des gouvernements fédéral et québécois entraînaient aussi des dépenses municipales dans les domaines du logement et de l'urbanisme. Peu après l'annonce, en mai 1969, de la venue du gouvernement fédéral au centre-ville, le conseil municipal créa l'Office municipal d'habitation en octobre 1969 et nomma le premier directeur du Service d'urbanisme. L'activité municipale dans le domaine du logement public visait à rendre politiquement plus acceptable la transformation du centre-ville de Hull en relogeant

---

[42] E.Z.O.P.-Québec, op. cit., cahier 3, p. 95.
[43] Cette décision pouvait également être vue comme une façon d'éliminer certains des échevins refractaires au nouveau type de développement. Ceci a été particulièrement vrai pour les échevins de l'Île de Hull.

les expropriés les plus démunis[44]. Dans certains cas (par exemple, les cas d'expropriation municipale, comme l'aire 6) la municipalité avait une responsabilité légale de voir au relogement des gens mais dans la plupart des cas la ville n'avait pas d'obligation formelle. Mais, dans tous les cas, la construction de logements municipaux visait à répondre, partiellement du moins, aux revendications des expropriés. L'État municipal accomplissait ce que James O'Connor décrit comme étant la fonction de légitimation[45]. Le palier municipal a assumé une bonne partie des coûts sociaux du projet de transformation du centre-ville en voulant assurer la paix sociale. Rappelons qu'en août 1969 les comités de citoyens avaient mobilisé plus de trois cent personnes lors d'une manifestation à l'hôtel de ville[46]. Ces comités exigeaient la construction de logements municipaux, ainsi que des délais au niveau des expropriations et un gel dans le prix des loyers.

La prise en charge par l'État municipal de la gestion des logements municipaux permettait de désamorcer, dans une certaine mesure, les revendications qui auraient pu entraver la mise en œuvre du réaménagement urbain. De plus, l'État municipal, en laissant poindre la possibilité de relogement, a aussi orienté dans un sens bien précis les revendications des citoyens. Ce faisant, l'État évitait de voir contester l'orientation globale du développement. En promettant des logements municipaux aux expropriés des boulevards Sacré-Cœur, St-Laurent et Laramée (même s'il n'y avait pas de place de disponible, la liste d'attente étant de plus de 1 000 noms), le conseil municipal faisait miroiter l'illusion d'un relogement possible[47]. Avec la politique de logement public, le conseil municipal tentait de régulariser les effets du réaménagement urbain sur les classes populaires. En pratique, la diminution du nombre de logements à bon marché et la construction de logements plus chers ont accru la crise du logement.

La question des expropriations et des logements municipaux constituait un enjeu électoral important sur la scène politique locale et même provinciale. Lors de la campagne électorale municipale de février 1975, la plupart des candidats ont pris position contre les expropriations. Les trois candidats à la mairie, dont le maire élu

---

[44] 498 logements avaient été construits entre la fin de 1969 et la fin de 1970. Voir ANDREW et al., *op. cit.*, pp. 89-91.

[45] O'CONNOR, *op. cit.*, p. 6.

[46] BORDELEAU et GUIMONT, *Luttes urbaines à Hull*, pp. 199-206. Voir également chapitre V, p. 231.

[47] Lors d'une réunion devant les expropriés de la rue Sacré-Cœur le 23 juin 1974, le maire, en période pré-électorale, promet du relogement et le Service d'urbanisme « pond » quelques jours plus tard un programme de relogement.

Gilles Rocheleau, préconisaient alors la « fin des expropriations massives » ainsi que la construction de logements pour personnes âgées
ou personnes à faibles revenus. Lors de l'élection québécoise de
1976, Jocelyne Ouellette, la candidate du Parti Québécois et futur
député du comté de Hull (qui recoupe essentiellement les limites
de la ville de Hull), déclarait sans ambages qu'elle mettrait fin aux
expropriations et construirait des logements municipaux.

Dans le sillage du réaménagement urbain n'émergeait pas seulement un Office municipal d'habitation mais aussi un Service d'urbanisme avec son cortège de règlements (lotissements, zonage, règlements de construction, code du logement, etc.). Trois ans après le
début des transformations de l'Île de Hull, le conseil municipal en-
térinait le plan directeur d'urbanisme, et, en mars 1974, le plan de
zonage était adopté. Le plan directeur consacre le centre-ville de
Hull comme pôle régional de croissance, de services et de commerces. Il reconduit en douce la domination du grand capital (capital
immobilier, succursales bancaires, succursales de magasins à chaîne)
au centre-ville en combinaison étroite avec l'implantation des édifices fédéraux. Il définit aussi les zones de construction résidentielle
de haute densité à proximité du centre-ville. Le plan consacre également une partie de l'Île de Hull comme zone de conservation et
de réhabilitation, élément qui vise à « légitimer » le plan aux yeux de
la population de l'Île de Hull. Le plan directeur prévoit un mail sur
la rue Principale où se trouve concentré un bon nombre des marchands locaux. Les différentes améliorations pour piétons sont destinés à redonner une nouvelle vie aux commerces périclitants du
centre-ville. Certains commerces très spécialisés (particulièrement
les restaurants mais également les boutiques, les tababies, etc.) pourraient profiter ainsi de l'afflux des nombreux fonctionnaires. L'ensemble des mesures démontre comment le plan vise l'intégration de
la fraction dynamique de la petite bourgeoisie à la venue du grand
capital et des investissements fédéraux, tout en tentant d'intégrer
l'ensemble de la population à cette nouvelle vision du centre-ville.

Pour le service d'urbanisme, l'adoption d'un code de logement
était nécessaire pour assurer la mise en place du plan directeur. Un
tel code était également nécessaire pour permettre à la municipalité
de participer à certains programmes de restauration et ainsi de bénéficier des fonds des gouvernements fédéral et québécois. Et finalement les dirigeants municipaux espéraient que l'adoption d'un code
de logement hausserait le montant de l'évaluation imposable. Pour
toutes ces raisons, les édiles municipaux voulaient l'adoption d'un
code de logement. Mais cette mesure a été contestée et le conseil
municipal a dû s'y prendre à trois reprises avant de faire adopter le

Carte IV-1   **Le zonage dans le centre-ville de Hull.**

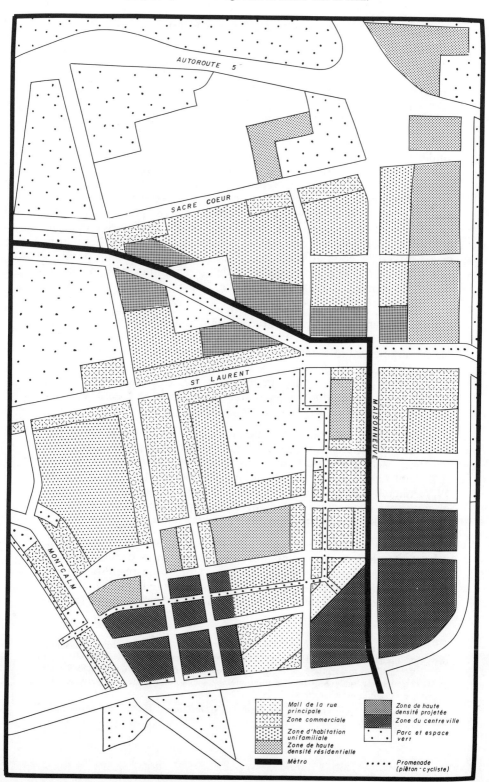

code. Selon la *Loi des Cités et Villes*[48] six propriétaires pouvaient exiger un référendum et ainsi faire échec à l'adoption de cette mesure par le conseil. Les membres du conseil ne voulaient pas passer par le référendum, une solution considérée trop coûteuse, et préféraient représenter la mesure au conseil.

Les opposants se recrutaient surtout parmi les propriétaires de taudis[49]. Ces derniers se sentaient directement menacés par l'adoption de ce code. Ils devaient se conformer à certains seuils minima sous peine d'être obligés de réparer ou même de démolir une propriété. Pour certains propriétaires de taudis, cette mesure était perçue comme une intrusion de l'État dans le secteur privé et une menace à ce qu'ils considéraient être leurs droits de disposer de leur propriété. Mais loin de représenter vraiment une menace à la propriété privée, le code du logement a été simplement un outil permettant à la municipalité de participer à des programmes de subvention des gouvernements de niveau supérieur.

En fait, l'adoption du code complétait la première phase du réaménagement urbain, soit l'ère des démolitions massives. En même temps, elle inaugure la seconde phase, soit la mise en œuvre du plan quinquennal d'habitation, des programmes d'amélioration de quartier (P.A.Q.) et de restauration de logements (Programme d'aide à la remise en état des logements, P.A.R.E.L.). Les moyens ont changé, de la démolition à la restauration, mais l'objectif visé, la transformation du centre-ville, reste le même.

La parution du plan quinquennal après les élections municipales en mars 1975 a suscité certains espoirs. Le plan projetait la construction, l'acquisition ou la location repartie sur cinq ans, par le secteur public, de plus de 2 000 unités de logements[50]. À la fin de 1977, aucun logement n'a été loué, acquis ou construit. Le plan quinquennal accordait également une importance considérable à l'utilisation des divers programmes de restauration de quartiers.

La parution de nombreux rapports par le Service d'urbanisme sur la situation du logement ainsi que les séances de consultation nécessaires à la mise au point des programmes de restauration démontrent clairement tous les efforts investis par le conseil municipal afin d'intégrer le mécontentement populaire suscité par la crise du

---

[48] *Loi des Cités et Villes*, articles 426a. Cette section de la loi a été amendée et maintenant le nombre de personnes exigé est plus considérable.

[49] *Le Droit*, «Cette fois, le code du logement doit être adopté», le 9 août 1974. Il faut noter également que certains membres des comités des citoyens se sont opposés au code la première fois.

[50] SERVICE D'URBANISME DE HULL, *L'Habitation à Hull, Programme quinquennal*, tableau 6A.

logement. Les agents du Service d'urbanisme affirmaient avec insistance que l'ère des démolitions était désormais révolue.

> Depuis le temps où les résidents de l'Île de Hull s'inquiètent de l'avenir de leurs quartiers, on vous annonce, une fois pour toute, la fin des démolitions massives de bâtiments[51].

En réalité, la fin des expropriations et la venue des fonctionnaires au centre-ville n'ont pas signifié la fin de toutes les transformations. Au contraire, c'est à ce moment qu'a débuté l'ère des démolitions et des reconversions privées. À proximité du centre-ville, de nombreux logements ont été rasés pour faire place à des stationnements ou à des discothèques[52]. La caisse populaire de Hull a acquis tout un pâté de maisons (Kent-Dollard-Victoria) dans la perspective d'établir un complexe administratif dans ce secteur. Olympia & York, un trust de l'immeuble au Canada et aux États-Unis, a acquis depuis juillet 1976 une quinzaine de logements. Une discothèque s'est établie récemment sur la rue Laval. À l'intersection de St-Rédempteur et St-Laurent, une vingtaine de logements ont été démolis en prévision de l'installation d'une station-service. Face à ces démolitions, l'opération «Sauvons nos Quartiers» du Service d'urbanisme, alliée aux discours du maire et des échevins, apparaît comme une opération de matraquage idéologique. En rassurant les gens, on les démobilise devant les dangers qui menacent leurs quartiers.

À travers les programmes de restauration, le Service d'urbanisme a tenté d'intégrer les citoyens des secteurs impliqués dans le processus de planification. Un comité de régie composé d'une vingtaine de citoyens a été formé à la suite d'une assemblée publique en avril 1976[53]. Ce comité avait pour rôle de donner son avis sur les «besoins de la population». Par la suite, le comité de régie préconisa un plan différent de celui proposé par le Service d'urbanisme. Ce plan proposait la construction de logements sociaux sur les terrains de l'ancienne voie ferrée et de plus grands espaces de jeux à proximité des logements de l'aire 6[54]. Le plan du Service de l'urbanisme, en accord avec celui de la C.C.N., proposait d'aménager sur ces terrains (les terrains ont été acquis par le C.C.N. pour le démantèlement des voies ferrées) une piste cyclable pour relier la Polyvalente de l'Île de Hull et le pont Interprovincial vers Ottawa. Face à cette opposition du comité de régie, le conseil municipal a simplement adopté le plan de son Service d'urbanisme. Ainsi, les

---

[51] SERVICE D'URBANISME DE HULL, *Opération sauvons nos quartiers*.

[52] Rappelons que la ville de Hull a toujours été considérée comme le terrain de jeu d'Ottawa. La fermeture plus tardive des débits de boissons du côté du Québec par rapport à l'Ontario avantage ce genre de commerces à Hull.

[53] *Le Droit*, le 8 avril 1976.

[54] *Le Droit*, «Pétition de 205 noms» — «Plusieurs citoyens de l'aire 5 s'opposent à la piste cyclable», le 24 juillet 1976.

structures de participation et de consultation n'ont pas eu beaucoup d'influence sur la vision du conseil municipal.

Le Service d'urbanisme et le conseil de ville reconduisaient et prolongeaient en quelque sorte le processus de rénovation urbaine par le biais des programmes P.A.Q. et P.A.R.E.L. Après l'implantation des édifices fédéraux, après le quadrillage de l'Île de Hull au moyen de grandes voies de circulation, il reste à compléter la transformation du centre-ville au niveau du logement et des équipements collectifs. Ainsi, le P.A.R.E.L. incite les propriétaires (et davantage les propriétaires non résidants)[55] à restaurer les logements, ce qui permet d'augmenter la valeur des loyers et d'attirer une clientèle de fonctionnaires. Le P.A.Q. permet de refaire à bon compte les infrastructures désuètes des quartiers de l'Île de Hull en les finançant en majorité par le biais de la S.C.H.L. et la S.H.Q. Les documents de la ville soulignaient l'importance de ce travail

> Les services municipaux sont comme dans la majorité des secteurs résidentiels de l'Île, vieux et inadéquats, voire dangereux (aqueduc basse pression). Leur remplacement et le raccordement aux systèmes neufs des artères périphériques sont imminents[56].

Mais il s'agit de beaucoup plus que d'une simple opération de remplacement de tuyaux. Avec un ensemble d'équipements restructurants (les édifices fédéraux, la polyvalente de l'Île, une piste cyclable, le parc Fontaine réaménagé et, même, possiblement l'implantation de musées), les urbanistes de la C.C.N., fidèlement appuyés par ceux de la ville de Hull, souhaitaient recréer une nouvelle ambiance afin d'attirer de nouvelles couches sociales, plus aisées, qui ont pré-

---

[55] En fait, à cette période dans le programme, la distribution des subventions entre propriétaires occupants et propriétaires non résidants avantage nettement le deuxième groupe, plus souvent les «gros» propriétaires. Dans le cas du propriétaire occupant, on tient compte de son revenu. Par contre, pour le non résidant, on n'en tient pas compte. Par exemple, si le propriétaire occupant a un revenu de $11 000 par année et des réparations pour un montant de $5 000, il obtiendra $1 250, soit 25% de subvention éligible à tous. Pour un montant identique de réparation, le propriétaire non résidant recevrait 75% de subvention par logement, soit $3 750. Aussi un propriétaire occupant à la retraite ou en chômage qui risque d'avoir un revenu inférieur à $6 000 ne serait pas éligible. Pourquoi cette différence de traitement entre les deux types de propriétaires? Risquons une explication. L'État accorde davantage au «spéculateur de taudis» afin de suppléer pour son attrait au niveau de la rente foncière. Aux abords du centre-ville et des rues commerciales, où le niveau de la rente est plus élevé, certains propriétaires non occupants n'hésitent pas à abandonner les logements pour les démolir et les mettre en vente et attendre un bon prix. En accordant une meilleure subvention à ce «spéculateur», on tente alors de lui faire miroiter une perspective de gains au moins aussi bonne que s'il démolissait. Aussi il ne faut pas oublier que des logements détériorés ou des terrains vacants ne rapportent pas beaucoup en taxes à la ville.

[56] S.U.H., *Dossier d'accompagnement. Inscription à la programmation 1976 des P.A.Q.*, p. 5.

féré jusqu'à maintenant la banlieue d'Ottawa, de Gatineau ou d'Aylmer.

Ce changement de population est également facilité par des hausses de loyer qui suivront inévitablement la restauration de logements[57]. Les ménages les moins fortunés ne pourront jamais subir de telles hausses et devront trouver refuge dans de plus minables taudis. L'articulation des différents programmes d'investissement et d'immobilisation traduit donc une volonté nette d'évacuation graduelle des couches populaires de l'Île de Hull et l'intégration de ces quartiers à la capitale nationale[58].

Le conseil municipal dominé par différentes fractions de la petite bourgeoisie a joué un rôle important de médiation afin de promouvoir ses intérêts, ceux du grand capital et ceux du gouvernement fédéral, le véritable maître d'œuvre du projet de transformation du centre-ville de Hull. Ce projet a permis au grand capital d'accaparer une rente foncière accrue. Face à ceci, le rôle de l'appareil politique local a été double: en faire bénéficier certaines couches de la petite bourgeoisie et tenter de juguler l'effet de ces transformations sur les classes populaires, sans pour autant y parvenir.

L'appui véritable des dirigeants municipaux à la petite bourgeoisie ressort clairement de leurs activités pendant cette période. Un exemple saisissant vient du conflit concernant le projet de loi 12, une loi permettant d'étendre la juridiction de la *Loi de la Régie des loyers* pour inclure les logements construits jusqu'à 1968. Selon le projet de loi, c'était aux conseils municipaux de voter l'extension. L'Association des locataires de l'Outaouais (A.L.O.) menait la lutte à Hull, demandant au conseil d'agir en faveur des intérêts des locataires, largement majoritaires à Hull. En dépit de ce fait, les revendications de l'A.L.O. ont été carrément rejetées[59]. Au lieu de justifier leur position, les membres de conseil ont préféré tenter de discréditer l'organisme.

> Ce ne sont pas les parasites de l'A.L.O. qui vont construire des logis. Eux, ils préfèrent démolir, tout démolir, les gouvernements, la police, tout pour instaurer leur système à eux, le PQ ou d'autres formations encore plus malsaines. Ces gens-là ne défendent pas les travailleurs, ils défendent leurs idées politiques et ils veulent installer l'anarchie[60].

---

[57] Une étude indique qu'il y a eu une augmentation moyenne de 36,4% dans les villes où les programmes de restauration ont été appliqués. Voir Bernard VACHON, *Analyse des programmes de restauration résidentielle,* annexe 7, Groupe de travail sur l'habitation.

[58] L'ex-ministre et député de Hull déclarait tout haut en 1975 que « l'Île de Hull devra disparaître ».

[59] *Le Droit*, « Décision émotive soutient l'A.L.O. », le 4 mars 1972.

[60] *Le Droit*, « Hull. Le Bill 12 est mort », le 13 mars, 1972.

Le cas de Hull illustre bien la correspondance entre les intérêts des dirigeants politiques et les intérêts de certaines classes sociales. L'appui actif donné par le conseil municipal au projet de
transformation du centre-ville a permis à l'État local d'élargir sa base
fiscale et aussi d'augmenter ses revenus. Ce projet de transformation
a aussi amené la restructuration de l'appareil politique local, renforçant les structures bureaucratiques et diminuant quelque peu le pouvoir des échevins. La ville s'est dotée d'une série d'outils nouveaux,
notamment dans le domaine de la planification, qui ont augmenté
la capacité de la ville à influencer l'utilisation du sol.

Ce renforcement de l'appareil politique local, surtout du côté
bureaucratique, a servi les intérêts du grand capital et de certaines
fractions de la petite bourgeoisie locale. L'espace vital du centre-
ville est aux mains surtout du grand capital et de certains éléments
de la petite bourgeoisie locale jouant un rôle secondaire soit dans le
commerce spécialisé, particulièrement la restauration, soit dans les
appareils politiques régionaux. Les dirigeants municipaux avaient
travaillé activement, utilisant les ressources financières et légales de
l'appareil politique local, pour faire bénéficier certains éléments dynamiques de la petite bourgeoisie locale de la rénovation urbaine.
De plus l'État local a joué un rôle important en tentant de légitimer le projet de transformation du centre-ville aux yeux de l'ensemble de la population.

GATINEAU.

Gatineau est la seule des municipalités en banlieue à avoir vraiment une base industrielle. L'usine de la Compagnie Canadian International Paper (C.I.P.), établie en 1926, est responsable de la formation de la municipalité. Jusque vers les années 50, Gatineau restait
une municipalité ouvrière. D'ailleurs, dans le passé, la compagnie
avait assumé certains des services collectifs, notamment la fourniture
en eau potable, le service des pompiers ainsi que certains équipements récréatifs.

Le développement résidentiel de Gatineau commence véritablement au milieu des années 50. À ce moment-là, les taxes municipales à Hull commençaient à être élevées et cette situation produi-
sait un certain mouvement de développement résidentiel en dehors
des limites de la ville de Hull. Le premier projet domiciliaire d'envergure à Gatineau a été lancé, en 1955, sous le nom de « Les Jardins Papineau ». Ce projet a été mis de l'avant par la Compagnie
Gatineau Construction dont les deux principaux actionnaires étaient
Roland Théorêt et Fernand Philips. L'un des deux, Roland Théorêt,
est devenu maire de Gatineau à deux reprises avant de devenir député aux élections québécoises de 1966 pour l'Union Nationale.

L'autre, Fernand Philips, a tenté à plusieurs reprises, mais sans succès, de devenir maire de Gatineau.

À cette époque, la politique de la ville en matière d'infrastructures était de les installer à ses propres frais. Les coûts de ces infrastructures étaient défrayés à partir des revenus de la taxe foncière générale. C'est cette politique qui a prévalu lors de la construction des premiers ensembles résidentiels. Mais cette politique commençait à mécontenter les anciens résidents de Gatineau qui se voyaient obligés de défrayer les coûts des services pour les nouveaux secteurs. Ce mécontentement était d'autant plus fort que, de façon générale, les services municipaux dans les nouveaux secteurs étaient supérieurs à ceux des vieux quartiers.

Le mécontentement populaire poussa le conseil municipal à modifier sa politique de financement des services au moment des élections municipales de 1958. Roland Théorêt se fit élire au poste de premier magistrat de la ville. Le conseil décida de modifier la répartition des coûts imputables au financement des infrastructures dans les nouveaux quartiers. Le nouveau règlement[61] donnait un choix à la municipalité: le conseil pouvait demander au promoteur d'installer les services ou il pouvait choisir de les installer lui-même. Dans les cas où le conseil choisissait de les installer, les coûts étaient assumés presqu'en totalité par les nouveaux résidents. La politique laissait beaucoup de souplesse au conseil municipal, lui permettant de décider, dans le cas de chaque projet, s'il désirait installer les infrastructures ou non.

La réorientation de la politique municipale en cette matière permettait à l'essor résidentiel de la ville de se poursuivre. Cette période, rappelons-le, coïncide avec la hausse importante de la taxe foncière qu'a dû imposer Hull pour financer son déficit. Elle coïncide aussi avec une augmentation des revenus de la ville en provenance de la C.I.P. De 1926 à 1946 la compagnie avait été exemptée de toutes taxes mais, à partir de 1946, elle fut obligée de remettre annuellement un montant à la municipalité. En 1957-58 ce montant atteignit $190 000 et $205 000 en 1961[62]. L'année suivante, on a obligé la C.I.P. à payer des taxes. L'évaluation de ses usines a été établie à $30 millions et la compagnie a dû verser $279 000 en taxes. Compte tenu de cette nouvelle évaluation, le pouvoir d'emprunt de la municipalité se trouvait grandement accru. Les dirigeants municipaux pouvaient donc approuver, sans trop d'inquiétudes, des projets d'emprunt. Les promoteurs et les constructeurs locaux surent tirer avantage de la situation.

---

[61]   Gatineau, règlement 256.
[62]   *Le Droit*, le 9 janvier, 1962.

Une dizaine d'années après le début de l'urbanisation massive du territoire de Gatineau, les règlements touchant le financement des infrastructures commencèrent à peser lourd sur les épaules des nouveaux contribuables. Gagnant de plus en plus de poids électoral, ils réussirent à obliger la municipalité à modifier le règlement 256, peu de temps avant les élections municipales de 1965. Le préambule du nouveau règlement laisse entrevoir le poids politique grandissant des nouveaux résidents.

> ... considérant que cette municipalité se développe à un rythme excessivement rapide; considérant que le coût des travaux dans les nouvelles subdivisions est entièrement supporté par les propriétaires d'immeubles des dites subdivisions; considérant que dans la majorité des cas cette imposition n'est pas juste et équitable[63].

Ce règlement établissait des seuils pour la grosseur des tuyaux d'aqueduc, d'égout sanitaire et pluvial de même que pour la largeur des rues. Quand, dans un quartier domiciliaire, la grandeur des tuyaux ou des rues dépassait les seuils, les coûts excédentaires engendrés devaient être défrayés par l'ensemble des résidents. De cette façon, les résidents du quartier même ne défrayaient que les coûts proprement locaux, ceux qui relevaient des besoins de planification de toute la municipalité étant assumés par l'ensemble des contribuables.

Gatineau a été la première municipalité de la région après Hull à formuler un tel règlement. Il a été repris par la suite à Touraine en 1966 et à Pointe-Gatineau en 1970. Ce règlement établissait un certain équilibre entre les nouveaux et les anciens résidents dans la répartition des coûts du financement des infrastructures; par conséquent, le conseil municipal espérait qu'il faciliterait l'acceptation de ces coûts par les contribuables. Les dirigeants municipaux voulaient favoriser le développement résidentiel, ils voulaient donc éviter un trop grand mécontentement des contribuables et surtout un mécontentement qui pouvait s'exprimer par la voie électorale.

L'utilisation concrète de ce règlement variait d'un cas à l'autre. Parfois la municipalité décidait de ne pas attribuer plus de 25% du coût à l'ensemble de la ville, afin d'éviter un référendum général. Ce caractère discrétionnaire augmentait la latitude laissée au conseil. Le rôle de l'État local pouvait varier d'un projet à l'autre ou d'un entrepreneur à l'autre. Ce caractère très discrétionnaire se retrouve dans toutes les municipalités de l'Outaouais québécois et aussi, plus généralement, dans l'ensemble du Québec[64].

---

[63]   Gatineau, Règlement 288. Adopté le 4 octobre, 1965.

[64]   L'étude de l'Association des gérants municipaux du Québec constate qu'« il va sans dire que ces pratiques peuvent parfois entraîner des injustices. Une étude des différents règlements municipaux démontrait que les politiques en matière de partage des coûts de service peuvent varier d'un règlement à l'autre.» Le financement des travaux, *op. cit.*, p. 15.

Mais l'adoption de ce règlement, peu avant l'élection de 1965, n'a pas réussi à dissiper le mécontentement populaire. Les élections ont amené un changement considérable au niveau du personnel politique; seul deux échevins ont été réélus, le maire sortant ne se représentant pas. Le niveau de dépenses municipales de cette période a soulevé l'ire des contribuables. La question du règlement 255 a finalement canalisé ce mécontentement[65]. Ce règlement, qui avait été adopté en juin 1963, prévoyait un emprunt total de $1 485 000, somme très considérable pour l'époque. Cet emprunt était destiné surtout au pavage des rues et à la construction de trottoirs et de bordures (plus de $943 000) de même qu'à la mise en place d'une conduite-maîtresse d'aqueduc sur la rue Main ($207 900). Ce règlement d'emprunt fut en quelque sorte responsable du retrait du maire Roland Théorêt de la scène politique municipale. En effet, bien que le contrat avait été octroyé selon les règles, l'entrepreneur acheta le ciment de la compagnie International Materials Concrete, dont le principal actionnaire était Fernand Philips, associé du maire. Les accusations de favoritisme portées contre le maire Théorêt ont incité ce dernier à ne pas se représenter aux élections de 1965[66]. Pendant la campagne électorale les deux candidats à la mairie ont vivement critiqué le conseil sortant. Un des candidats a préconisé une coupure radicale avec la politique d'appui au développement en se présentant avec le slogan « Ralentissons avec Zénon[67] ».

Malgré le mouvement de mécontentement et le renouvellement au niveau du conseil, le nouveau conseil suivit la même politique en matière d'infrastructures. De plus il a été obligé de gérer la dette encourue par l'ancien conseil. L'élection municipale a donc davantage servi de lieu de manifestation du mécontentement collectif que comme instrument de changement réel. En mars 1966 le nouveau conseil fut obligé de consolider un déficit administratif de $326 087 ainsi que des dépenses se rapportant au règlement 255. Le préambule de ce règlement de consolidation indique clairement la volonté du conseil de jeter le blâme sur l'ancien conseil, tout en indiquant l'incapacité du conseil à réorienter les activités de la municipalité. Le préambule déclarait que le conseil « n'est nullement responsable de ce déficit[68] ».

---

[65] *Le Droit*, « Les candidats à la mairie de Gatineau s'affrontent », le 27 octobre, 1965.

[66] On peut noter également qu'une partie du terrain appartenant à la compagnie de ciment avait été acquise de la ville pour $1 en 1961 (contrat 137-047). De plus la ville avait modifié le zonage sur ce terrain en 1962 afin de permettre l'établissement de ce type d'industrie.

[67] Un tel slogan démontre, entre autres, la difficulté qu'avaient des éléments d'opposition de formuler un contre-projet positif, opposé à la politique d'un appui maximal aux constructeurs. Au lieu de formuler un projet favorable aux classes populaires, on ne visait qu'une opposition aux politiques de développement.

[68] Gatineau, Règlement 296.

L'orientation de l'appareil municipal de Gatineau n'a pas non plus été influencé par la présence des échevins issus du milieu ouvrier. Même si certains d'entre eux ont fait partie de différents conseils municipaux de Gatineau, ceux-ci ont reproduit pour l'essentiel la politique d'appui actif aux intérêts des constructeurs.

L'État municipal de Gatineau a donc joué la carte des lotisseurs et des constructeurs, et ce aux dépens de la population. En effet, pour tout ce qui touche les équipements sociaux ou culturels, le conseil municipal y est allé avec prudence et parcimonie. La pénurie d'équipements dans les parcs ainsi que le dossier des garderies illustre l'orientation du conseil[69]. Des demandes ont été faites en 1973 et 1974 afin d'obtenir l'établissement de garderies publiques à Gatineau. Après avoir fait effectuer une étude des besoins et, malgré les conclusions qui démontraient le besoin urgent de plusieurs garderies, le conseil a décidé de limiter son action à celle de défrayer une partie du loyer pour un groupe de parents qui avait mis sur pied une garderie.

Il s'agit donc d'une orientation politique claire. La municipalité de Gatineau a été prête à financer les infrastructures de façon à stimuler le développement domiciliaire et à aider les constructeurs. Par contre, les équipements sociaux, particulièrement importants pour certaines couches de la population, ont été négligés.

POINTE-GATINEAU.

Située entre Gatineau et Hull, la municipalité de Pointe-Gatineau s'est développée au confluent des rivières Gatineau et des Outaouais. Municipalité résidentielle à caractère ouvrier, elle eut pendant longtemps la réputation d'avoir le niveau de taxation le plus bas de la région[70]. Au début des années 50, la situation financière de la ville était bonne. Ceci s'explique par deux facteurs: des services municipaux réduits à leur plus stricte expression et le fait que la municipalité était propriétaire d'une compagnie d'électricité fort rentable. De plus, les liens politiques qu'entretenaient certains membres du conseil municipal avec le gouvernement provincial de l'époque faisaient en sorte que Pointe-Gatineau reçevait sa bonne part de subventions gouvernementales[71].

On peut expliquer le début du développement résidentiel accéléré à Pointe-Gatineau par la situation qui prévalait à Hull au

---

[69]　Voir p. 157.

[70]　Interview avec Ernest Lafortune, ancien maire de Pointe-Gatineau.

[71]　Ernest Lafortune, maire de Pointe-Gatineau pendant plus de 20 ans, a été également organisateur pour l'Union nationale.

niveau de la taxe foncière. Comme nous l'avons déjà souligné dans le cas de Gatineau, le niveau de taxation à Hull était très élevé vers la fin des années 50, ce qui a poussé beaucoup de gens à chercher des maisons en dehors de Hull. De plus le terrain apte à être développé à Hull était largement contrôlé par un entrepreneur (Bisson), ce qui poussait d'autres promoteurs à s'approprier des terrains en périphérie. Dans le cas de Pointe-Gatineau, le principal promoteur et propriétaire foncier à cette époque était Aimé Guertin, un résident important de la région.

Au début des années 60, la politique municipale en matière de financement des infrastructures obligeait les promoteurs à assumer eux-mêmes les coûts d'aqueducs, d'égouts, de bordures et de trottoirs. En contrepartie, la municipalité défrayait les coûts pour la grosseur excédentaire des tuyaux ainsi que certains frais d'ingénieurs[72]. Le conseil changea de politique vers la fin des années 60, au moment où les coûts d'installation des services commerçaient à représenter un fardeau important pour les lotisseurs et constructeurs. Un des constructeurs de Pointe-Gatineau avait évalué le coût d'installation des services, au milieu des années 60, à seulement $400 par maison[73], alors qu'à la fin de la décennie ces coûts avaient augmenté de façon astronomique. En 1970 le conseil changeait le règlement sur le financement des infrastructures, décidant de prendre en charge ce financement. Au même moment, la municipalité de Pointe-Gatineau réussissait à annexer une partie du territoire de la municipalité de Templeton-Ouest, s'assurant ainsi un nouvel espace à développer.

L'enjeu de cette annexion était très important pour les promoteurs locaux. Le territoire en question est situé entre Pointe-Gatineau et Gatineau et les deux municipalités le convoitaient. Le conseil municipal de Pointe-Gatineau, avec le concours très actif de la Chambre de commerce locale, avait réussi à empêcher l'adoption du règlement d'annexion avec Gatineau et, par la suite, à faire accepter celui de Pointe-Gatineau[74]. Pointe-Gatineau a gagné cette bataille, parce que les lotisseurs et constructeurs pouvaient espérer un développement plus rapide si le territoire était annexé à Pointe-Gatineau, puisque les conduites d'aqueduc et d'égout de Pointe-Gatineau étaient plus rapprochées du territoire annexé que celles de Gatineau. Le règlement d'annexion de Pointe-Gatineau prévoyait également un gel de l'évaluation pendant dix ans pour les immeubles existants sur le territoire annexé.

---

[72] Pointe-Gatineau, Règlement 304 (avril 1963) et Règlement 343 (août 1965).
[73] Interview avec l'ex-échevin et promoteur Conrad Leduc, février 1978.
[74] Interview avec Ernest Lafortune.

Le cas de Pointe-Gatineau illustre bien également comment les procédures de règlement d'emprunt empêchent les futurs résidents de se prononcer sur l'ensemble de l'aménagement de leur quartier ou même sur les coûts des emprunts. En effet, lors de l'adoption d'un règlement d'emprunt, où les propriétaires vont devoir assumer plus de 75% des coûts, les procédures prévoient que les propriétaires concernés peuvent se prononcer. Mais qui sont ces propriétaires lors de l'approbation du règlement? Les lotisseurs ou les promoteurs. Ces derniers ont évidemment tout intérêt à voir passer le règlement; alors l'assemblée publique n'est qu'une formalité. Ceci se voit lors de l'adoption, à Pointe-Gatineau, du règlement 571 au coût de $800 000 dont $694 225 sont assumés par les propriétaires riverains. Le seul propriétaire à se présenter à l'assemblée publique fut les entreprises Dorémy[75].

Dans le cas de Pointe-Gatineau le lien entre les intérêts des constructeurs et la politique de la municipalité est particulièrement transparent. Le conseil municipal a décidé d'assumer les coûts des infrastructures au moment du développement résidentiel accéléré et également au moment où les coûts d'infrastructure commençaient à représenter un fardeau important pour les constructeurs. Il tentait d'assurer, par cette décision, la continuation de l'explosion résidentielle que le territoire de Pointe-Gatineau avait connu vers la fin des années 60. En plus, devant la menace de ne plus avoir d'espace à développer, le conseil a réussi à annexer un territoire, ce qui lui permettait de poursuivre son développement résidentiel.

Touraine.

La municipalité de Touraine est située sur la rive est de la rivière Gatineau, en amont de Pointe-Gatineau. Avec Touraine nous abordons l'analyse des municipalités qui sont passées du rural à l'urbain au cours de la période étudiée. Dans les cas de Gatineau et de Pointe-Gatineau, l'urbanisation moderne a transformé ces municipalités qui avaient déjà un noyau urbain, mais à Touraine, vers les années 50, les résidents étaient très majoritairement des cultivateurs. Le cas de Touraine est également intéressant parce que le développement est le fait d'un seul et même promoteur, la famille Beaudry. L'analyse du développement résidentiel de Touraine illustre très clairement les efforts déployés par le promoteur afin d'obtenir la participation financière de l'État municipal.

Vers la fin des années 50 quand la famille Beaudry a débuté ses activités immobilières dans ce coin, la municipalité se prénom-

---

[75] *Le Droit*, «Il y a un lien entre les firmes du Barry, Lalerie, Dorémy», le 14 mars 1973.

mait alors Hull-Est. Elle était rurale. Les résidents et les élus locaux faisaient preuve d'une grande méfiance à l'égard des promoteurs, craignant une augmentation des taxes[76]. Ici encore, il est intéressant de noter, comme nous l'avons fait dans le cas d'Aimé Guertin à Pointe-Gatineau, que la famille Beaudry, qui était déjà impliquée dans la construction domiciliaire en Ontario, n'a pas choisi de centrer son activité à Hull, même si quelques années plus tard elle deviendra une des familles les plus importantes de Hull. On peut relier cette décision à deux facteurs, qui sont tout aussi importants l'un que l'autre. Tout d'abord Bisson monopolisait le terrain disponible à Hull, alors que Guertin faisait de même à Pointe-Gatineau. D'autre part, Touraine, avec le pont Philemon-Wright enjambant la rivière Gatineau, semblait un endroit ayant un potentiel d'urbanisation intéressant sans être l'objet de spéculation.

Au moment où ils commencent à développer ses terrains, le promoteur Beaudry se voit obliger de fournir la totalité des infrastructures, en raison des refus systématiques qui lui oppose la municipalité rurale de Touraine. Le promoteur se voit donc obligé de construire une usine de pompage dont il partage l'utilisation mais non les revenus avec Pointe-Gatineau (le promoteur avait été obligé par la Régie des eaux d'agir ainsi). La question de l'eau potable a été définitivement réglée au début des années 70, au moment où Pointe-Gatineau et Touraine sont reliées à l'usine de filtration de Hull. À l'occasion de Noël 1961, l'entrepreneur a offert aux résidents un camion de pompiers[77].

Les services ont, donc, d'abord été installés par le promoteur afin de suppléer aux fonctions d'un État local encore dominé par des intérêts ruraux. Mais les nouveaux résidents, par le biais de l'Association des propriétaires, se sont mis à multiplier les pressions auprès du conseil municipal afin d'obtenir de meilleurs services. Un premier chef de police est engagé en mai 1961 mais le conseil municipal du moment ne lui fournissait ni bureau, ni équipement[78]. Le chef de police a donc démissionné et l'Association des propriétaires a fait circuler une pétition pour obtenir sa réintégration.

La situation a évolué assez rapidement par la suite. Au cours des années 1962-63, la municipalité a pris à sa charge la construction des bordures de béton et le pavage de certaines rues du quartier Riviera. Mais elle l'a fait de façon à ce que les coûts de ces infrastructures soient assumés par les résidents des nouveaux secteurs; les services ont été financé à 100% sous forme de taxes d'amélioration locale. L'État commence à prendre à sa charge les

---

[76] Interview avec André Beaudry.
[77] *Le Droit*, décembre 1961.
[78] *Le Droit*, décembre 1961.

infrastructures mais de façon à ménager la sensibilité, et le porte-feuille, des anciens résidents.

Le rôle de l'État local prend de plus en plus d'ampleur. En 1965 il est intervenu pour réglementer les subdivisions[79] et, la même année, le conseil a exproprié l'usine de pompage de Beaudry au coût de $225 000[80]. Le coût, financé à même un emprunt, est réparti en fonction des utilisateurs. Le conseil a été plus ou moins contraint d'entrer dans l'ère du «progrès» et de l'endettement. Ce processus va s'accentuant avec l'adoption, en 1967, d'un règlement sur la répartition des coûts des infrastructures.

Ce règlement, presqu'identique à celui de Gatineau, reproduisait la même ambiguïté. Dans un des paragraphes, le règlement affirmait:

> Tous les travaux de construction pour aqueduc, égout, trottoirs, bordures, gravelage de rue et éclairage dans les nouvelles subdivisions devront se faire, avec la permission de la municipalité et sous sa surveillance, aux frais du requérant[81]...

Le paragraphe suivant indiquait que si le requérant choisissait d'exécuter lui-même les travaux, il devait se conformer à certaines dispositions. Tout de suite après, dans un autre paragraphe, le règlement stipulait que le conseil pourrait permettre le financement des travaux au moyen d'une taxe d'amélioration locale.

> Si le conseil permet au requérant de financer ces travaux par une taxe d'amélioration locale, il devra se conformer aux dispositions[82].

Cette permission du conseil, dans quels cas s'appliquait-elle? Et à qui? En pratique, il semble que pendant la période 1968-72 la municipalité a pris en charge la construction de tous les équipements d'infrastructures dans bon nombre de nouveaux quartiers[83]. Tous les règlements d'emprunt, financés complètement par les taxes d'amélioration locale, coïncidaient avec des projets construits par le promoteur Beaudry. À cette époque, l'État local implantait et gérait les nouveaux services. Cette intervention de l'État enlevait au promoteur la responsabilité de financer tout de suite les infrastructures; le financement initial se faisait par la municipalité et il a été repris par les acheteurs des maisons. Ce changement est d'autant plus important qu'il arrivait au moment où les coûts d'infrastructures augmentaient très rapidement, donc au moment où ils pouvaient représenter un fardeau important pour le constructeur. Il intervient

---

[79]   Règlement #323. Ce règlement stipule, entre autres, que le promoteur ou lotisseur doit fournir 5% de son espace pour les parcs.

[80]   Touraine, Règlement #324.

[81]   Touraine, Règlement #388.

[82]   *Ibid.*

[83]   Voir les Règlements #394, #404, #415, #417, #418, etc.

également au moment où la demande pour les maisons unifamiliales commence à croître et surtout au moment où l'on peut s'attendre à une augmentation rapide de la population de la région, en raison de la croissance de la fonction publique fédérale.

Il faut également noter que la municipalité de Touraine a reçu certaines subventions du gouvernement québécois. De 1967 à 1970 Touraine n'a pas été favorisée mais, après le changement de gouvernement, la municipalité a été plus choyée. Bien que les subventions gouvernementales ne représentaient pas des montants suffisants pour faire baisser le niveau de taxes de l'ensemble[84] des résidents, les subventions reçues par Touraine n'étaient pas négligeables. Encore une fois, plusieurs de ces subventions ont été accordées pour la construction d'ensembles résidentiels dont le promoteur était Beaudry. Les liens entre les appareils d'État et les constructeurs sont une partie essentielle de l'analyse du développement régional. La particularité de Touraine n'est pas l'existence de ces liens mais plutôt la prépondérance des intérêts d'un seul promoteur.

TEMPLETON.

Avant le regroupement municipal les quatre municipalités situées à l'est de la région étaient Templeton, Templeton-Est, Templeton-Ouest et Templeton-Est partie Est. De ces municipalités seule Templeton a vraiment connu un développement résidentiel important aux cours de la période étudiée. Ce développement a commencé véritablement au début des années 70.

Les dirigeants municipaux de l'époque étaient enthousiastes, appuyant fermement ce développement. Leur première décision fut d'agrandir le réseau d'aqueduc et d'égout. À cette fin le conseil a approuvé de nombreux règlements d'emprunt. Les règlements touchant les infrastructures telles que les aqueducs, égouts, pavage, ont été adoptés sans difficulté mais il en a été tout autrement lorsqu'il s'est agi de l'implantation d'un parc. Les rentiers, les propriétaires d'immeubles et les petits industriels se sont opposés à cette dépense, tandis que les nouvelles familles, particulièrement celles avec de jeunes enfants, ont appuyé l'idée d'un parc. Son aménagement nécessitait un emprunt de $60 000 et, devant l'opposition d'un certain nombre de propriétaires, le conseil a procédé, par deux fois, à des référendums. Rappelons que ce processus exclut les locataires.

---

[84] Voir pp. 242-243 pour une discussion du rôle des subventions gouvernementales et l'Annexe IV-A qui indique les subventions reçues par les municipalités de l'Outaouais québécois pour la période étudiée.

Le résultat du deuxième référendum, en mai 1972, démontre l'acuité de la lutte opposant des fractions de classe dans ce conflit:

Tableau IV-4

	Nombre	Évaluation imposable
Pour	127	$1 644 400
Contre	134	$1 987 900
Rejeté	29	$ 437 100
Majorité	7	$ 343 500

Quelques mois plus tard, divers règlements d'emprunt totalisant plus de $200 000 (pour l'extension des réseaux d'aqueduc et d'égout) ne nécessitèrent aucun référendum[85]. Pourquoi? D'une part, deux des quatre règlements respectaient la division des coûts: 75% pour les riverains, 25% pour l'ensemble de la ville. D'autre part, plusieurs des propriétaires d'immeubles comptaient tirer avantage d'une augmentation de la rente foncière créée par cette nouvelle construction résidentielle. Le témoignage d'un propriétaire d'immeuble de Templeton révèle très clairement cette conception des conséquences d'une croissance presque sans bornes.

... avec de nouveaux projets de développement, c'est de l'amélioration locale... Comment ça se fait que Gatineau s'est développé si rapidement, ce sont les constructeurs...
Une maison à la fois, ça ne va pas vite, des projets de 400 maisons, ça rapportent beaucoup plus, c'est payant... Même si on paye $30 de plus en taxes, ou $40 de plus, qu'est-ce que c'est si notre propriété prend $5 000 de valeur de plus[86]...

L'attitude de ce propriétaire est révélatrice. Elle démontre un appui à la position des lotisseurs, des constructeurs et d'autres fractions de la bourgeoisie impliquées dans ce genre de développement. Les propriétaires, espérant une plus-value de la revente de leur maison, étaient favorables au développement actuel. Le maire de Templeton partageait fidèlement cette conception[87].

C'est vrai que la municipalité s'endette, dit le maire Leclerc, mais la construction domiciliaire rapporte beaucoup plus aux résidents de Templeton que des terrains vagues[88].

Cette conception «oublie» les coûts de ce développement et elle masque la question de la répartition inégale de ces coûts sous les apparences d'une prospérité pour tous.

---

[85] Voir Règlements 11-72, 18-72, 19-72, 20-72.
[86] Interview, novembre 1972.
[87] Interview, août 1977.
[88] «Templeton: le progrès et les dettes», Le Droit, le 23 juillet, 1974.

AYLMER.

Avec l'analyse d'Aylmer, nous nous transportons aux limites ouest du territoire étudié. Aylmer est parmi les plus anciennes localités de la région, ayant été fondée au début des années 1830 par un des neveux de Philemon Wright, Charles Symmes. Aylmer est devenu un centre commercial et, malgré quelques établissements industriels, n'a jamais connu d'essor industriel. Par la suite la municipalité est transformée en banlieue-dortoir pour les fonctionnaires travaillant à Ottawa. Aylmer se distingue des autres municipalités que nous avons étudiées surtout par la population, plus anglophone et plus riche, et aussi par ses commodités de loisir différentes (notamment plusieurs terrains de golf).

Le développement résidentiel à Aylmer aux cours des années 60 a été relativement lent. À cette époque le pouvoir politique local était détenu par des résidents, majoritairement anglophones et relativement à l'aise, qui voulaient maintenir le caractère paisible et campagnard d'Aylmer. Un changement a été déclenché par les élections municipales de 1970, qui ont mené au pouvoir Ernest Lattion[89]. Une fois installé à la mairie, le nouveau maire a mis les ressources légales (les règlements de zonage) et les ressources financières (les règlements d'emprunt) de l'État municipal au service du capital immobilier. Il est extrêmement difficile à Aylmer, encore plus que dans les autres municipalités de la région, de discerner une politique générale en matière de financement des infrastructures. Le rôle de la municipalité a varié d'un projet à l'autre, c'est-à-dire d'un promoteur à l'autre. Dans le cas de certains projets (ceux de la compagnie Omega, par exemple) la municipalité a financé les infrastructures. Dans d'autres cas, les constructeurs ont assumé les coûts des infrastructures mais la municipalité a modifié les règlements de zonage afin de permettre la construction à plus haute densité et donc d'augmenter la rentabilité du projet. Dans certains cas ces changements de zonage ont suscité certaines résistances de la part de la population anglophone, mais le maire Lattion pouvait compter sur l'appui des nouveaux résidents, majoritairement francophones et plus favorables au développement[90].

La politique suivie par les dirigeants municipaux d'Aylmer au début des années 70 a donc appuyé fermement les intérêts du capital immobilier. Le conseil a utilisé ses pouvoirs légaux et ses ressources financières de façon à appuyer les lotisseurs et les constructeurs.

---

[89] Ernest Lattion était à cette époque et est encore le propriétaire foncier le plus important du vieux Aylmer. En effet, il se vente d'être le propriétaire de la rue Principale. « Je n'ai pas de mérite. Les vieux résidents quittaient Aylmer et vendaient leurs maisons pour une bouchée de pain. » Interview avec Ernest Lattion.

[90] Interview avec Ernest Lattion.

Ce rôle actif de l'appareil étatique local n'est devenu manifeste qu'une fois réduit le poids politique des anciens résidents[91]. Le changement dans le rapport de forces s'est répercuté au niveau du conseil et s'est reflété dans l'activité municipale en tant qu'agent promoteur du développement. Ce processus de changement politique est donc parallèle à celui que nous avons observé dans le cas de Touraine, sauf que la composition sociale des anciens résidents n'était pas la même. À Touraine les anciens résidents étaient des cultivateurs ou des ruraux tandis qu'à Aylmer c'étaient plus des fonctionnaires ou des professionnels. Pour des raisons différentes ces deux populations étaient réfractaires au développement et ce n'est seulement qu'après des changements politiques que les conseils municipaux expriment une volonté ferme d'agir comme agent actif dans la promotion du développement résidentiel.

Cette analyse des municipalités de banlieue démontre clairement le rôle des appareils politiques locaux dans la production du cadre bâti. Pendant la période étudiée ils ont fourni un appui vital aux promoteurs, aux lotisseurs et aux constructeurs en assumant la responsabilité du financement des infrastructures. Cette responsabilité a été prise à charge par les différents appareils locaux à différents moments mais partout cette décision correspond à une volonté politique de la part de la municipalité d'appuyer fermement le développement résidentiel. Le financement des infrastructures et leur mise en place devient un enjeu particulièrement important au moment où les constructeurs éprouvent de la difficulté à assumer les coûts croissants de ces infrastructures.

L'appui des appareils politiques locaux en faveur des intérêts des constructeurs et lotisseurs n'a rien de mécanique. Il est le résultat des luttes politiques locales. Les analyses spécifiques ont démontré comment des changements de population et le développement des luttes sociales au sein des municipalités se répercutent au niveau de la composition des conseils municipaux et au niveau des stratégies politiques suivies par ces conseils.

Il y a donc évolution dans les stratégies politiques des municipalités pendant cette période. Il y a également évolution dans les structures étatiques, évolution qui, elle aussi, modifie les stratégies politiques locales. Les municipalités de l'Outaouais québécois ont subi deux séries de modifications structurelles pendant les années 70, d'abord la création d'un palier régional et ensuite le regroupement des municipalités. Ces modifications, en éloignant les structures politiques des scènes politiques locales, ont influencé l'organisation des classes sociales et donc l'évolution des luttes sociales

---

[91]   Interview avec Ernest Lattion.

dans l'Outaouais québécois. C'est cette influence que nous voulons comprendre en analysant l'élargissement progressif de la scène politique locale avec le regroupement des municipalités et ensuite avec la formation de la Communauté régionale de l'Outaouais. Nous voulons étudier, non pas les changements politiques comme tels, mais l'influence de ces changements sur les intérêts des différentes classes sociales.

LE REGROUPEMENT MUNICIPAL.

La création de la nouvelle municipalité de Gatineau survenue le premier janvier 1975 est née de la fusion de sept municipalités (Gatineau, Pointe-Gatineau, Touraine, Templeton, Templeton-Ouest, Templeton-Est, Templeton-Est-partie Est) et celle de la nouvelle municipalité d'Aylmer de la fusion d'Aylmer, Lucerne et Deschênes[92].

Ces regroupements ont permis aux appareils étatiques, en étant plus structurés et en ayant des ressources financières plus considérables, d'être plus actifs. Les conséquences de cette activité favorisaient, en partie, les intérêts de la petite bourgeoisie locale mais, sous d'autres aspects, nuisaient à ses intérêts. Ce sont les contradictions de la restructuration municipale qui sont particulièrement intéressantes.

D'une part la fusion des différentes municipalités permettait à l'État local d'étendre le développement résidentiel aux secteurs non encore «développés». Par exemple, certains secteurs de Templeton-Est, aux limites de Templeton, se prêtaient fort bien à la construction domiciliaire mais ils n'étaient pas pourvus des infrastructures nécessaires. La municipalité de Templeton avait tenté auparavant d'annexer Templeton-Est mais sans succès. Par contre la municipalité de Templeton-Est n'avait pas suffisamment de ressources pour développer ces terrains. Pour le maire de Templeton à l'époque, le regroupement permettait donc d'atteindre l'objectif visé par le projet d'annexion, c'est-à-dire le développement des terrains de Templeton-Est. En effet, peu de temps après le regroupement, un projet domiciliaire, Les Jardins La Blanche, a été mis sur pied dans ce secteur par le constructeur Robert Labine, également échevin et très favorable au projet de regroupement.

L'impact du fusionnement des appareils d'État locaux sur la capacité d'expansion dans les nouveaux secteurs se voyait également par la décision du conseil de Gatineau d'améliorer le service

---

[92] Nous ne traiterons ici que des regroupements affectant la partie urbaine du territoire. En fait le regroupement crée également quatre autres nouvelles municipalités: Pontiac, Val-des-Monts, Lapêche et Buckingham.

d'eau dans le secteur de Templeton, en alimentant ce secteur à partir d'une conduite venant de l'usine de la C.I.P., jusqu'au moment de la construction d'une future usine de filtration. Une telle décision est évidemment plus facile à obtenir quand les différents secteurs font tous partie d'un seul appareil politique.

Cette possibilité de développer de nouveaux secteurs explique également l'intérêt que la ville de Hull manifestait envers l'idée d'un grand regroupement. Hull avait voulu fusionner les douze municipalités urbaines d'Aylmer à Templeton[93]. Un tel regroupement aurait résolu les problèmes de Hull qui avait atteint les limites du développement de son territoire. Mais le gouvernement québécois n'a pas retenu les recommandations de la ville de Hull et les regroupements ne l'ont pas touché. Le gouvernement de Québec a préféré laisser la porte ouverte à des cessions de terrain que ses voisins à l'ouest et au nord pouvaient lui accorder. Après le regroupement il y eut des négociations portant sur cette question et, en 1978, on a annoncé une cession de terrain de la part de Hull-Ouest (situé au nord de la ville de Hull). Par contre le gouvernement du Québec a décidé que la municipalité d'Aylmer ne serait pas obligée de céder des terrains à Hull.

Le regroupement est donc une façon de faciliter l'expansion résidentielle en augmentant la capacité de l'État local à gérer cette expansion. Il exprime également une volonté de créer des grands pôles de consommation. En fusionnant les municipalités l'État étend son contrôle de l'utilisation du sol en éliminant les frontières et les obstacles au développement. La concertation des pouvoirs publics suffisant pour structurer des pôles de consommation importants est donc facilitée. Cette création exige un effort non seulement de collaboration, mais aussi de planification de la part des appareils d'État. Il n'est donc pas surprenant de constater que le regroupement a mené à la création d'un service d'urbanisme dans la nouvelle municipalité de Gatineau. La ville d'Aylmer l'a suivi dans cette voie quatre ans plus tard. Ce genre de service acquiert de l'importance dans la mesure où la municipalité veut exercer une influence sur la structuration de son espace. Avec le regroupement, l'emprise de la planification étatique augmente.

La création de grands pôles de consommation favorise les intérêts de la bourgeoisie commerciale d'envergure nationale et internationale. Dans le cas de Hull, la bourgeoisie commerciale locale a perdu de l'importance avec la création des centres d'achat[94]. Donc, la création d'un seul et grand pôle de consommation, dans le secteur est, ne favorise pas les intérêts de la petite bourgeoisie

[93]   Hull, Groupe de Travail, *Étude de regroupement*, 1973.
[94]   Voir l'analyse du premier chapitre p. 41.

locale, mais au contraire, ceux du grand capital commercial et immobilier. C'est dans le contexte de ce conflit entre petite bourgeoisie locale et grand capital que nous pouvons comprendre la controverse concernant la question du centre-ville de Gatineau. Nous avons déjà vu le processus par lequel le promoteur Azrieli avait acquis des terrains[95]; dans ce chapitre, notre analyse du centre-ville de Gatineau aurait plutôt comme objectif de cerner clairement le rôle des appareils d'État.

LA C.R.O. ET LE CENTRE-VILLE DE GATINEAU.

Le conflit s'est centré sur la décision des dirigeants municipaux de permettre au promoteur Azrieli de construire un centre d'achat d'importance moyenne. La construction de ce projet mettait en péril, du moins pour plusieurs années, l'idée d'un plus grand projet, un véritable pôle de consommation et centre administratif pour le secteur est. La division des intérêts s'est faite très clairement; appuyant le projet du centre-ville et les intérêts du grand capital, il y avait le maire de Gatineau, les présidents de la C.R.O. et de la S.A.O., les différents services d'urbanisme (de Gatineau, de la C.R.O.), le parti municipal Action-Gatineau représentatif de certaines couches de la petite bourgeoisie professionnelle et bureaucratique et, finalement, certains membres du conseil de Gatineau. Par contre la petite bourgeoisie locale, voyant dans le projet d'Azrieli quelque chose qui correspondait plus à leurs intérêts, avait également l'appui de certains membres du conseil de Gatineau.

Le promoteur Azrieli avait déjà construit un mini centre d'achat à Pointe-Gatineau à la fin de 1969. En 1974, il avait commencé de remembrer des lots pour la construction d'un deuxième centre d'achat. Certains représentants de la petite bourgeoisie locale avaient bien profité de ces développements, soit en vendant leurs terrains à Azrieli, soit en agissant comme sous-entrepreneurs. À la veille du regroupement, le 31 décembre 1974, le promoteur avait obtenu un permis de construction de la municipalité de Pointe-Gatineau. Mais par la suite les urbanistes de la nouvelle municipalité de Gatineau avaient suspendu le permis, en attendant que certains changements soient apportés au plan de zonage et aux règlements de construction[96]. L'élection d'un nouveau maire[97] en novembre 1975 ne fit que renforcer la position des urbanistes qui étaient en faveur d'un grand centre-ville régional.

---

[95] Voir l'analyse du deuxième chapitre, pp. 91-95.

[96] Cette décision de la ville de Gatineau a été contestée par le promoteur, mais la cour a donné raison à la ville.

[97] John Luck avait été maire de l'ancienne municipalité de Gatineau au moment du regroupement mais il n'avait pas été maire du conseil provisoire.

Au même moment, vers la fin de 1975, les grandes orientations du schéma d'aménagement de la C.R.O. avaient été définies. Le schéma préconisait la création d'un grand complexe pour donner un centre-ville à Gatineau, tout en désignant la zone du centre-ville. Le projet Azrieli n'était pas situé dans cette zone, mais à environ un mille à l'ouest du centre-ville. L'opposition entre le projet Azrieli et la création d'un centre-ville est devenue plus claire. Au cours de l'année 1976 le conflit s'est intensifié. Des grandes compagnies immobilières, Campeau et Cadillac-Fairview, ont présenté des propositions pour le projet de centre-ville.

Par contre, les organismes représentant les différentes fractions de la bourgeoisie locale ont pris position en faveur du projet Azrieli. Le comité exécutif de la Chambre de commerce et le Conseil économique de Gatineau ont mis de l'avant des arguments fiscaux pour appuyer ce projet plus modeste. Selon eux, le projet Azrieli était préférable car il ne coûterait que très peu à la municipalité[98].

Après de longs débats, le conseil de Gatineau a approuvé le projet Azrieli. Ainsi les diverses fractions de la bourgeoisie locale impliquées dans les activités immobilières ont mis en échec, du moins à court terme, la stratégie des urbanistes locaux et régionaux et celle du grand capital immobilier. Cette décision a suscité des réactions chez certaines couches de la population représentées par le Front commun du centre-ville de Gatineau ainsi que les représentants d'Action-Gatineau. Plus de 7 000 noms ont été recueillis lors d'une pétition demandant un référendum sur la question du centre-ville mais le conseil n'en a pas tenu compte.

Une fois approuvé par la municipalité de Gatineau, le projet Azrieli devait être approuvé par la C.R.O.[99]. Le président, ainsi que le service d'urbanisme, étaient clairement en faveur d'un grand centre-ville mais ils n'ont pu empêcher le conseil de la C.R.O. d'approuver le projet Azrieli. Les quatre représentants de la ville de Hull ont tous appuyé le projet d'Azrieli, sachant que ce projet risquait de retarder toute implantation majeure à l'est de la rivière Gatineau et donc de préserver la prédominance commerciale de Hull. Les dirigeants municipaux de Hull, tout en favorisant leurs propres intérêts, favorisaient également ceux du grand capital immobilier et commercial localisé à Hull. De cette façon la ville de Hull accentuait son rôle de métropole régionale aux dépens de Gatineau.

---

[98] *Le Droit*, « Le centre commercial : le projet R.S.N.D. ne coûterait que $12 000 au trésor municipal », le 21 mai 1977 et *Revue de Gatineau* « Le comité exécutif de la Chambre de Commerce en faveur », le 16 mars 1977, p. 5.

[99] Communauté régionale de l'Outaouais, Règlement n° 123 tel qu'amendé par le Règlement 129, Règlement du contrôle intérimaire, utilisation du sol, approbation et normes de lotissement, permis de construction, janvier 1978.

Cette décision de la C.R.O. contrecarrait toute l'orientation préconisée par le schéma d'aménagement. Après la réunion du conseil, les présidents de la C.R.O. et de la S.A.O., ainsi que le président de la Commission consultative du schéma d'aménagement de la C.R.O., exprimaient leur désenchantement.

> Leur avis était unanime. En permettant le développement d'un centre commercial de grosseur « intermédiaire » en dehors du principal noyau du futur centre-ville de Gatineau, l'orientation centrale du schéma d'aménagement régional, soit le développement prioritaire à l'est de la Gatineau, était sérieusement, voire irrémédiablement, compromise.

> « Il n'en reste plus rien », a déclaré amèrement M. Laflamme après l'assemblée du conseil. « Après 41 assemblées de la Commission consultative, le schéma est devenu une farce [100]. »

Ce conflit concernant le centre-ville a exacerbé les conflits entre les urbanistes et autres technocrates de la municipalité, d'une part, et, de l'autre, les membres du conseil les plus liés aux intérêts de la petite bourgeoisie immobilière. Certains échevins ne manquaient pas d'exprimer, d'une manière très crue, leur mécontentement à l'égard des fonctionnaires, et particulièrement à l'égard des urbanistes. Ils leur reprochaient d'appliquer trop sévèrement les règlements municipaux et ainsi de contrecarrer la volonté politique du conseil. Un des échevins qui avait appuyé le projet Azrieli déclarait que « les fonctionnaires bloquaient le projet avec des peccadilles » et il menaçait de « brasser de la merde à Gatineau si le permis de construction n'était pas émis rapidement [101] ».

Le regroupement a entraîné une augmentation du pouvoir des fonctionnaires, et notamment celui des urbanistes. Ceci veut dire, dans le cas de Gatineau, que l'État local ne répondait plus directement aux intérêts de la petite bourgeoisie locale. Cette fraction de classe contrôlait encore le conseil et pouvait, comme dans le cas du centre-ville, gagner certaines batailles, mais la bureaucratisation de l'appareil municipal, en affaiblissant le pouvoir politique des élus, réduisait le pouvoir de la petite bourgeoisie locale.

En conclusion, l'impact du regroupement municipal sur les intérêts des différentes fractions de la bourgeoisie comporte des éléments contradictoires. Ce regroupement a permis le développement de certains nouveaux secteurs et, en ce sens, a favorisé les intérêts de la petite bourgeoisie locale qui contrôlait ces terrains et qui construisait dans ces secteurs. Par contre, le renforcement de la capacité de planification de l'État local et sa volonté de structurer un grand pôle de consommation favorisait plutôt la venue du grand capital. Bien que la petite bourgeoisie locale voyait dans le

---

[100] *Le Droit*, « La C.R.O. approuve le projet de R.S.N.D. », le 25 mars 1977.
[101] *Le Droit*, le 30 juin 1977.

regroupement une réponse à certains de ces problèmes immédiats, à plus long terme les nouvelles structures municipales ne répondent pas aussi fidèlement aux intérêts de cette fraction de classe.

LA COMMUNAUTÉ RÉGIONALE DE L'OUTAOUAIS.

La mise en place de la C.R.O. et ses principales interventions dans le domaine des grands équipements infrastructurels prolongent à un autre niveau les interventions des États locaux. L'essentiel des débats sur la scène politique régionale porte sur les lieux prioritaires d'aménagement des égouts, aqueducs et routes ainsi que sur la répartition des coûts de ces grands équipements. À travers ces enjeux s'opposent la petite bourgeoisie locale et la grande bourgeoisie immobilière. Cette première opposition en recoupe une autre, d'ailleurs très reliée à celle-ci, entre la ville centrale (alliée du grand capital immobilier) et les villes périphériques où, particulièrement à Gatineau, les assises de la petite bourgeoisie locale sont très fortes. L'examen des principaux domaines d'intervention de la C.R.O. précisera davantage le caractère de ces oppositions. Mais avant d'aborder cette analyse, il serait important de situer la création de cet organisme régional.

La législation créant la Communauté régionale de l'Outaouais a été adoptée en décembre 1969 et l'organisme a vu le jour le premier janvier 1970. Au même moment le gouvernement du Québec créait deux autres organismes dans la région: une commission de transport reliée à la C.R.O. (la C.T.C.R.O.) et un organisme chargé de la promotion industrielle et touristique, relié directement au ministère des Affaires municipales (la Société d'aménagement de l'Outaouais)[102]. La mise sur pied de ces organismes s'explique surtout par la volonté du gouvernement québécois d'être plus en mesure de faire face aux activités du gouvernement fédéral dans la région. Ces activités devenaient, au cours des années 60, de plus en plus importantes. Le gouvernement du Québec s'est rendu compte que sans contreparties québécoises, l'aménagement de la région ne serait influencé que par les organismes fédéraux.

Cette intervention fédérale n'était pas nouvelle dans la région; les acquisitions de terrains pour le Parc de la Gatineau avaient

---

[102] Nous n'avons pas fait une analyse approfondie de la S.A.O. étant donné notre préoccupation envers les appareils étatiques locaux. Mais il est important de préciser certains aspects de son fonctionnement. Dans la partie urbaine de son territoire la S.A.O. a surtout dépensé des sommes pour la promotion industrielle. Elle a aménagé trois parcs industriels dont seulement un, celui de Hull, est totalement occupé. Elle a aussi commandité de nombreuses études sur les questions touchant le développement commercial et industriel. De plus, elle a investi dans la promotion touristique.

débuté en 1937. Le plan de l'urbaniste Gréber avait déjà établi les coordonnées de l'aménagement de toute la région dès les années 50. Mais cette intervention fédérale s'est accélérée dans les années 50 et 60, surtout par le biais d'acquisitions foncières, de sorte qu'en 1974 le gouvernement fédéral possédait 190 des 1 800 milles carrés de la région de la capitale, soit 10% du territoire. Dans la section urbaine de la région, la proportion possédée par le gouvernement fédéral est encore plus importante, soit 29%[103]. La juridiction du gouvernement fédéral étant souveraine sur ses propres terrains, le gouvernement fédéral était en mesure d'exercer un pouvoir effectif sur l'aménagement de l'ensemble du territoire.

> ...Ces terrains du fédéral sont stratégiquement bien situés partout dans la Capitale, de sorte qu'il est virtuellement impossible de construire des lignes à haute tension, des égouts, des ponts ou routes de quelque importance sans empiéter sur des terrains du gouvernement fédéral. En ayant le pouvoir de refuser le droit de passage aux organismes municipaux et provinciaux, même s'il ne l'a fait que rarement, le gouvernement fédéral dispose d'une arme puissante et il a beaucoup à dire dans l'élaboration de nouveaux projets[104].

Cette présence fédérale s'accentua davantage avec la décision du gouvernement fédéral de s'implanter au centre-ville de Hull. Cette décision a stimulé, en contrepartie, la volonté du gouvernement québécois[105]. Cette intention est exprimée très clairement dans le rapport de la Commission Dorion sur l'intégrité du territoire québécois.

Cette volonté québécoise de contrecarrer la C.C.N. s'est conjuguée avec un mouvement de réforme municipale au sein du gouvernement de Québec. Le gouvernement, face aux problèmes de gestion des grands centres urbains, a envisagé la création de structures politiques régionales[106]. L'idée d'un organisme régional pour l'Outaouais québécois semblait donc résoudre deux séries de problèmes: ceux liés à la multiplicité des organismes municipaux à l'intérieur d'une même région socio-économique et, en même temps, ceux spécifiques à l'Outaouais québécois, liés à l'influence prédominante du gouvernement fédéral.

Il y eut donc des réunions entre les représentants des municipalités urbaines de la région. Au cours de ces réunions on explora

---

[103] Douglas FULLERTON. *La Capitale du Canada: comment l'administrer?* 1974, p. 19.

[104] *Ibid.*, p. 20.

[105] Il faut ajouter que le gouvernement de l'Ontario était également en train de créer une structure régionale dans la partie ontarienne de la région de la capitale. La municipalité régionale d'Ottawa-Carleton a été créée une année avant la C.R.O., soit le premier janvier 1969.

[106] Voir Jean MEYNAUD et Jacques LÉVEILLÉ, *La régionalisation politique au Québec*, Nouvelles Frontières, 1973, pour une analyse de la politique de création des communautés urbaines.

la possibilité de la création d'un organisme régional qui regrouperait les douze municipalités urbaines de Templeton à Aylmer. Mais le gouvernement de Québec, motivé par son désir de créer un interlocuteur valable face au gouvernement fédéral, décida de regrouper l'ensemble du territoire de la C.C.N. du côté québécois à l'intérieur d'un même organisme. Donc la Communauté régionale de l'Outaouais a vu le jour avec 32 municipalités, pour la plupart de nature très rurale.

En 1975, avec les regroupements municipaux, le nombre des municipalités a été réduit de 32 à 8, dont trois vraiment à caractère urbain (Hull, Gatineau, Aylmer)[107]. Ces regroupements ont amené des changements dans les structures de la C.R.O. Le conseil est maintenant formé de 14 personnes: quatre représentants de la ville de Hull, trois de la ville de Gatineau, un de la ville d'Aylmer, un représentant de chacune des cinq autres municipalités, plus le président de la C.R.O., nommé directement par le gouvernement du Québec[108]. La représentation n'est donc pas au pro rata de la population, les municipalités rurales étant sur-représentées. Des trois principales villes, Hull est sur-représentée par rapport à Gatineau et Aylmer[109]. Le rôle de centre régional qu'on veut donner à Hull se reflète donc dans les structures de la C.R.O.

Les activités de la C.R.O. témoignent de son importance dans la mise en place des grands équipements infrastructurels au niveau régional et, par conséquent, de son impact sur la reproduction de la force de travail. Les activités principales de l'organisme touchent les aqueducs, les égouts ainsi que les routes. En grande partie, ces infrastructures ont été réalisées par l'action conjointe des différents paliers étatiques. La C.R.O. devient le point de rencontre des intérêts de la petite bourgeoisie locale, à travers les appareils politiques locaux, et ceux du grand capital immobilier, à travers les appareils fédéral et québécois. Pour cette raison, cette structure est particulièrement intéressante pour notre étude. Elle représente un terrain privilégié pour observer les conflits entre fractions de la bourgeoisie.

La C.R.O. représente également un point de rencontre entre intérêts locaux et intérêts de plus grande envergure par le fait que le gouvernement du Québec peut influencer plus directement le palier

---

[107] La C.R.O. considère que quatre municipalités (Hull, Gatineau, Aylmer, Buckingham) sont urbaines et quatre rurales (Pontiac, Val-des-Monts, Lapêche, Hull-Ouest). Nous avons exclu Buckingham de notre analyse, car la partie urbaine ne fait pas partie du noyau urbain principal de la région.

[108] Le président de la S.A.O. siège aussi, ex-officio, au conseil de la C.R.O. et des représentants de la C.T.C.R.O. sont invités à des réunions du conseil.

[109] Selon la population de 1975, Hull a un représentant par 16 775 personnes tandis que Gatineau a un représentant par 23 000 et Aylmer un représentant pour sa population de 23 900.

régional que les structures municipales[110]. D'ailleurs la création de la C.R.O. illustre bien ce phénomène; elle représente beaucoup plus la volonté du gouvernement québécois qu'une volonté proprement régionale. Mais, bien que cette question de l'influence du gouvernement québécois sur la C.R.O. nous semble importante, notre analyse se concentre plus sur l'impact de l'appareil politique régional dans les luttes de classe à l'échelle régionale.

L'implantation des édifices fédéraux a été un facteur déterminant du rôle de la C.R.O. dans le domaine des aqueducs et des égouts. Comme le précise un ex-président de la C.R.O., Jean-Marie Séguin:

> Il fallait de l'eau propre pour les fonctionnaires qui viendraient travailler dans les édifices fédéraux de Place du Portage. Ensuite, comme le gouvernement du Canada ne voulait pas contribuer à la pollution de l'Outaouais, il fallait une usine d'épuration pour recevoir les égouts des gros édifices[111].

Ces grands équipements d'infrastructure représentaient donc un enjeu important pour le gouvernement fédéral car ils formaient une partie essentielle de son projet de transformation du centre-ville. La ville de Hull était également désireuse à cette époque d'étendre les réseaux d'aqueduc et d'égout de façon à promouvoir un développement centré sur Hull. La ville avait même entrepris des études sur les réseaux d'aqueduc et d'égout au niveau régional. Au moment de la création de la C.R.O., la ville était sur le point d'entreprendre elle-même la construction d'un égout collecteur régional dans la zone du Ruisseau de la Brasserie[112]. Une fois créée, la C.R.O. a pris ces travaux en main.

Peu de temps après, en février 1971, la C.R.O. a participé à une entente tripartite relative à la construction d'une usine de filtration au parc Moussette et de conduites-maîtresses dans la ville de Hull[113]. Selon cette entente, la C.R.O., la C.C.N. et le gouvernement du Québec s'engageaient à contribuer chacun le tiers du coût des travaux estimé à $5 610 000. Toujours en 1971, les gouvernements concluaient aussi une entente touchant la construction des conduites-maîtresses d'eau et d'égout et d'une usine d'épuration. Le coût total de ces travaux était estimé à $45 millions en 1971 et de-

---

[110] Voir à ce sujet le texte de Jacques Leveillée, «Les communautés urbaines et les problèmes de gestion des milieux métropolitains» dans Guy LORD et al., *Les Communautés urbaines de Montréal et de Québec: premier bilan*, Les Presses de l'Université de Montréal, 1975, pp. 97-98.

[111] *Le Droit*, «L'usine d'épuration de Templeton répondra au besoin de l'Outaouais», le 16 avril 1977.

[112] Interview avec J.-A. Desjardins, gérant de la ville de Hull.

[113] Entente entre le gouvernement du Québec, la Communauté régionale de l'Outaouais et la Commission de la Capitale nationale pour la construction d'une usine de filtration au Parc Moussette et de conduites-maîtresses.

vait être partagé également entre les trois gouvernements. Cinq ans plus tard, en 1976, une nouvelle entente a été ratifiée pour les mêmes travaux, cette fois-ci, évalués à $120 millions[114].

L'importance des activités de la C.R.O. dans le domaine des aqueducs et des égouts se voit également par le biais de l'analyse des dépenses en immobilisation de la C.R.O. de 1970 à 1976. Le tableau suivant indique que 98% de ces dépenses concernaient les réseaux d'aqueduc et d'égout.

Tableau IV-5

LES DÉPENSES EN IMMOBILISATION DE LA C.R.O.

	Montant	%
Usine de filtration et conduites d'aqueduc	$13 559 561	46,5
Réseau d'épuration	15 235 997	52,3
	28 795 558	98,8
Ameublement	250 366	,9
Enfouissement sanitaire	84,980	,3
TOTAL	$29 130 904	100,0

Les grands travaux d'aqueduc et d'égout demeurent d'une importance capitale pour les différentes fractions de la bourgeoisie impliquées dans le développement immobilier. Où seront-ils situés? Quand pourront-ils fonctionner? Quelle capacité auront-ils? Ces questions aident à déterminer le rythme de l'expansion de la construction immobilière. Les lieux d'implantation prioritaires de ces équipements, décidés au niveau de l'État régional, prédéterminent les zones à développer et structurent donc, dans une certaine mesure, la rente foncière.

Des conflits se poursuivent au niveau de la répartition des coûts de ces équipements d'aqueduc et d'égout. Dans le cas des usines de filtration, une nouvelle politique a été établie en 1975, fixant les coûts selon le volume d'eau utilisé par chacune des municipalités[115]. Auparavant les coûts étaient répartis selon l'évaluation imposable des municipalités desservies. Avec l'ancien système, Hull était nettement avantagé. D'abord les propriétés fédérales n'étaient pas inclues dans l'évaluation imposable et, ensuite, dans les munici-

---

[114]   Et les coûts de ce projet continuent à augmenter. Au mois de novembre 1978 le président de la C.R.O. a annoncé que l'entente tripartite devrait être réouverte à cause du manque de fonds (*Le Droit*, le 2 novembre, 1978, p. 2).

[115]   Loi 34, sanctionnée le 27 juin 1975, amendement à l'article 155 b de la loi de la C.R.O.

palités environnantes, certaines propriétés qui étaient sur le rôle d'évaluation n'étaient pas branchées sur le réseau d'aqueduc municipal. Donc la nouvelle politique de la C.R.O. tranchant en faveur des intérêts des villes périphériques.

Par contre, la répartition des coûts des travaux d'égout a favorisé la ville de Hull. « Aylmer et Gatineau devront se rendre à leurs frais au grand intercepteur régional alors que ça n'a pas été le cas pour Hull[116]. » Le gouvernement du Québec, la C.C.N. et la C.R.O. ont fourni $11 millions pour la construction d'égouts collecteurs à Hull tandis que Gatineau ne recevra que $4 millions.

La C.R.O. a aussi agi dans le domaine du réseau routier. Là aussi il s'agit de voir cette activité dans le contexte des intérêts de classe et non pas comme une activité purement technique. Au moment de la création de la C.R.O., le réseau routier imposait un frein au développement de la région, plus particulièrement dans les secteurs périphériques. La qualité des routes reliant ces secteurs au centre d'emploi de la région (c'est-à-dire, le centre-ville d'Ottawa) était tellement mauvaise et le temps pour s'y rendre et revenir tellement long que le développement des secteurs résidentiels en était retardé. La possibilité pour les constructeurs d'accaparer la rente foncière était limitée par l'absence des infrastructures routières. Après la création de la C.R.O., les investissements importants du gouvernement du Québec et de la C.C.N. dans le domaine du réseau routier ont débloqué le développement, surtout dans le secteur est de la région. Ces investissements ont donc eu pour effet de favoriser les fractions de la petite bourgeoisie locale active dans la construction domiciliaire à Gatineau.

On peut constater cette même orientation en étudiant la liste des priorités établies dans l'entente signée le 7 janvier 1972. L'entente établissait deux listes de projets et, dans la première liste, trois ou quatre projets touchaient le secteur est.

8.   Pour l'année financière 1971-72, le gouvernement s'engage à prendre les mesures nécessaires pour que soient entrepris dans les plus brefs délais:
  A)   Les travaux de construction:
    1) d'une partie de l'autoroute 5 depuis le boulevard Mont-Bleu jusqu'à Tenaga;
    2) d'une partie de la route rapide dans la ville de Pointe-Gatineau, de la route 8 à la rivière Gatineau;
    3) du pont de la rivière Gatineau;
    4) le boulevard Gréber sur la route 8 entre Pointe-Gatineau et Gatineau.
9.   Pour les années subséquentes, le gouvernement et la Commission conviennent que les travaux suivants seront entrepris et exécutés selon les programmes

---

[116] *Le Droit*, « L'usine d'épuration de Templeton répondra aux besoins de l'Outaouais », le 16 avril 1977.

de construction établis au plus tard trois mois avant le commencement de toute année financière, à partir de 1972-73, en fonction des disponibilités annuelles des deux parties, et nonobstant l'article 4, assujettis à toutes contributions maximales que les parties détermineront ;

A) le raccordement du boulevard Taché et de la rue Laurier au Pont du Portage ;

B) la voie rapide de la rivière Gatineau au boulevard Taché ;

C) les artères urbaines Pink-St-Raymond, St-Laurent-Laramée ;

D) la route rapide à partir de la route no. 8 à Pointe-Gatineau jusqu'à Davidson Corner jusqu'aux limites est de la région de la Capitale Nationale aux environs de Masson ;

E) le chemin reliant le pont Champlain à la rue Pink-St-Raymond et l'artère urbaine Sacré-Coeur ;

F) le prolongement de l'autoroute 50 du boulevard Deschênes aux limites ouest de la Région de la Capitale nationale aux environs de Wyman ;

G) le boulevard Deschênes à partir de l'autoroute 50 jusqu'au chemin Aylmer ;

H) le prolongement de l'autoroute no 5 jusqu'aux limites nord de la Région de la Capitale Nationale aux environs de Lascelles ;

I) l'acquisition des terrains requis pour la section Davidson Corner — boulevard Deschênes de l'autoroute 50[117].

Bien que la C.R.O. ne participait pas financièrement à cette entente, son travail s'inscrivait à l'intérieur des mêmes priorités. Le schéma d'aménagement de la C.R.O. consacrait, d'ailleurs, la priorité donnée au centre et à l'est de la Gatineau.

De façon générale, on préconise que la majeure partie du réseau routier régional de Hull et de Gatineau soit complétée d'ici cinq à dix ans, et celui d'Aylmer d'ici dix à quinze ans[118].

Donc les développements du réseau routier servaient d'abord à augmenter la rentabilité des terrains du secteur est du centre-ville de Hull.

L'impact de la C.R.O. sur les intérêts des différentes fractions de classe s'est cristallisé dans la formulation de son schéma d'aménagement. La première version du schéma a été rendue publique au cours de l'été 1976. La version finale a été approuvée par le ministère des Affaires municipales à la fin de l'été 1978.

---

[117] Entente entre le gouvernement du Québec et la Commission de la Capitale nationale sur l'amélioration du réseau routier dans le secteur québécois de la Région de la Capitale nationale.

[118] COMMUNAUTÉ RÉGIONALE DE L'OUTAOUAIS, *Schéma d'aménagement du territoire* (version préliminaire), p. 74.

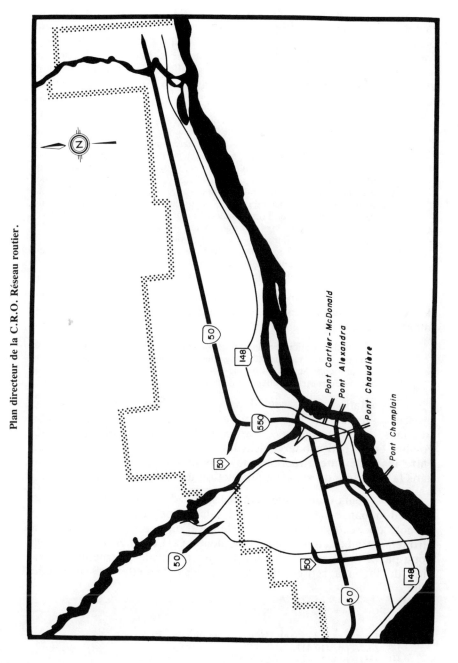

Carte IV-2

Plan directeur de la C.R.O. Réseau routier.

L'intérêt du schéma vient du fait qu'il définit les axes prioritaires de développement et, en plus, il établit les moyens qui seraient utilisés pour réaliser un développement conforme au plan proposé. Le schéma est donc un élément capital pour les différentes fractions de classes qui tentent d'infléchir le schéma en fonction de leurs intérêts. C'est en ce sens que Castells et Godard entrevoient la planification «comme processus de négociation sociale des enjeux urbains[119]».

> En effet, ces plans sont moins des rationalisations d'une idéologie dominante unilatérale que les éléments d'un discours conciliant et intégrateur qui, à l'intérieur de certaines limites, esquisse la comptabilité d'un ensemble de décisions qui leur échappent pour montrer la possibilité et même la nécessité de leur coexistence pacifique... En effet, en tant que processus politique urbain, la planification semble être avant tout un «lieu» de négociation et d'expression médiatisée des conflits et des tendances qui s'affrontent (suivant des déterminations sociales générales) par rapport à l'organisation urbaine et, à travers elle, par rapport à l'ensemble de l'organisation économique et sociale. Par «lieu» de négociation, nous n'entendons pas que les institutions de planification soient le réceptacle passif des différents «groupes de pression», mais nous les considérons plutôt comme un moyen privilégié d'expression des oppositions et des conflits et, par-là, des possibilités de tractations, d'aménagements et de compromis dont le Schéma directeur donnera acte par la suite[120].

Les auteurs continuent leur analyse en précisant les limites de cette négociation, les plans ne reflétant pas également tous les intérêts sociaux.

> Si la planification est un processus de négociation, cela ne veut pas dire qu'on peut tout négocier. On négocie uniquement les thèmes et les options qui, dans une conjoncture historique donnée, ne contredisent pas fondamentalement les intérêts structurellement dominants[121].

Ces citations suggèrent donc que le schéma de la C.R.O. représente un lieu de négociation entre les intérêts des différentes fractions de la bourgeoisie. Particulièrement intéressant seront les conflits entre petite bourgeoisie locale et grand capital immobilier, entre les différentes fractions de la bourgeoisie ayant leurs assises dans la propriété du sol et la production du cadre bâti.

Le schéma d'aménagement reconduit dans ces principaux traits la prédominance des activités fédérales dans la structure d'emploi du côté québécois ainsi que l'existence d'un centre-ville régional lié étroitement aux activités gouvernementales. Le schéma ne s'oppose donc pas à l'influence fédérale, il tente plutôt de restructurer la région de façon à retirer plus de bénéfices de cette présence fédérale.

---

[119]   CASTELLS et GODARD, *Monopolville, op. cit.*, p. 411.
[120]   *Ibid.*, pp. 410-411.
[121]   *Ibid.*, p. 412.

— récupération à l'intérieur de l'agglomération de Hull d'une part de la croissance économique de la région métropolitaine de Hull-Ottawa suffisante pour qu'à la fin du siècle le nombre d'emplois y soit sensiblement égal à celui de sa main-d'œuvre ;

— évolution de la structure d'emploi dans le sens d'une convergence avec celle du secteur ontarien afin de tirer plein parti des avantages reliés à la présence de la base motrice fédérale ;

— développement des fonctions urbaines autonomes par rapport à Ottawa afin d'offrir sur place à la population la gamme complète des services et équipements qui constituent un milieu urbain de première qualité [122].

Cette citation est révélatrice. Le schéma souhaite (ou accepte) la désindustrialisation de la région et le remplacement des ouvriers par des fonctionnaires. La tertiarisation de la main-d'œuvre sera également renforcée par l'insistance que le schéma met sur la mise sur pied des services et équipements. La bourgeoisie commerçante y trouve son profit, car « services et équipements » ne sont pas uniquement, ni même majoritairement, du ressort du secteur public. En accordant une grande importance au développement commercial, le schéma espère donner une certaine prospérité à la région, mais dans un cadre à l'intérieur duquel le gouvernement fédéral a le rôle dominant.

Toujours dans le but de rendre la présence fédérale aussi profitable que possible, le schéma envisage la densification de la partie urbaine de la région et « l'aménagement et la structuration d'un centre-ville régional » comme « une des premières priorités [123] ». La description donnée par le schéma laisse clairement entrevoir la transformation de l'Île de Hull, quartier industriel et résidentiel à caractère ouvrier, en un quartier administratif.

> Se situant au sommet de la hiérarchie des centres, le centre-ville régional doit assumer le plus haut degré de centralité fonctionnelle ; ceci implique qu'il devra accueillir les fonctions administratives de palier supérieur à l'échelle municipale, régionale et provinciale ainsi qu'une très forte concentration d'activités commerciales et de services de portée régionale. Il devra également constituer le point local de l'identification et de l'intégration des valeurs culturelles et sociales de la population. En conséquence, les grands équipements culturels régionaux devront s'y localiser et l'on favorisera hautement l'implantation de fonctions de loisir reflétant le fait français [124].

Le schéma constate une certaine contradiction entre la venue au centre-ville des fonctionnaires majoritairement anglophones et le rayonnement du fait français mais, en suggérant une limite de 30 000 fonctionnaires et en préconisant l'implantation des fonctions administratives municipales, régionales et provinciales, le schéma croit que la « présence de l'administration fédérale au centre-ville ne nous

---

[122] C.R.O., *Schéma d'aménagement du territoire*, version préliminaire, p. 23.
[123] *Ibid.*, p. 47.
[124] *Ibid.*, p. 49.

apparaît en elle-même nullement incompatible avec cet objectif (l'affirmation de l'identité culturelle) [125] ».

En plus du centre-ville, le schéma préconise la création de deux centres de district, l'un à l'est et l'autre à l'ouest. Cette recommendation est d'une très grande importance pour les différentes fractions de la bourgeoisie, d'abord en fonction du site choisi pour les centres et deuxièmement en fonction du rôle de l'État dans la réalisation de ces centres. En désignant un espace comme « centre de district », on augmente la rentabilité de cet espace et on favorise donc certains propriétaires.

En plus de désigner les sites pour les centres de district, le schéma d'aménagement accorde clairement la priorité au centre de district de l'est. Les priorités du développement régional sont au centre et à l'est, ce qui implique que la C.R.O. favorise les fractions de la bourgeoisie actives à Hull et à Gatineau. Le schéma d'aménagement préconise à cette fin l'utilisation des ressources légales et financières des différents appareils étatiques afin d'implanter les équipements d'infrastructure prioritaires dans ces secteurs.

> La coordination de tous les paliers de gouvernement s'impose afin de respecter la hiérarchie que prévoit, au niveau des équipements, le concept d'aménagement régional. Ce dernier commande la distinction des équipements du centre-ville régional, de district et de quartier. Cette distinction doit composer avec le développement des équipements dans le centre de district de l'est [126].

Un effort en vue de densifier l'utilisation du sol et d'orienter le développement vers le centre-ville régional et vers le centre de district de l'est nécessite, de la part du schéma d'aménagement, des restrictions sur le développement dans d'autres secteurs. Le schéma propose donc un système de zonage pour le milieu rural [127] et, en milieu urbain, la désignation des zones d'aménagement différé [128] et des zones d'extension urbaine prioritaire [129]. Les cartes IV-3

---

[125] *Ibid.*, p. 55.

[126] *Ibid.*, p. 63.

[127] Les classifications les plus importantes ont été: les zones agricoles (« les zones seront affectées principalement à l'exploitation commerciale de l'agriculture... et à des usages connexes... On ne pourra y ériger que les bâtiments nécessaires à l'exploitation agricole et au logement des exploitants. Le détachement d'une parcelle d'une exploitation agricole ne sera permis que pour la construction d'une résidence destinée à une personne participant à l'exploitation et à un exploitant qui désire se retirer » — *Schéma*, p. 97), les zones rurales I (« les parties des secteurs de croissance affectées au développement » — *Schéma*, p. 94: dans ces zones les lots doivent avoir une superficie de 40 000 pieds carrés), et les zones rurales II (l'utilisation proposée est nécessairement restreinte et de faible densité » — *Schéma*, p. 95: dans ces zones les lots doivent avoir une superficie de 5 acres).

[128] « Ce sont des zones qui, bien qu'à l'intérieur du périmètre urbain desservable, ne peuvent être développées sans occasionner un étalement urbain incontrô-

et IV-4 indiquent la localisation et l'étendue de ces zones. Ici encore, l'impact sur les intérêts sociaux est très évident; les propriétaires situés dans ces zones voient leurs profits anticipés bloqués, du moins pour une certaine période. Comme nous allons le voir, les proprétaires ont été affectés de façon différente selon leur capacité de garder les terrains jusqu'au moment du développement.

Pour mettre en œuvre son plan, la C.R.O. prévoit une série de mesures comprenant l'acquisition et le remembrement de terrains, le développement des infrastructures d'égout et d'aqueduc, l'évaluation et l'approbation des règlements d'emprunts municipaux. Les auteurs du schéma de la C.R.O. reconnaissent très clairement l'impact des décisions municipales sur l'orientation du développement.

> Outre l'achat stratégique de terrains, un des meilleurs moyens d'appuyer et de diriger le développement consiste à fournir les services d'égout et d'aqueduc d'une façon sélective... Tous les nouveaux plans municipaux d'aqueduc et d'égout devront être soumis à la C.R.O., comme le stipule l'article 153 de sa loi constitutive; la Communauté sera ainsi en mesure de vérifier la concordance de ces plans avec les propositions du schéma et de suggérer les modifications nécessaires.
>
> ...La Communauté doit s'assurer que les emprunts des municipalités pour les travaux publics ne viennent pas compromettre la réalisation des priorités du schéma. En effet, la capacité financière des municipalités étant limitée, les priorités locales doivent coïncider avec les priorités régionales [130].

Ces citations démontrent la volonté de la C.R.O. d'exercer son autorité sur les appareils municipaux. La bureaucratie régionale se méfie des appareils locaux, trop sensibles aux intérêts des fractions de la petite bourgeoisie locale et trop prêts, donc, à accepter des projets fragmentés, anarchiques, etc.

Les réactions suscitées par le schéma illustrent bien sa portée sociale. La vaste majorité des mémoires reçus après la présentation de la première version du schéma touchaient soit à la désignation des zones d'aménagement différé et des zones d'extension urbaine prioritaire, soit au zonage rural. Les propriétaires de terrains désignés «agricoles» demandaient un zonage «rural II», ceux de terrains désignés «rural II» demandaient «rural I» et ceux dans les zones différées exigeaient qu'on les laisse mettre en valeur leurs terrains tout de suite.

---

lable et compromettre la création de l'unité urbaine projetée dans le schéma» (*Schéma*, p. 39).

[129] «Ces zones sont contiguës au développement urbain prévu dans la mise en œuvre du schéma; leur organisation est cependant reportée au-delà de notre horizon de planification, afin de favoriser d'abord la concrétisation de l'unité urbaine envisagée» (*Schéma*, p. 39).

[130] *Schéma*, p. 104. En réalité la C.R.O. n'a pas exercé son contrôle sur les emprunts municipaux, car les membres du conseil, craignant une perte d'autonomie municipale, ont presque toujours accepté les emprunts venant des municipalités.

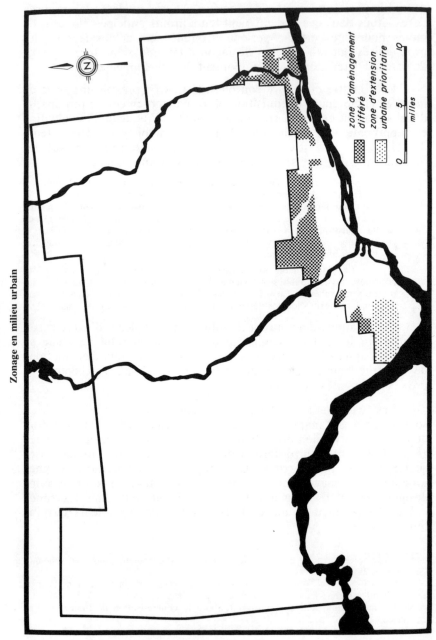

Carte IV-3

Zonage en milieu urbain

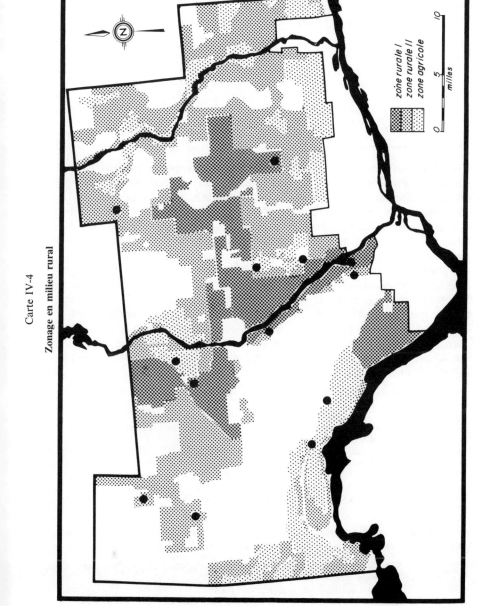

Carte IV-4

Zonage en milieu rural

Les mémoires venaient peu de Hull, et presqu'exclusivement, des propriétaires de terrains. En partie nous pouvons parler d'une révolte des petits propriétaires. Plusieurs mémoires disaient que la désignation de la C.R.O. revenait à une expropriation sans indemnisation et qu'on abrogeait ainsi le droit de propriété.

> Nous sommes d'avis à dire que c'est injuste et que c'est une atteinte grave aux libertés d'action et d'expression dont plusieurs se gargarisent mais pour lesquelles beaucoup ont même donné leur vie. Nous avons donc la nette certitude que nous sommes lésés dans nos droits pour les raisons énoncées dans ce rapport.
>
> ...Il serait beaucoup plus logique et plus juste, si on veut exproprier du terrain, de prévoir des indemnités nécessaires à ces fins plutôt que de faire reposer l'onéreux de la situation sur le dos de petits propriétaires ou de cultivateurs de la région[131].

En plus de représenter la frustration des petits propriétaires, certains mémoires reflétaient des intérêts plus considérables. Il y a eu des alliances entre les petits propriétaires, parfois des ex-cultivateurs, et la petite bourgeoisie immobilière locale. À Gatineau, le constructeur Robert Labine a préparé un mémoire au nom d'une centaine de propriétaires de terrains situés au nord de la future autoroute 50. Le groupe a insisté sur l'impact que la désignation de zone différée aurait sur la valeur de ses terrains et il a exigé que la question soit étudiée de nouveau. Se disant « en accord avec les principes d'organisation du territoire que la C.R.O. met de l'avant par un phasage du développement urbain basé sur la rentabilisation des services et équipements nécessaires au bon fonctionnement du tissu urbain[132] », le comité a eu recours aux méthodes et au langage des technocrates des appareils étatiques en demandant qu'une étude soit entreprise.

> Considérant les éléments que nous venons de souligner, nous demandons:
>
> b) qu'un schéma d'aménagement de la zone différée soit commandée à une firme privée d'Urbanistes en consultation avec le service d'urbanisme de la ville de Gatineau, de la C.R.O. et des propriétaires des terrains composant cette zone... D'autre part, des propositions devraient être apportées quant à l'utilisation temporaire des terres qui devront, selon cette étude, n'être aménagées qu'ultérieurement, de façon à éviter qu'un groupe de propriétaires fasse seul les frais de la conservation de terrains pour l'expansion future de la ville[133].

Selon ce document, le problème n'est pas tant les objectifs du schéma qui visent le bien-être de la communauté, mais les moyens

131 Mémoire de Noël et Narcisse Charette.
132 Lettre du Comité de développement du nord de l'autoroute 550 (Secteur Gatineau) à la Commission consultative du schéma d'aménagement de la C.R.O., le 17 septembre 1976, p. 1.
133 *Ibid.*, p. 3.

qui pénalisent un groupe au détriment de l'ensemble de la population. D'autres mémoires sont moins polis à l'égard du schéma, soulignant les avantages que retireraient les grosses compagnies. Cette idée revient dans le mémoire présenté par Conrad Leduc, ancien échevin et courtier d'immeuble, et également dans celui de la Chambre d'immeuble de Hull.

> Par le gel de ce territoire, la C.R.O. croyait pouvoir empêcher la spéculation. Malheureusement c'est tout le contraire qui va se produire. Ces terres, qui auparavant, avaient une certaine valeur marchande, au point de vue développement domiciliaire, se voient par le schéma d'aménagement réduit à la simple valeur agricole. Quelle aubaine pour les spéculateurs qui pourront les acquérir à prix réduits, pour ensuite attendre que le développement soit rendu à leur porte.
>
> Actuellement dans notre région, le coût des terrains pour construire domiciliaire est le plus élevé de toute la province, et par ses contraintes la C.R.O. contribue encore plus à en faire monter le coût en limitant le développement à un espace très restreint par rapport à l'ensemble de la ville. Alors imaginez les gros propriétaires fonciers qui, dans certains cas, possèdent plusieurs centaines d'acres, quels beaux jeux ils ont, car qu'on le veuille ou non, les promoteurs et les constructeurs devront se plier à leurs demandes[134].
>
> Il se pourrait alors fortement que nous assistions dans les 5 prochaines années à un jeu de spéculation et de profit exhorbitant, auquel seules les grosses compagnies de développement immobilier pourraient prendre part.
> En plus d'une hausse effrénée de prix, ces évènements signifieraient aussi la disparition de nombreux contracteurs locaux qui, jusqu'à ce jour, jouent un rôle important et valable dans le développement immobilier du territoire[135].

La réaction a été particulièrement hostile dans le secteur de Gatineau, secteur où la petite bourgeoisie immobilière est forte. Les représentants de cette fraction de classe croyaient que la décision de la C.R.O. de retarder le développement dans certains secteurs aiderait les intérêts du grand capital immobilier, capable de garder les terrains jusqu'au moment du développement. Les petits propriétaires, spéculateurs et constructeurs auraient de la difficulté à survivre et se verraient obligés de vendre leurs terrains. À cause du gel, les zones en développement verraient des augmentations dans le prix du terrain, facteur qui désavantagerait, sinon éliminerait, les petits constructeurs qui doivent acquérir leurs terrains des propriétaires fonciers. En choisissant d'orienter le développement, de le canaliser vers certains secteurs et d'en limiter d'autres, la C.R.O. favorisait les intérêts du grand capital immobilier aux dépens de ceux de la petite bourgeoisie locale.

En même temps, la décision de la C.R.O. d'accorder une priorité à l'est plutôt qu'à l'ouest favorisait les intérêts de ceux qui contrôlaient les terrains dans ce secteur. Comme nous l'avons déjà

---

[134] Mémoire de Conrad Leduc sur le schéma d'aménagement de la C.R.O.
[135] Mémoire de la Chambre d'Immeuble de Hull sur le schéma d'aménagement de la C.R.O.

vu, le développement domiciliaire est plus entre les mains de la petite bourgeoisie locale à Gatineau qu'à Aylmer et donc une stratégie qui mettait la puissance de l'État au service d'un développement à l'est favorisait cette petite bourgeoisie locale. Par contre, le type de développement préconisé dans le schéma pour créer le centre du district est, et donc pour structurer le développement à l'est ne favorisait pas les petits constructeurs locaux. Le schéma de la C.R.O. souhaitait la construction d'un grand complexe immobilier avec centre d'achat ainsi qu'une densification du développement résidentiel autour de ce noyau; des projets de cette envergure sont difficiles, sinon impossibles, à réaliser pour la petite bourgeoisie immobilière. Nous voyons donc dans le schéma d'aménagement de la C.R.O. « l'expression médiatisée des conflits » dont Castells et Godard ont parlé; on tentait de concilier les intérêts du grand capital et de la petite bourgeoisie immobilière en préconisant un développement à l'est basé sur un grand complexe qui « repose sur le principe de multifonctionalité, c'est-à-dire sur l'interaction harmonieuse des fonctions commerciales, administratives, résidentielles, de service, récréatives et culturelles [136] ».

Cette fonction de médiation ou de régulation des intérêts de classe se reflétait aussi dans la décision d'insister sur une plus grande autonomie québécoise. L'autonomie visée ne se situait pas, comme nous l'avons déjà dit, au niveau de l'emploi mais plutôt au niveau du commerce et des services. Une étude de la S.A.O. avait conclu que près de $77 millions en pouvoir d'achat des résidents de la C.R.O., dont près de $35 millions dans le cas de la nouvelle municipalité de Gatineau, étaient versés aux marchands ontariens. À cause de cette situation, l'idée de stimuler la consommation locale et d'encourager un développement commercial important favorisait la grande bourgeoisie commerciale mais aussi les commerçants locaux et les appareils politiques locaux (à travers la remise d'un pourcentage de la taxe de vente) [137]. Le schéma de la C.R.O. tentait donc de réconcilier l'ensemble des fractions de la bourgeoisie commerciale en préconisant un accroissement général du secteur commercial.

L'outil principal pour réaliser cette autonomie accrue était l'implantation du réseau routier. La priorité allait « au développement d'un corridor régional inter-district (est-ouest) [138] » de façon à faciliter l'accès de toute la population sur le territoire de la C.R.O. aux centres commerciaux. Dans le même but, le schéma prévoyait retarder la réalisation des projets routiers reliant le côté québécois

---

[136] *Schéma*, p. 61.
[137] Avec la réforme fiscale, cette remise de la taxe de vente a été éliminée.
[138] *Ibid.*, p. 74.

au côté ontarien. Ceci a été particulièrement clair pour le secteur ouest, avec la décision de retarder la construction du pont Deschênes.

> Le district de l'ouest étant déjà fortement polarisé par les équipements commerciaux d'envergure régionale qui se trouvent à l'ouest de la ville d'Ottawa, l'émergence d'une armature commerciale relativement autonome dans ce district exigera une action concertée de tous les intervenants... Enfin, on devra veiller à ce que la construction du pont prévu à la hauteur de Deschênes ne précède pas le développement de la première phase du complexe commercial et n'en compromette pas la réalisation[139].

Dans cet effort pour augmenter l'autonomie commerciale québécoise, le schéma de la C.R.O. était en conflit avec les plans d'urbanisme de l'organisme fédéral, la C.C.N. La C.C.N. préconisa une intégration accrue des deux côtés de la rivière des Outaouais et donc accordait une priorité aux liens nord-sud.

Cette première opposition entre les visions de planification de la C.R.O. et de la C.C.N. n'était pas la seule. Il y avait aussi un conflit entre la priorité donnée par la C.R.O. au développement de l'est de la région tandis que la C.C.N., du côté québécois, donnait une priorité au secteur ouest[140]. Cette forme de développement se justifiait, pour les urbanistes de la C.C.N., surtout en termes idéologiques. Selon eux, le Parlement canadien devait être le point central de la région.

> Le modèle d'aménagement de la dernière décennie — expansion urbaine rapide à l'est de la Gatineau au Québec et à l'ouest de la rivière Rideau en Ontario — a déséquilibré la forme de la Capitale. Ceci doit être contrecarré par la création d'un lien puissant entre Ottawa et Hull, à travers le centre présentement urbanisé... Nous concevons ce lien comme une épine dorsale urbaine interprovinciale qui renforcerait la colline du Parlement comme foyer d'Ottawa-Hull[141].

Les plans de la C.C.N. sont donc favorables pour ceux qui détiennent les terrains au centre-ville de Hull et dans le secteur ouest. Pour sa part, la C.R.O. voulait rentabiliser le développement à l'est de la Gatineau, développement en faveur des intérêts de la petite bourgeoisie locale. Par contre, comme nous l'avons vu lors de l'analyse du centre-ville de Gatineau, la forme de développement préconisée par la C.R.O. favorisait plus les intérêts du grand capital. La petite bourgeoisie locale a préféré bloquer le développement d'un gros centre-ville à l'est pour appuyer un développement moindre mais plus conforme à ses intérêts.

---

[139] *Ibid.*, p. 69.
[140] C.C.N., *Une capitale de demain: invitation au dialogue*, 1974.
[141] *Ibid.*, pp. 24-25.

Carte IV - 5

Le Concept d'aménagement de la C.C.N.

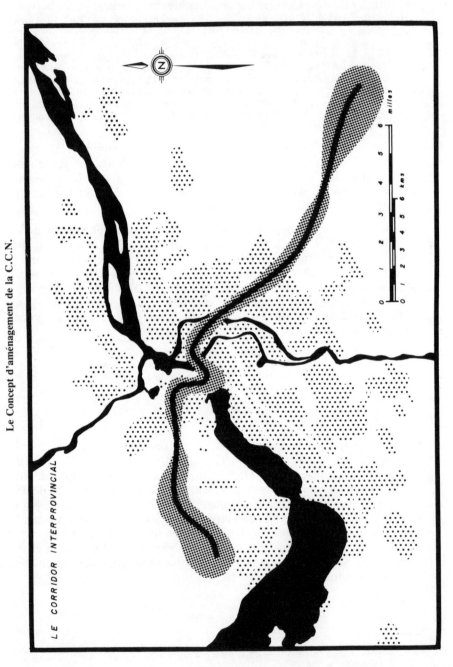

LE CORRIDOR INTERPROVINCIAL

Cette analyse du schéma de la C.R.O. nous a permis de situer cet organisme face aux différentes fractions de la bourgeoisie. La C.R.O. a tenté de médiatiser les conflits entre petite bourgeoisie locale et grand capital. Elle a préconisé un développement prioritaire du centre-ville de Hull (dominé par le grand capital), puis du secteur est où certains éléments de la petite bourgeoisie locale sont bien vivants. En installant les équipements d'infrastructure à une échelle régionale, la C.R.O. a permis l'expansion du développement et a aidé ainsi la bourgeoisie immobilière à profiter de ce développement. Par contre, la densification du développement préconisée par le schéma nuit aux intérêts de la petite bourgeoisie locale. En plus, ces fractions de classe se sentent éloignées du pouvoir politique, voyant la C.R.O. comme une structure de plus en plus bureaucratique et dominée par les experts. L'ambiguité de la C.R.O. face à la petite bourgeoisie locale ressort clairement ; cette structure politique a été nécessaire afin de maintenir les conditions du développement favorables à cette fraction de classe mais, en même temps, l'action de la C.R.O. rend plus périlleuse la position de cette petite bourgeoisie locale.

CONCLUSION.

Notre analyse du rôle de l'État a démontré l'importance des appareils politiques locaux dans la production du cadre bâti et, plus généralement, dans la reproduction des rapports sociaux. L'État local assure les conditions nécessaires à la rentabilisation du sol et son action est un apport déterminant à la production de la rente foncière, accaparée au centre par le grand capital et en périphérie par les différentes fractions de la bourgeoisie. L'État local joue également un rôle au niveau du désamorçage des luttes sociales et de l'intégration des différentes fractions de classe marginalisées par l'imposition du modèle de développement. Par l'ensemble de ses activités, l'État local joue un rôle indispensable dans la mise en valeur de l'espace et dans la reproduction de la force du travail.

Les appareils politiques municipaux ont été dominés par la petite bourgeoisie locale et les municipalités de l'est de la région, en particulier, ont œuvré fermement pour soutenir les intérêts de cette fraction de classe. Le contrôle politique des appareils municipaux est un élément important dans la lutte que mènent certaines parties de la petite bourgeoisie locale contre la domination du grand capital. Cette lutte, rappelons-le, n'implique pas une contestation globale du rôle prédominant du grand capital immobilier, mais plutôt des efforts pour préserver une place profitable pour la petite bourgeoisie locale dans les processus de l'appropriation du sol et de la production du cadre bâti. En plus des appareils politiques municipaux, il y a eu au courant des années 70 l'émergence de nouvelles structures politiques, d'envergure plus grande, et, comme nous l'avons vu, ces nouvelles structures n'appuient pas aussi fidèlement les intérêts de la petite bourgeoisie locale. Par contre, et ici le conflit concernant le centre-ville de Gatineau nous semble exemplaire, cette fraction de classe est parfois capable de se servir des nouveaux appareils d'État pour promouvoir ses intérêts.

Notre analyse s'est concentrée sur les conflits entre la petite bourgeoisie locale et le grand capital immobilier. Jusqu'à présent, les classes populaires ont été à peu près absentes de notre analyse. D'une part ceci correspond à la réalité du pouvoir politique dans la région; les classes populaires sont presqu'exclues des décisions qui les concernent. Mais nous ne pouvons pas les exclure de notre analyse, car les processus d'appropriation du sol et de la production du cadre bâti les concernent directement. Pour cette raison nous voulons examiner d'abord les conséquences sociales de l'urbanisation telle que vécue dans l'Outaouais québécois et ensuite les différentes formes d'action politique entreprises par certaines organisations afin de traduire les revendications des classes populaires sur la scène politique régionale.

Annexe IV-A

SUBVENTIONS DU GOUVERNEMENT QUÉBÉCOIS
AUX MUNICIPALITÉS DE L'OUTAOUAIS QUÉBÉCOIS.

I – HULL.

	Montant	Programme de subvention
1967-68	—	
1968-69	13 147,19	Travaux d'hiver
1969-70	18 261,13	Travaux d'hiver
	54 380,47	Subvention spéciale
	72 641,60	
1970-71	60 746,10	Subvention spéciale
1971-72	65 377,10	Subvention spéciale
1972-73	80 311,83	Subvention spéciale
	150 000,00	M. des Transports*
	230 311,83	
1973-74	381 480,00	Subvention spéciale
1974-75	635 800,00	15 000 âmes
1975-76	696 600,00	15 000 âmes
1976-77	714 200,00	15 000 âmes
1977-78	26 000,00	M. des Transports
	2 454 080.00	

Source : Compilation des dossiers du ministère des Affaires municipales pour toutes les subventions, sauf celles pour l'amélioration du réseau routier. Dans ce dernier cas, les informations nous ont été fournies par le Ministère des Transports.

* Les chiffres pour le ministère des Transports ne couvrent que la période 1972-73 à 1977-78.

II – GATINEAU.

A. *Gatineau.*

	Montant	Programme de subvention
1967-68	11 059,40	Travaux d'hiver
1968-69	5 195,08	Incendie
1969-70	23 910,41	Incendie
1970-71	23 303,01	Incendie
1971-72	23 303,01	Incendie
1972-73	23 303,01	Incendie
1973-74	18 763,90	Incendie
(après regroupement)		
1974-75	79 900,00	Aqueduc et égout
	216 968,52	M. des Transports
	296 868,52	
1975-76	79 900,00	Aqueduc et égout
	696 600,00	15 000 âmes
	186 747,00	Regroupement
	950 380,00	Aide financière
	108 459,98	
	2 022 086,98	
1976-77	79 900,00	Aqueduc et égout
	781 400,00	15 000 âmes
	186 747,00	Regroupement
	326 792,00	Aide financière
	166 540,66	M. des Transports
	1 541 379,66	
1977-78	161 165,00	Aqueduc et égout
	373 494,00	Regroupement
	15 000,00	M. des Transports
	549 659,00	

B. *Pointe-Gatineau.*

1967-68	11 194,19	Travaux d'hiver
1968-69	3 214,77	Incendie
1969-70	3 214,75	Incendie
1970-71	3 214,75	Incendie
1971-72	3 214,75	Incendie
1972-73	—	
1973-74	100 000,00	M. des Transports
1974-75	(Voir Gatineau)	

C. *Touraine.*

1967-68	438,26	Travaux d'hiver
1968-69	—	
1969-70	—	
1970-71	2 622,01	Incendie
1971-72	30 900,00	Aqueduc et égout
	2 621,99	Incendie
	33 521,99	

	Montant	*Programme de subvention*
1972-73	29 900,00	Aqueduc et égout
	2 621,99	Incendie
	19 000,00	M. des Transports
	51 521,99	
1973-74	79 900,00	Aqueduc et égout
	2 621,99	Incendie
	15 000,00	M. des Transports
	97 521,99	
1974-75	(Voir Gatineau)	

D. Templeton.

	Montant	*Programme de subvention*
1966-67	8 000,00	Aqueduc et égout
1967-68	28 000,00	Aqueduc et égout
1968-69	21 000,00	Aqueduc et égout
	3 214,70	Incendie
	24 214,70	
1969-70	14 000,00	Aqueduc et égout
	3 214,70	Incendie
	17 214,70	
1970-71	9 336,00	Aqueduc et égout
	3 214,00	Incendie
	12 550,70	
1971-72	7 000,00	Aqueduc et égoût
	3 214,70	Incendies
	10 214,70	
1972-73	50 664,00	Aqueduc et égout
	4 787,37	M. des Transports
	55 451,37	
1973-74	10 000,00	M. des Transports
1974-75	(Voir Gatineau)	

E. Templeton-Est.

	Montant	*Programme de subvention*
1966-67	1 210,07	Travaux d'hiver
1967-68	—	
1968-69	—	
1969-70	—	
1970-71	—	
1971-72	—	
1972-73	23 383,60	M. des Transports
1973-74	—	
1974-75	(Voir Gatineau)	

F. Templeton-Ouest.

	Montant	*Programme de subvention*
1966-67	2 471,30	Travaux d'hiver
1967-68	—	
1968-69	—	
1969-70	—	
1970-71	—	
1971-72	—	
1972-73	7 797,16	M. des Transports
1973-74	2 862,46	M. des Transports
1974-75	(Voir Gatineau)	

	Montant	Programme de subvention
III – AYLMER.		
A. Aylmer.		
1966-67	2 625,08	Travaux d'hiver
1967-68	4 408,00	Travaux d'hiver
1968-69	12 339,26	Travaux d'hiver
1969-70	26 948,14	Travaux d'hiver
1970-71	—	
1971-72	48 850,00	Aqueduc et égout
1972-73	48 850,00	Aqueduc et égout
	17 769,92	M. des Transports
	66 619,92	
1973-74	98 850,00	Aqueduc et égout
(après regroupement)		
1974-75	252 549,39	Aqueduc et égout
	77 623,00	M. des Transports
	330 172,39	
1975-76	153 692,39	Aqueduc et égout
	201 336,30	Aide financière
	52 923,00	Regroupement
	114 600,00	15 000 âmes
	15 970,50	M. des Transports
	538 522,19	
1976-77	152 008,08	Aqueduc et égout
	52 923,00	Regroupement
	118 800,00	15 000 âmes
	50 000,00	M. des Transports
	373 731,08	
1977-78	60 600,00	Aqueduc et égout
	55 985,00	Incendie
	105 846,00	Regroupement
	167 000,00	M. des Transports
B. Lucerne.		
1966-67	2 059,51	Travaux d'hiver
1967-68	2 055,47	Travaux d'hiver
1968-69	—	
1969-70	—	
1970-71	—	
1971-72	—	
1972-73	31 729,55	M. des Transports
1973-74	—	
1974-75	(Voir Aylmer)	
C. Deschênes.		
1966-67	5 077,35	Incendie
1967-68	37 896,98	Aqueduc et égout
	392,04	Incendie
	1 365,05	Travaux d'hiver
	39 654,07	
1968-69	34 107,28	Aqueduc et égout
1969-70	30 317,58	Aqueduc et égout

	Montant	*Programme de subvention*
1970-71	26 106,81	Aqueduc et égout
1971-72	20 632,80	Aqueduc et égout
1972-73	15 158,79	Aqueduc et égout
	18 238,95	Aqueduc et égout
	33 397,74	
1973-74	9 684,78	Aqueduc et égout
1974-75	(Voir Aylmer)	

Chapitre V

Les organismes populaires
et les enjeux urbains

Dans les chapitres précédents, nous avons examiné la lutte pour l'hégémonie politique régionale, lutte qui se fait essentiellement entre les différentes fractions de la bourgeoisie. Même si les couches populaires sont à peu près exclues de cette lutte, ceci n'implique aucunement qu'elles ne sont pas touchées par le processus d'appropriation du sol et de production du cadre bâti. Pour cerner ces conséquences, nous allons scruter les changements intervenus dans les conditions de reproduction de la force de travail et évaluer l'impact de la force de ces changements sur les couches populaires. Comme partie de cette évaluation, nous allons examiner les groupes qui ont formulé des revendications au sujet des conditions de reproduction de la force de travail. L'étude de ces revendications et du travail de mobilisation de ces groupes nous permet de mieux comprendre la scène politique régionale. Notre analyse des transformations des conditions de reproduction de la force de travail ne se veut pas exhaustive ; elle est centrée sur les changements les plus apparents et sur ceux qui ont donné lieu à des débats politiques.

Toute analyse des transformations régionales doit commencer par une étude du centre-ville de Hull, car, comme nous l'avons déjà souligné, il représente le point central et le moteur principal des changements dans la région. La transformation du centre-ville visait à substituer une utilisation de l'espace par une autre, à remplacer un quartier industriel et ouvrier par un quartier dominé par les bureaux gouvernementaux avec logements et commerces destinés aux fonctionnaires. Nous verrons donc le même conflit que Jean Lojkine a analysé dans le cas de Paris.

> Opposition objective, inscrite dans la nature même de la nouvelle fraction de classe dominante pour qui tant la nécessité de concentrer et de « socialiser » son appareil directionnel, ses sièges sociaux, que les « lois » du marché foncier et immobilier « dictent » la concentration des bureaux et des immeubles de luxe à Paris et le rejet dans une banlieue de plus en plus lointaine des usines et des logements sociaux.
>
> À l'inverse, la masse de plus en plus importante des travailleurs salariés, victimes des migrations alternantes et réduits par la fatigue du travail et des transports au cycle peu enviable « métro-boulot-dodo », remettent en cause le principe même de la ségrégation urbaine. Chaque opération de « ré-

novation urbaine» voit alors s'affronter deux conceptions de l'urbanisme qui tendent de plus en plus à être aussi deux conceptions de la société[1].

Nous avons déjà décrit cette transformation mais sans examiner d'une façon précise son impact sur les classes populaires. L'impact premier a été, sans nul doute, les expropriations. De 1969 à 1974, il y eut 1 315 logements démolis dans l'Île de Hull, soit un total de 4 265 personnes délogées[2]. Les personnes délogées viennent en grande partie des couches populaires, car l'Île de Hull a traditionnellement été un milieu populaire, regroupant des travailleurs, des retraités et des petits salariés[3].

Quelles ont été les conséquences de l'expropriation? Malheureusement, seuls des renseignements très partiels existent, car dans le cas des premières expropriations il n'existe aucune information sur la relocalisation des expropriés. Par conséquent, il n'est pas possible de retracer l'ensemble de ceux qui ont subi l'expropriation. Il existe, cependant, certaines informations sur un groupe plus limité: les locataires qui ont été expropriés au cours de l'été 1974 pour l'élargissement des boulevards St-Laurent et Sacré-Cœur[4].

Les résultats de l'étude démontrent bien l'impact de l'expropriation sur les résidents du quartier. Seule la moitié des expropriés a trouvé à se reloger dans le même quartier. Cette mobilité forcée a donc eu comme effet de chasser les couches populaires du centre-ville de Hull. De cette façon, la transformation du quartier devient plus facile non seulement parce que beaucoup de gens sont partis, mais aussi parce que la structure sociale existante du quartier est affaiblie par la désorganisation. Les auteurs de l'étude sur l'autoroute est-ouest à Montréal abonde dans le même sens lorsqu'ils constatent que:

---

[1] Jean LOJKINE, *La politique urbaine dans la région parisienne 1945-1972*, Mouton, 1972, p. 264.

[2] ANDREW et al., *op. cit.*, p. 54.

[3] *Ibid.*, pp. 27-30. Un indice vient des chiffres pour le revenu familial annuel en 1971. La population de l'Île de Hull est sensiblement moins riche que le reste de la ville de Hull.

Revenu familial annuel à Hull en 1971

Catégories de revenu	Île de Hull %	Reste de la ville %
$0-$2 999	15,8	6,6
$3 000-$5 999	21,8	13,4
$6 000-$9 999	35,9	31,2
$10 000 et plus	26,1	48,3
	(N-3 965)	(N-11 015)

[4] Voir ANDREW et al., *op. cit.*, pp. 71-76. Nous avons repris ici les grandes lignes de cette analyse. Pour une étude plus exhaustive des conséquences d'une expropriation, voir Serge CARLOS et Marie LAVIGNE, *L'expropriation ou la surconsommation obligatoire du logement: le cas de l'autoroute est-ouest*, I.N.R.S.-Urbanisation, 1975.

L'expropriation pour fin d'implantation de l'autoroute est-ouest est, clairement, de ce type d'intervention publique qui, par l'écrémage systématique de la population la plus autonome, conduit à plus ou moins long terme à la concentration d'une population dépendante, non diversifiée et vite anomisée, à la ghettoisation d'un quartier[5].

Au plan individuel, la conséquence première de l'expropriation se caractérise par une hausse dans les coûts du logement. Comme le tableau suivant l'indique, dans le cas des expropriés de St-Laurent/Sacré-Cœur, avant l'expropriation, deux-tiers des ménages payaient moins de $120 par mois pour se loger, alors qu'après l'expropriation il n'y avait plus que le tiers des ménages qui réussissaient à se loger à ce prix. Un autre indice de cette augmentation des coûts est le coût total médian du logement. Avant l'expropriation, celui-ci se situait à $107 par mois, mais après, ce chiffre a grimpé à $151.

Tableau V-1

TABLEAU COMPARATIF DU COÛT TOTAL DU LOYER MENSUEL
AVANT ET APRÈS L'EXPROPRIATION.

Catégories de loyer mensuel	Coût total[a] du loyer mensuel avant l'expropriation		Coût total du loyer mensuel après l'expropriation	
	N:74		N:74	
$40-59	2,8%		4,1%	
$60-79	11,1%	66,7%	8,1%	32,5%
$80-99	27,8%		8,1%	
$100-119	25,0%		12,2%	
$120-139	20,8%		12,2%	
$140-159	8,3%		9,3%	
$160-179	1,4%		4,1%	
$180-199	—		2,7%	
$200-249	—		4,1%	
$250 et plus	2,8%		35,1%	
N/S	2,8%		0,0%	
Total	100,0%		100,0%	

[a] Le coût total du loyer mensuel inclut le loyer brut, le chauffage et l'électricité.

Source : ANDREW et al., op. cit., p. 72.

La hausse des coûts de logement a été beaucoup plus importante pour les expropriés qui ne se sont pas relogés dans l'Île de Hull. Si nous considérons les 36 ménages (sur un total de 74) qui se sont relogés dans l'Île, nous constatons que 57% ne paie pas plus que $120 par mois. Mais, si nous isolons les expropriés qui se sont

---

[5]   CARLOS et LAVIGNE, op. cit., p. 373.

trouvés un logement en dehors de l'Île de Hull, seulement 10,3%
paient moins de $120 par mois et 64% paient $250 et plus par mois
pour se loger[6].

En plus de l'augmentation dans les coûts pour le logement,
l'expropriation a entraîné d'autres coûts additionnels, notamment
pour le transport.

> Auparavant 22 ménages déclaraient ne pas rencontrer de tels coûts à
> cause de la proximité du lieu de résidence au lieu de travail. Maintenant
> ce nombre se réduit à 5. Parallèlement, il faut plus de temps pour se rendre
> au lieu de travail[7].

Il ressort donc que l'expropriation a eu comme résultat une augmentation considérable du coût de la vie pour les couches populaires
directement touchées.

Les logements, après l'expropriation, étaient plus grands et
avaient plus de commodités. De plus, et particulièrement pour ceux
relogés à l'extérieur de l'Île de Hull, les expropriés étaient plus sa-
tisfaits de leur nouvel environnement, jugeant qu'il y avait moins de
bruits de la rue et plus d'espaces verts[8]. Cette situation se retrouve
également à Montréal et les auteurs de l'étude de l'autoroute est-
ouest l'expliquent en soulignant que la pénurie des logements à bon
marché a poussé les expropriés vers une «surconsommation obligatoire du logement[9]».

> Au niveau agrégé, on a observé une amélioration certaine de la quali-
> té objective du stock de logements et une augmentation non moins certaine
> du coût du logement ... En termes du marché, cette poussée obligée des coûts
> vers le haut en liaison avec l'acquisition forcée de caractéristiques interre-
> liées du logement exprime, on ne peut plus clairement, une carence impor-
> tante des sous-marchés à loyer modique[10].

Tout en constatant certaines améliorations dans la qualité des
logements, les expropriés demeuraient très conscients de ce que
l'expropriation signifiait pour eux en termes de perte de centralité.
La moitié, comme nous l'avons souligné, ont dû quitter l'Île de Hull
et ces gens-là se rendaient compte de l'impact de cet éloignement du
centre. Quand les expropriés ont comparé leur logement avant et
après l'expropriation sur une série d'éléments, la distance au lieu de
travail était considérée comme l'élément le moins satisfaisant dans
leur nouveau logement. D'autres facteurs qui ont également été
mentionnés sont l'éloignement du marché d'alimentation et du cen-

---

6 Il faut souligner qu'un tiers de ces ménages qui paient $250 et plus
représente les cas des locataires devenus propriétaires. Rappellons que l'étude ne
touchait que les expropriés-locataires.

7 ANDREW et al., *op. cit.*, p. 75.

8 ANDREW et al., *op. cit.*, p. 76.

9 CARLOS et LAVIGNE, *op. cit.*, p. 359.

10 *Ibid.*, pp. 352 et 356.

tre de loisirs[11]. Les expropriés se rendaient compte des effets d'une ségrégation sociale de plus en plus grande, leurs choix résidentiels se situant de plus en plus dans des banlieues périphériques éloignées du travail, des commerces, des loisirs, etc.

Nous avons brossé un tableau rapide des conséquences de l'expropriation pour les couches populaires: augmentation considérable des coûts, perte de centralité, désagrégation du quartier. Et ceci ne s'arrête pas avec les expropriations. Comme nous l'avons déjà vu, ces expropriations ont été suivies par une accélération de la spéculation foncière dans l'Île de Hull[12]. La spéculation foncière n'est évidemment pas un phénomène nouveau, mais la venue des édifices fédéraux au centre-ville de Hull a engendré une intensification du processus. Un indice de cet accroissement se voit dans l'augmentation rapide du nombre de mutations de propriété dans la ville de Hull à partir de 1971. Malheureusement les chiffres pour l'Île de Hull n'existe que pour les années 1972-1974, mais nous constatons tout de même une augmentation importante entre 1972 et 1973.

Tableau V-2

NOMBRE DE MUTATIONS DE PROPRIÉTÉ DANS LA VILLE DE HULL
ET DANS L'ÎLE DE HULL[13].

Année	Hull	L'Île de Hull
1969	847	
1970	754	
1971	1 452	
1972	1 092	128
1973	1 061	193
1974	1 483	185

Il est intéressant de s'attarder brièvement sur le rapport entre les décisions des appareils étatiques et la réaction du secteur privé. Cette réaction s'est manifestée surtout à partir de 1971, c'est-à-dire après que l'intervention des gouvernements soit devenue une réalité concrète. Avant que le gouvernement fédéral n'ait décidé de s'implanter au centre-ville de Hull, les entrepreneurs privés étaient nullement intéressés à y investir[14]. Même après cette décision, le sec-

---

[11] ANDREW et al., *op. cit.*, p. 76.

[12] Voir chapitre IV, p. 169.

[13] BORDELEAU et GUIMONT, *op. cit.*, p. 114. Les données pour la ville de Hull viennent du Bureau statistique du Québec. Celles pour l'Île ont été compilées à partir du recensement effectuée par «TEELA Market Corporation».

[14] Interview avec M. Marcel D'Amour, ancien maire de Hull. M. D'Amour expliquait toutes ses démarches vis-à-vis du secteur privé, toutes sans succès, avant la décision du gouvernement fédéral.

teur privé a attendu que la volonté du gouvernement fédéral se traduise dans le béton. Tout comme nous l'avons vu dans le cas de Place du Centre et des Terrasses de la Chaudière[15], l'entrepreneur qui cherche à justifier son profit par les risques qu'il prend, est de plus en plus un mythe, du moins au niveau de la grande entreprise. En effet, le secteur privé n'a réagi qu'une fois la transformation sociale du centre-ville de Hull suffisamment avancée et la participation de l'État assurée[16].

Le rôle de l'État dans la création d'une rente foncière accrue pour les entrepreneurs privés se voit aussi par le fait que les secteurs les plus convoités du centre-ville de Hull sont ceux qui sont bien pourvus en équipements collectifs. Par exemple, la zone entre les boulevards Laurier et Maisonneuve est un secteur recherché en raison du réseau routier, mais également en raison de sa proximité au parc Jacques Cartier, aménagé par la C.C.N. Pour des raisons similaires, les terrains environnant le parc Fontaine ont fait l'objet de l'attention des spéculateurs.

Ces mouvements de spéculation aggravent les conditions de logement des couches populaires de différentes façons : soit parce que les nouveaux propriétaires n'entretiennent pas les logements et les laissent se détériorer, soit parce qu'ils démolissent les logements pour en construire d'autres plus luxueux à des prix inabordables pour les anciens locataires, soit encore qu'on démolisse les logements pour les remplacer par des terrains de stationnement, des stations-services, etc.

Tout ce processus — de démolition, d'abandon, de détérioration — permet aux propriétaires de s'accaparer d'une rente foncière accrue. Pour les couches populaires, ce processus signifie une détérioration dans leurs conditions de logement. L'effet est semblable à celui des expropriations ; les couches populaires sont repoussées du centre-ville de Hull. Le centre, en changeant de fonction, change aussi de population. La transformation du centre de la région a donc impliqué un transfert de l'ancienne population et elle a imposé à cette population une augmentation dans ses dépenses, notamment celles qui touchent le logement. En plus de ce fardeau financier additionnel, les classes populaires, en autant qu'elles quittent l'Île de Hull, abandonnent le centre pour la périphérie. Cette constatation nous amène au deuxième volet du développement régional : la poussée vers la banlieue et les conditions qu'elle impose à la reproduction de la force de travail.

---

[15] Voir chapitre III, pp. 109-120.
[16] Ceci a été confirmé dans les interviews avec plusieurs entrepreneurs, notamment Roger Lachapelle et Steven Vineberg. Ces interviews ont été menés pendant l'été 1974.

Le premier impact a déjà été énoncé : des coûts plus élevés pour le logement. Les résultats de l'enquête sur les expropriés du centre-ville démontrent que les gens sont obligés de payer plus cher pour se loger en dehors du centre-ville. De plus les municipalités de banlieue ont été à peu près inactives dans le domaine du logement social. Ce n'est qu'en mars 1978 que la ville de Gatineau a fait une première demande, auprès de la Société d'Habitation du Québec, pour la construction de 125 unités de logement subventionné. Une étude menée conjointement par le Centre local des Services communautaires des Draveurs et par l'Office municipal d'Habitation de Gatineau, au printemps 1978, a évalué à 400 le nombre minimum de logements sociaux requis pour satisfaire aux besoins de la population de Gatineau[17]. Cette demande existait, et a été exprimée depuis quelques années, mais les dirigeants municipaux n'y ont pas répondu. Par conséquent, les conditions de logement sont devenues de plus en plus difficiles pour les couches populaires habitant en banlieue. Le prix des maisons grimpe et les appareils étatiques ne jouent pas un rôle de suppléant avec un programme de construction des logements sociaux.

Les coûts de logement sont d'autant plus élevés que la forme de développement de type banlieue pousse à l'individualisation des coûts. Les maisons unifamiliales incitent à l'achat de biens de consommation et le logement devient, selon la phrase de Lipietz, « le pôle structurant de la consommation dirigée dans le cadre de la colonisation de la vie quotidienne[18] ». Castells abonde dans le même sens tout en insistant sur le lien entre consommation individuelle et consommation collective.

> Ainsi par exemple, on connaît le rôle des banlieues américaines dans la stimulation de la consommation : chaque maison unifamiliale devient un univers autosuffisant replié sur lui-même et équipé avec toute une gamme d'appareils suivant une progression pratiquement inépuisable. Mais le modèle pavillonnaire américain, à la base d'un certain mode de vie extrêmement favorable à une croissance de la consommation marchande, ne peut exister que par la politique de logement en accession à la propriété et par l'expansion de la voiture et des autoroutes urbaines. C'est-à-dire par deux éléments rendus possibles par l'intervention de l'État dans la sphère de la consommation collective[19].

Cette individualisation des coûts se voit très clairement dans le domaine du transport ; la banlieue existe en fonction de l'automobile privée. Mais, comme John Sewell l'a signalé dans son étude de la banlieue, en plus des coûts individuels élevés, il y a des coûts collectifs reliés à cette dépendance à l'égard de la voiture privée.

---

[17] « Il manque 400 logements sociaux à Gatineau », *Le Droit*, 27 avril, 1978.

[18] LIPIETZ, *op. cit.*, p. 45.

[19] CASTELLS, « Crise de l'État », *art. cit.*, pp. 182-183.

> The real costs involved in private transportation are paid for by the automobile owner: fuel, insurance, depreciation, and automobile maintenance... However, the use of the private automobile leads to the demand for newer and wider roads and for urban expressway systems[20].

Si les individus assument les coûts directs de l'automobile, il n'empêche que c'est la collectivité qui assume les coûts du réseau routier, et un réseau routier qui grandit continuellement avec l'expansion de la banlieue. De plus, il faut considérer les coûts du système de transport urbain. Les efforts des organismes de transport urbain pour desservir la banlieue de façon adéquate sont voués à l'échec, tout en étant très coûteux. Un indice de ceci vient de l'accroissement rapide du déficit de la Commission de transport de la C.R.O. (C.T.C.R.O.) pour la période de 1973-1977, une période où la C.T.C.R.O. a tenté d'étendre le service qu'elle offrait aux municipalités de banlieue.

Tableau V-3

DÉFICIT DE LA C.T.C.R.O. 1973-77[21].

Année	Déficit
1973	$ 551 857
1974	$1 189 553
1975	$1 462 445
1976	$1 943 578
1977	$3 750 408

Ce déficit illustre la crise fiscale des appareils étatiques; amenés à intervenir de plus en plus dans les domaines touchant la reproduction de la force de travail, les coûts de cette intervention deviennent une charge très lourde.

> La crise urbaine caractéristique du capitalisme se présente traditionnellement sous la forme de l'incapacité du capital, signalée au début de notre analyse, à rendre rentables des moyens de reproduction de la force de travail requis à la fois par le procès de production et par les revendications des travailleurs. Il s'agit là de la contradiction entre la socialisation objective de la production et la consommation et l'appropriation privée de la gestion de ces deux processus. Or, dans la mesure où l'on peut s'appuyer sur les analyses que nous venons d'effectuer, on assiste de plus en plus, dans le capitalisme avancé, à une crise plus profonde: à une crise de la politique urbaine, à une crise de l'intervention de l'État sur les effets de la crise urbaine. Il semble impossible aujourd'hui, pour l'État capitaliste, de continuer à assumer dans ce domaine l'ensemble des fonctions nécessaires à la reproduction du système[22].

---

[20]   John SEWELL, « Why suburbia hasn't worked », *City Magazine,* vol. 2, n° 6, janvier 1977, p. 46.

[21]   Chiffres fournis par le trésorier de la C.T.C.R.O.

[22]   CASTELLS, « Crise de l'État... », *art. cit.,* p. 204.

Cette crise fiscale existe malgré le fait que, dans le cas des municipalités de banlieue de l'Outaouais québécois, l'État intervient de façon tout à fait minimale en ce qui touche les équipements collectifs d'ordre social ou récréatif. Comme nous avons pu le voir, le service de transport en commun est nettement inadéquat, des autobus passant peu souvent et coûtant cher. De plus, les trajets sont organisés pour lier les banlieues avec les centres d'emploi et non pas pour faciliter le transport à l'intérieur des banlieues.

La pénurie de certains équipements collectifs se voit aussi dans le domaine des parcs et des équipements récréatifs ainsi que dans celui des garderies. C'est encore le cas de Gatineau qui attire le plus notre attention, car la population d'Aylmer, comme nous l'avons déjà souligné, est composée en majorité de couches sociales à l'aise, donc moins dépendantes d'équipement fourni par des appareils étatiques. Nous avons déjà donné l'exemple de l'équipement dans certains parcs de Gatineau[23]; dans les secteurs où il y a concentration de population à faible revenu, la faiblesse de l'équipement récréatif a des conséquences sociales directes. De plus, la superficie totale des parcs à Gatineau est de loin inférieure aux normes admises pour les espaces verts dans les municipalités du Québec.

Le secteur des garderies démontre également l'inactivité de l'appareil politique local dans les domaines qui intéressent directement les couches populaires. En dépit des pressions de différents secteurs de la population et en dépit d'études démontrant l'envergure des besoins, le conseil municipal de Gatineau a refusé d'intervenir de façon significative dans ce domaine[24].

Cette inaction de l'État local, il faut la voir dans la perspective de l'analyse que nous avons menée sur le rôle de l'État local dans le financement et la mise en place des infrastructures. L'État local, comme tout État, en est un de classe et ses activités reflètent cette réalité. Les appareils étatiques ont appuyé fermement les intérêts des entrepreneurs, lotisseurs et constructeurs, et ils ont prêté peu d'attention aux besoins des couches populaires. Ce scénario illustre admirablement bien ce que James O'Connor appelle la crise fiscale de l'État.

> The socialization of costs and the private appropriation of profits create a fiscal crisis, or «structural gap», between State expenditures and State revenues. The result is a tendency for State expenditures to increase more rapidly than the means of financing them[25].

---

[23]   Voir chapitre **IV**, p. 157.
[24]   Rappellons que le conseil s'est limité à défrayer une partie des coûts de loyer pour un groupe de parents.
[25]   O'Connor, *op. cit.*, p. 9.

En plus d'augmenter le niveau d'endettement de la municipalité, le conseil municipal de Gatineau a augmenté considérablement les taxes municipales de façon à tenter de résoudre sa crise fiscale. Ces augmentations ont été particulièrement fortes en 1976.

Une étude effectuée par le C.L.S.C. des Draveurs[26] a démontré que les propriétaires et les locataires ont subi des augmentations considérables dans leurs coûts d'habitation. Dans le cas des propriétaires le tableau suivant indique que le nombre de personnes qui payaient moins de $600 par année en taxes a diminué de moitié après les augmentations.

Tableau V-4

TAXES MUNICIPALES DES CONTRIBUABLES GATINOIS INTERROGÉS
AVANT ET APRÈS LA HAUSSE DE 1976[27]
(en pourcentage et par catégories arbitraires).

taxes annuelles	avant la hausse	après la hausse
moins de $600	63%	31%
$600-$799	25%	32%
$800 et plus	12%	37%

Dans le cas des locataires, l'étude a démontré que la hausse des taxes a été rapidement transformée en hausse de loyer.

Tableau V-5

LOYERS MENSUELS DES LOCATAIRES GATINOIS INTERROGÉS
AVANT ET APRÈS LA HAUSSE DES TAXES MUNICIPALES EN 1976[28]
(en pourcentage verticaux).

loyers mensuels	avant la hausse	après la hausse
moins de $125	27%	12%
$125-$149	4%	15%
$150-$174	27%	15%
$175-$199	42%	39%
$200 et plus	0	19%

---

[26] F. P. GINGRAS, *Certaines répercussions des hausses de taxes municipales à Gatineau*. Rapport de recherche soumis au Centre local des services communautaires des Draveurs, Gatineau, mai 1977.

[27] *Ibid.*, p. 11.

[28] *Ibid.*, p. 15.

On note également que les augmentations les plus considérables sont au niveau des loyers les moins chers. L'impact est donc plus grand chez les gens payant le moins de loyer.

Tableau V-6

RÉPARTITION DES LOCATAIRES GATINOIS INTERROGÉS SELON LEUR LOYER
AVANT LA HAUSSE DE TAXE DE 1976 ET L'AMPLEUR DE LA HAUSSE
DE LOYER SUBIE [29]
(en pourcentages horizontaux).

loyer mensuel avant la hausse	hausse inférieure à $15	hausse de $15 ou plus
moins de $125	37,5%	62,5%
$125-$175	35,5%	62,5%
$175-$250	73%	27%

Ce tableau suggère que ce sont les locataires les moins riches qui ont été les plus touchés par la hausse de taxes.

Notre survol des conditions de reproduction de la force de travail dans la banlieue indique des coûts élevés pour le logement (particulièrement en considérant les coûts directs et indirects), une absence (ou presque) de logement social, peu d'équipements collectifs dans les domaines sociaux et récréatifs, tout cela accompagné de hausses considérables de taxes.

Il est important de relier nos deux analyses, celle du centre et celle de la périphérie, car elles sont deux facettes de la même réalité. La ségrégation urbaine s'accentue; le centre devient de plus en plus un lieu pour les bureaux, les commerces et certaines fractions de la population (les plus riches et les plus pauvres) tandis qu'en périphérie la fonction résidentielle se renforce. Nous avons vu l'importance de la question du logement pour la structuration sociale de l'espace bien que, comme Castells nous le rappelle, cette structuration ne se fait pas de façon mécaniste.

> La ségrégation sociale dans l'espace est donc l'expression spécifique des processus visant à la reproduction simple de la force de travail, mais ces processus sont toujours en articulation avec l'ensemble des instances de la structure sociale [30].

La ségrégation urbaine de l'Outaouais québécois est donc modelée par l'organisation spatiale de l'habitation, mais également par l'organisation spatiale de la production (la disparition possible d'E.B. Eddy du centre-ville, la venue de la fonction publique) et

---

[29] *Ibid.*, p. 16.
[30] CASTELLS, *La question urbaine, op. cit.*, p. 236.

par l'instance idéologique (le rêve banlieusard, l'image de Gatineau comme parent pauvre de la région, d'Aylmer comme un beau coin, l'idée de l'Île de Hull comme un lieu «de taudis», etc.). Comme nous l'avons vu, le processus de ségrégation urbaine tend à repousser les couches populaires vers la périphérie. Mais, comme nous le rappelions par la citation de Jean Lojkine au début du chapitre, ce processus est parfois contesté, jusqu'à remettre en cause «le principe même de la ségrégation urbaine[31].» Pour compléter notre analyse des conséquences, pour les couches populaires, du type de développement qui s'est produit dans l'Outaouais québécois, nous allons décrire les principales organisations qui ont contesté ce développement afin de connaître les revendications qu'elles ont posées, les actions menées ainsi que les résultats de ces luttes.

Nous avons choisi trois organisations: l'Assemblée générale de l'Île de Hull (A.G.I.H.), devenue le Regroupement des comités de citoyens de Hull (R.C.C.H.), le Comité logement-va-pu (L.V.P.) et le parti politique municipal, Action-Gatineau. Ces organisations sont les plus actives, les plus permanentes et les plus structurées de celles qui sont intervenues dans des questions touchant la production du cadre bâti et, de plus, leurs actions ont porté sur une remise en question (à des degrés différents, bien sûr) du type de développement qui s'est fait dans la région.

L'ASSEMBLÉE GÉNÉRALE DE L'ÎLE DE HULL.

Les origines de l'A.G.I.H. remontent à l'été 1968; elle est née de l'action sociale de l'Église catholique à Hull[32]. Les préoccupations de ses débuts étaient «plus pastorales que sociales[33]»; elle correspondait à la volonté de l'évêque de Hull de rendre l'action de l'Église plus près de la population. Mais, en raison des expropriations massives qui commençaient à faire des ravages suite à l'intervention fédérale et québécoise en mai 1969, l'action de l'A.G.I.H. s'orientait vers les enjeux sociaux et urbains, vers les questions touchant la production du cadre bâti.

L'objectif de l'A.G.I.H. était de faire du développement communautaire à travers un processus d'animation sociale. L'organisme voulait aider les gens de l'Île de Hull à participer à la résolution de leurs problèmes.

---

[31] LOJKINE, *La politique urbaine dans la région parisienne...*, *op. cit.*, p. 264.

[32] L'analyse de l'A.G.I.H. est surtout basée sur BORDELEAU et GUIMONT, *Luttes urbaines à Hull*, *op. cit.*, et C. ANDREW, D. CÔTÉ, A. POMERLEAU, C. VÉZINA, *L'Assemblée générale de l'Île de Hull; projet d'évaluation, rapport final*, Hull, Centre outaouais de documentation et de recherche, 1973.

[33] A.G.I.H., Ministre de l'exécutif, le 15 juin 1968. Cité dans Bordeleau et Guimont, *op. cit.*, p. 176.

La première motivation pour commencer le travail de l'Assemblée était la double constatation des problèmes du milieu et de l'apathie des gens devant ces problèmes. La solution: faire participer les gens pour résoudre leurs propres problèmes[34].

La participation était vue comme menant à des résultats sur le plan individuel et social; la population de l'Île de Hull serait revalorisée en apprenant comment participer et cette participation amènerait une amélioration dans les conditions de vie et même, à plus long terme, à des changements sociaux fondamentaux.

La vision sociale de l'A.G.I.H. était essentiellement consensualiste. Elle croyait à une concertation de tous les groupes, concertation initiée par une population éveillée.

L'Assemblée générale de l'Île de Hull (A.G.I.H.) cherche à favoriser la participation des citoyens en unissant leurs efforts à ceux des pouvoirs publics et des corps intermédiaires en vue d'améliorer la situation économique sociale et culturelle du milieu.

Ainsi, à partir des problèmes socio-économiques, l'A.G.I.H. veut viser à une meilleure éducation populaire et à une amélioration des conditions de vie en favorisant la participation des citoyens[35].

L'A.G.I.H. voyait les appareils étatiques comme des organismes qui n'agissaient pas dans l'intérêt des citoyens, mais qui le feraient si les citoyens exerçaient une pression sur eux. Cette stratégie politique est bien représentée par Gilbert Renaud et Yves Vaillancourt dans leur description de l'orientation des comités de citoyens.

Ces organisations... misent sur des stratégies qui supposent que l'État, les gouvernements, les pouvoirs municipaux, sont des arbitres neutres qui sont du bord des riches et des favorisés par ignorance; donc ces pouvoirs politiques vont s'occuper des citoyens plus pauvres et défavorisés seulement si ces derniers se regroupent, font des pressions et crient fort pour faire connaître leurs droits et exiger leur dû[36].

Comme conséquence de cette vision, le but de l'A.G.I.H. devenait le regroupement du plus grand nombre possible de personnes. Pour devenir membre, il suffisait d'être résident de l'Île de Hull[37]. Ainsi, en regroupant le maximum de gens, on croyait être en mesure d'exercer une pression plus forte. Également, puisque pour l'A.G.I.H. il y avait une conciliation possible entre les intérêts des différentes classes de la société, il était illogique de vouloir exclure des gens.

---

[34] ANDREW et al., *Projet d'évaluation, op. cit.*, p. 47.
[35] A.G.I.H., *Brochure explicative*, 1969. Cité dans BORDELEAU et GUIMONT, *op. cit.*, p. 151.
[36] Gilbert RENAUD et Yves VAILLANCOURT, *La social-démocratie et les militants chrétiens*, Montréal, Réseau des Politisés chrétiens, avril 1978, p. 63.
[37] A.G.I.H., *Constitution*, article 4, paragraphe A. Cité dans BORDELEAU et GUIMONT, *op. cit.*, p. 151.

Cette orientation consensualiste a marqué l'ensemble de l'activité de l'A.G.I.H., mais il y a eu, avec le temps, une évolution vers une vision plus conflictualiste. Cette évolution amenait une acceptation plus grande de l'importance de la politisation.

> L'ensemble des agents n'avaient pas tellement prévu comment affronter les résistances du milieu. Il y eu d'abord les résistances des détenteurs du pouvoir (municipal et provincial) et de l'élite professionnelle et commerciale... Pour bien comprendre aussi les ajustements rapides auxquels nous avons dû procéder face à ces résistances, il faut expliquer que notre type d'analyse ne se situait pas dans la ligne des conflits. Pour la plupart d'entre nous, nous avions une méthode d'analyse de la situation sociale qui se situait plutôt dans le type moral et fonctionnaliste que dans le type contestataire. En cours de route nous avons été obligés de reviser nos attitudes face à la politique. On croyait tout naïvement qu'en faisant participer les citoyens à leurs problèmes ils trouveraient eux-mêmes les solutions adéquates et que la société changerait. C'est, d'une part, naïf et généreux... C'est devant les limites de l'efficacité de notre action qu'on a compris que la politicisation des citoyens était absolument nécessaire[38].

Tout en tenant compte de cette évolution, l'analyse des revendications et des actions de l'A.G.I.H. se fait en fonction des principales tendances de l'ensemble de son travail. En général les revendications de l'A.G.I.H. étaient à double volet ; elles portaient sur les procédures de prise de décision des gouvernements et sur le contenu de ces décisions. L'A.G.I.H. insistait sur le droit des résidents à participer aux décisions qui les touchaient. Au niveau du contenu, l'A.G.I.H. insistait pour que les gouvernements tiennent compte des intérêts des citoyens de l'Île de Hull.

Cette double préoccupation se voit dans les différentes revendications de l'A.G.I.H. Sur la question des expropriations, l'A.G.I.H. insistait sur le droit des citoyens à être informés des projets gouvernementaux et à participer à l'élaboration de ces projets. La liste des revendications formulées lors de la marche sur l'Hôtel de Ville en août 1969 illustre bien l'approche de l'A.G.I.H.

1. Obtenir toutes les informations voulues.
2. Repousser la date d'éviction.
3. Adoption d'un « Plan directeur » pour bénéficier aux citoyens en place.
4. Mise en place d'une politique de logement qui correspond aux besoins des gens.
5. Que l'on respecte scrupuleusement le droit des citoyens de Hull à participer activement à l'élaboration de cette politique comme premiers responsables et premiers intéressés.
6. Que le prix des loyers dans Hull soit gelé immédiatement pour éviter toute spéculation au détriment des familles déplacées[39].

---

[38] Roger POIRIER, « Quatre ans d'animation sociale à Hull, » dans *Prêtres et laïcs*, août-septembre 1972, vol. XXII, pp. 425-26.
[39] COMITÉ DE L'AIRE PROVINCIAL, *Procès-verbal*, 19 août 1969. Cité dans BORDELEAU et GUIMONT, *op. cit.*, p. 201.

En pratique, les revendications de l'A.G.I.H. dans les différents cas d'expropriation visaient l'amélioration des conditions de relocalisation plutôt qu'un arrêt complet des expropriations. Dans certains cas, ces revendications ont porté fruit, surtout en ce qui concerne l'aspect monétaire[40]. Comme nous venons de le souligner, ces revendications n'ont pas porté sur le principe même de l'expropriation, mais plutôt sur les modalités.

L'A.G.I.H. a aussi revendiqué une amélioration de la qualité des services publics offerts aux résidents de l'Île de Hull. Ici son insistance sur l'importance de la participation des citoyens se voit de façon très claire; l'A.G.I.H. a mis sur pied elle-même un bon nombre de services pour la population de l'Île de Hull[41]. En créant elle-même des services, l'A.G.I.H. pouvait voir à ce que les intérêts de la population soient respectés. De plus, l'organisme a travaillé à la mise sur pied de certains services gouvernementaux (notamment l'établissement d'un C.L.S.C. et d'une clinique juridique) dans l'espoir d'obtenir des services adaptés aux besoins de l'Île de Hull.

Le troisième secteur de revendication que nous allons examiner est celui lié au plan directeur de la ville de Hull. Les projets d'expropriations avaient démontré à l'A.G.I.H. que les autorités municipales n'étaient pas en mesure de contrôler les changements mis en branle par les décisions fédérales. Pour permettre à la ville et à la population hulloise de définir leur avenir collectif, l'A.G.I.H. préconisait la formulation d'un plan directeur par et pour les citoyens. Ainsi, le conseil municipal et toute la population pourraient déterminer comment la ville devrait se développer, de quelle façon et à quel rythme. Ces décisions seraient hulloises et non fédérales. Cette idée correspondait donc aux objectifs participationnistes de l'A.G.I.H. et, en même temps, à son aile nationaliste[42].

Dans son travail sur le plan directeur, l'A.G.I.H. insistait sur l'importance de la participation publique. Elle préconisait «un mécanisme de consultation très large, souple et adapté aux citoyens[43]» et a, elle-même, sondé l'opinion de la population sur le plan qu'elle proposait en utilisant un questionnaire. Au niveau du contenu, l'A.G.I.H. insistait sur les intérêts des résidents actuels.

---

[40] Le comité des locataires de l'aire provinciale a obtenu une indemnisation pour les frais de déménagement des locataires et certains membres du comité de l'aire 6 ont reçu, après plusieurs années de lutte, des montants d'expropriation bien supérieurs à ceux que la ville leur avait offert au début.

[41] Voir ANDREW et al., *Projet d'évaluation, op. cit.*, pp. 31-35, pour une description de ces services.

[42] Le gouvernement fédéral est surtout présenté, dans les documents de l'A.G.I.H., comme une présence anglaise.

[43] A.G.I.H., Document sans titre, février 1970. Cité dans BORDELEAU et GUIMONT, *op. cit.*, p. 215.

Toute rénovation doit tendre à reconnaître, conserver et promouvoir les, caractères particuliers d'une zone donnée. En conséquence, avant de penser à rénover l'Île on doit reconnaître son caractère résidentiel pour propriétaires à revenus modestes et pour petits salariés.

En somme, il s'agit de prévoir l'utilisation du terrain en faveur des gens qui y habitent déjà d'abord [44].

Mais cette option en faveur des résidents actuels n'a pas été suivie systématiquement dans le mémoire de l'A.G.I.H. Au niveau des objectifs généraux, l'option est claire, mais certaines des recommandations ne traduisent pas très nettement cette option [45]. Par exemple, l'A.G.I.H. était favorable à la refonte des infrastructures dans l'Île de Hull, mais cette refonte était conçue en fonction de la transformation du centre-ville. Ou encore, l'A.G.I.H. contestait la venue des édifices fédéraux, mais était plus favorable à celle des édifices québécois, pourtant semblable du point de vue de l'impact sur le caractère résidentiel du quartier.

Ainsi, nous nous opposons à ce qu'on sature la ville de Hull d'édifices fédéraux favorisant une anglicisation progressive et déjà commencée d'ailleurs dans cette ville aux limites du Québec [46].

On pourrait même penser à un centre administratif du gouvernement québécois dans le centre-ville de Hull [47].

Le travail de l'A.G.I.H. sur le plan directeur est également révélateur de l'importance qu'elle accordait à l'information, à la rationalité et à la planification.

Quand nous examinons les activités concrètes de l'A.G.I.H., il est impossible de les énumérer toutes. Nous voulons plutôt indiquer les formes principales d'organisation utilisées par l'A.G.I.H. afin de compléter notre analyse de son intervention. Au début, l'A.G.I.H. favorisait l'utilisation de l'enquête-participation pour découvrir, en même temps, les problèmes et les gens soucieux de travailler à la résolution de ces problèmes. Cette méthode a été pratiquée par l'A.G.I.H. au cours de la période 1969-70, mais seulement un comité a vraiment été mis sur pied à partir des résultats de cette enquête. Par la suite les comités ont été organisés en fonction de problèmes spécifiques (surtout les différents projets d'expropriation), de clientèles spécifiques (assistés sociaux, troisième âge, jeunes travailleurs), ou de services spécifiques (clinique de santé, coopérative d'alimentation, etc.).

---

[44] A.G.I.H., *Mémoire préliminaire pour un plan directeur*, février 1970. Cité dans BORDELEAU et GUIMONT, *op. cit.*, p. 215.

[45] Voir BORDELEAU et GUIMONT, *op. cit.*, pp. 212-227, pour une analyse plus approfondie de la position de l'A.G.I.H. face au plan directeur.

[46] A.G.I.H., *Mémoire préliminaire, op. cit.* Cité dans BORDELEAU et GUIMONT, *op. cit.*, p. 222.

[47] A.G.I.H., *Mémoire sur le plan directeur*, novembre 1970. Cité dans BORDELEAU et GUIMONT, *op. cit.*, p. 223.

Les comités qui nous intéressent particulièrement sont ceux formés dans les cas d'expropriation. Dans ces cas, le regroupement des propriétaires et des locataires se faisait séparément. Cette forme a émergé dans le cas de l'aire provinciale où les intérêts des deux groupes semblaient trop divergents et, suite à cette expérience, l'A.G.I.H. a procédé dès le début à la formation de deux comités dans les autres cas. Cette forme d'organisation coïncidait avec les revendications de ces comités: de meilleures conditions d'expropriation et non pas la fin de toute expropriation. Dans le contexte d'un déménagement obligatoire, les intérêts des propriétaires et des locataires pouvaient effectivement diverger tandis que, si la revendication avait été d'empêcher l'expropriation, les locataires et les propriétaires auraient eu un intérêt commun: rester dans le quartier[48].

Les comités d'expropriation ont manifesté avec vigueur. Ils ont organisé un certain nombre de réunions avec différentes autorités publiques et, en août 1969, ils ont mobilisé plus de 300 personnes pour marcher sur l'Hôtel de Ville. Cette manifestation a été probablement la plus militante de l'histoire de l'A.G.I.H. Le regroupement en comités était donc la principale forme d'organisation de l'A.G.I.H.

Le dernier aspect des activités de l'A.G.I.H. qui nous intéresse touche les élections municipales. En plus d'illustrer la stratégie politique de l'A.G.I.H., une analyse de ses activités dans le cadre des élections de 1970 et de 1974 démontre l'évolution de l'organisme. Lors des élections de 1970, l'A.G.I.H. a organisé des assemblées dans les trois quartiers de l'Île de Hull et une assemblée contradictoire entre les deux candidats à la mairie. Le rôle de l'A.G.I.H. se limitait à augmenter l'information disponible aux citoyens; elle souhaitait une grande participation des citoyens mais sans vouloir indiquer quelle direction devrait prendre cette participation.

En 1974, le rôle de l'A.G.I.H.[49] fut très différent; les comités de citoyens ont présenté des candidats dans cinq des neuf quartiers de la ville[50]. Au lieu de simplement présenter de l'information aux

---

[48] Il faut souligner que les expropriations, particulièrement celles de l'aire provinciale et de l'aire fédérale, ont été faites très rapidement et que les comités ont eu très peu de temps de s'organiser. On peut comparer cette situation avec le cas de Trefann Court à Toronto où les propriétaires et les locataires ont fait front commun contre toute expropriation, mais cela au bout d'une expérience d'organisation qui avait duré plusieurs années (voir G. FRASER, *Fighting Back*, Hakkert, 1972).

[49] En fait, à ce moment-là, l'organisme s'appelait le Regroupement des comités de citoyens de Hull (R.C.C.H.) mais, pour simplifier le texte, nous continuons à utiliser l'ancienne appelation.

[50] Ces candidats ont récolté 29,4% des votes dans ces quartiers, mais aucun ne fut élu.

citoyens, les comités ont opté pour une intervention beaucoup plus directe et beaucoup plus partisane. Le thème électoral des candidats était: «Reconquérir notre ville». Ils insistaient sur les questions du logement, des expropriations et des droits des résidents de l'Île de Hull.

En fin d'analyse de l'A.G.I.H., nous pouvons souligner certains de ses traits principaux: une volonté de regrouper le maximum de gens surtout par le biais des comités, l'importance du rôle des animateurs sociaux, une très grande importance accordée à la participation, une vision consensualiste de la société (mais qui évolue vers une vision plus conflictualiste) et un travail pratique autour des cas d'expropriation qui s'est surtout orienté vers l'amélioration des conditions d'expropriation.

LOGEMENT-VA-PU.

Le comité Logement-va-pu (L.V.P.) est issu du R.C.C.H. mais à travers un de ses comités, le Regroupement populaire de l'Île (R.P.L.). Le R.P.L. regroupait les assistés sociaux. Il a été actif surtout dans le domaine de la consultation sur la loi de l'assistance sociale. En 1973, le comité s'est penché sur la question du logement et, au printemps de 1974, un comité de logement a été mis sur pied pour faire des recherches sur cette question. C'est ce comité qui deviendra Logement-va-pu.

D'une part, la création de L.V.P. démontrait une volonté de mener une action plus militante que celle du R.C.C.H. Tout en étant une émanation du R.C.C.H., le comité Logement, comme nous allons le voir, représentait une radicalisation de l'orientation et de l'activité du R.C.C.H. D'autre part, la création du L.V.P. démontre aussi la situation de crise qui existait au niveau du logement, et donc l'importance primordiale de se pencher sur cette question. Le nom de l'organisme est révélateur à cet égard, signifiant en même temps qu'il y a crise du logement (logement va pu) et que la population du centre-ville de Hull devrait lutter pour rester dans son quartier (Là, j'm'en va pu).

L'objectif du groupe est de lutter pour le droit au logement, lutte qui s'insère dans la lutte des classes.

> Logement-va-pu, c'est comme une «union» qui s'occupe des problèmes de logement: on est un groupe au service de la classe ouvrière[51].

La définition du problème de logement, pour le comité, découle de l'analyse générale du système capitaliste. Il y a crise du

---

[51] L.V.P., *Luttons pour le droit au logement*, février 1974, p. 4.

logement parce que, dans le système capitaliste, le logement est traité comme une marchandise.

> ... dans notre système économique le logement est non pas un bien matériel conçu en fonction du bien-être des personnes mais bien une marchandise entre les mains d'un propriétaire-locateur qui l'utilise en vue d'un profit maximum[52].

Le logement n'est donc pas un problème particulier, il représente un aspect de l'exploitation générale des travailleurs dans une société capitaliste. Pour Logement-va-pu, il faut donc créer des alliances entre les ouvriers des usines et les «travailleurs-locataires[53]» et, en même temps, clairement identifier l'ennemi principal des travailleurs, la bourgeoisie et son contrôle économique. L'État doit être dénoncé car il sert les intérêts de la bourgeoisie; mais le système politique n'est pas, en tant que tel, la source première du problème de logement.

Un autre aspect de l'orientation du comité est sa volonté de chercher des solutions concrètes, mais envisagées à l'intérieur d'une analyse globale. Les questions doivent être étudiées dans une perspective large et l'organisation doit se faire autour des enjeux concrets ressortissant de la vie quotidienne des couches populaires de l'Île de Hull.

> Aux revendications qui veulent replâtrer le capitalisme s'oppose la lutte pour des réformes qui satisfassent les besoins immédiats des masses populaires, mais dans la perspective du socialisme où seul des réformes complètes et définitives sont possibles[54].

Cette orientation se voit très clairement dans la lutte qu'a mené le comité pour l'obtention d'un feu de circulation sur le boulevard Sacré-Coeur[55]. Les documents du L.V.P. insistaient d'une part sur l'origine «vécue» de l'enjeu, mais aussi sur l'importance de ce conflit comme partie de la lutte générale entre le capital et le travail.

> Le droit aux lumières a été revendiqué spontanément par le peuple, en particulier le brigadier et les personnes âgées vivant près du boulevard Sacré-Coeur... On a aussi expliqué que les responsables du problème c'était, non pas les automobilistes, ce que laisse entendre la pétition des personnes âgées, mais les monopoles qui s'installent au centre-ville et l'État qui défend leurs intérêts. L'autoroute c'est pour accélérer la circulation et les profits... La lutte des peuples opprimés contre la bourgeoisie est une lutte générale et une lutte à finir. Et la lutte des lumières fait partie intégrante de cette grandiose lutte des exploités contre les exploiteurs[56].

---

[52] L.V.P., *Pourquoi le code du logement?*, février 1974, p. 4.

[53] L.V.P., *Une nouvelle race d'exploiteurs: Lepage, spéculateur immobilier*, novembre 1976, p. 22.

[54] L.V.P., *Plan du bilan synthèse*, p. 2.

[55] Voir chapitre IV, p. 157, pour une description de l'attitude de l'État à l'égard de cette question.

[56] L.V.P., *Bilan de la lutte pour des lumières au coin de St-Henri et Sacré-Coeur*, pp. 2-3.

La vision du comité est très clairement conflictualiste et, à l'intérieur de cette vision, l'État est nettement du côté de la bourgeoisie. Selon le comité, les travailleurs ne devraient pas compter sur les appareils étatiques pour défendre leurs droits; cette défense doit se faire par l'organisation militante des travailleurs.

> Et l'intérêt de la bourgeoisie de Hull c'est de nous chasser de nos quartiers et nous remplacer par une classe sociale plus riche et donc plus rentable pour le commerce. Alors inutile de compter sur cette ville.
>
> [...]
>
> Alors il ne faut pas compter sur la Régie pour défendre nos droits. Ce qui ne veut pas dire qu'on ne peut pas l'utiliser comme moyen parmi d'autres. Il faut mettre toutes les chances de notre bord. Mais ce serait une erreur, et une erreur grave, que de s'en remettre aux propriétaires[57].

De fait, cette attitude à l'égard de l'État s'est clarifiée avec le temps. Au début, tout en reconnaissant que l'État favorise la bourgeoisie, le comité Logement semblait croire que le gouvernement municipal pourrait être amené à modifier ses politiques de façon à favoriser les résidents du centre-ville. Dans plusieurs cas (la réaction au plan quinquennal de logement de la ville de Hull, le débat autour du code du logement, la demande du comité voulant que la ville de Hull prenne possession de terrains vacants de la C.C.N.), le comité a préconisé une intervention accrue de la ville de Hull, une intervention allant dans la direction d'un «pouvoir populaire» au niveau municipal. Mais, au courant des années 70, ces attentes à l'égard de la ville s'amenuisent et la vision de l'État lié à la bourgeoisie ressort plus clairement.

Si nous examinons les revendications mises de l'avant par le comité, nous pouvons noter deux constantes; les couches populaires doivent rester dans le centre-ville de Hull et il est essentiel de fournir de bons logements à des prix abordables pour la classe ouvrière. Les deux thèmes vont de pair car, sans une bonne disponibilité de logements «populaires» au centre-ville, les gens sont obligés de partir. Mais le droit au logement déborde le cadre du centre-ville et le travail du comité ne s'est pas limité à celui-ci. Pour le comité, il faut lutter pour le droit au logement de tous les travailleurs mais, dans le cas spécifique du centre-ville, le droit au logement est également un élément essentiel dans la lutte pour que le quartier demeure un quartier populaire.

> Nous voulons un progrès, mais pas un progrès au service d'une classe de gens plus riches qui vont venir nous remplacer. Le progrès que nous voulons doit être un progrès pour les gens à faible revenu qui habitent l'Île de Hull depuis 10, 20 et même 50 ans et qui ont bâti l'Île de Hull. Nous voulons défendre le droit collectif des travailleurs à occuper le sol qu'ils ont eux-mêmes aménagé et où ils ont tissé des relations sociales.

---

[57] L.V.P., *Une nouvelle race d'exploiteurs, op. cit.*, pp. 18-19.

Nous voulons nous opposer à d'autres expropriations.

Nous voulons des aménagements et l'embellissement de notre quartier mais fait par nous et pour nous[58].

Mais ces concessions, arrachées dans la lutte, ne sauraient masquer l'objectif premier du plan de la ville: en réhabillant le quartier, chasser les travailleurs-résidents pour les remplacer par une classe sociale plus fortunée. Le plan de la ville c'est le plan du profit.

Quant au plan du peuple, il se propose de répondre aux besoins des travailleurs-résidents du quartier. Le premier de ces besoins, le plus grand, c'est le besoin en logements à bon marché... Notre proposition de construire de 50 à 70 logements à bon marché dans l'emprise de C.P.R., en plus de soulager la crise de logement, évite la ghetto, ce que n'évite pas votre proposition de 20 logements supplémentaires dans l'aire 6. De plus elle renforcit la vocation ouvrière et populaire de notre quartier d'où blocage de la spéculation et non un encouragement comme pour la piste à bicycles[59].

Au niveau du logement, les revendications du comité ont surtout touché à trois aspects: l'augmentation du nombre total de logements à bon marché (dans la réaction au plan quinquennal, dans la formulation du plan des citoyens dans le cadre du programme P.A.Q.), la remise en bon état des logements existants (dans la réaction au plan quinquennal et aussi avec l'activité concrète du comité dans ce domaine) et, finalement, la réduction des loyers (dans le cas de plusieurs luttes concrètes, y compris le cas de Val-Boisé et, également, dans les propositions du comité face au code du logement). En plus, dans le cas de la lutte pour obtenir un feu de circulation à l'angle des rues Sacré-Cœur et St-Henri, le comité s'est également occupé de la question des équipements collectifs comme élément structurant du quartier et donc comme outil dans la lutte contre la transformation du centre-ville.

Comme nous l'avons souligné plus tôt, il y a eu une certaine évolution dans l'orientation des revendications de Logement-va-pu. Au début, ces revendications étaient surtout dirigées vers des appareils étatiques. Plus tard, il y a eu une tendance à poser des gestes concrets (retenue de loyer, réparations des maisons). Ces actions directes ont une portée politique évidente, mais le comité ne s'est plus limité à revendiquer de l'État une intervention accrue.

Si nous tentons de caractériser le travail du comité, la forme principale d'organisation est l'intégration du travail de recherche à l'action militante. Le comité a produit un bon nombre d'études (sur la propriété foncière dans différentes parties du centre-ville, sur la C.C.N., sur Place du Centre, sur les activités de plusieurs pro-

---

[58] L.V.P., *Document de travail*, 23 septembre 1974, pp. 4-5. Cité dans BOR-DELEAU et GUIMONT, *op. cit.*, pp. 261-262.

[59] L.V.P., *Programme d'amélioration de quartier, zones 4 et 5; Bilan provisoire*, septembre 1976, p. 7.

priétaires, Lepage, Gauthier, etc.) non pas dans le but de présenter les résultats au gouvernement mais de s'en servir comme point d'appui aux actions concrètes: porte-à-porte, diffusion d'information, réunions, pétitions, formation de comités de locataires, jusqu'aux blocages des rues (dans le cas du feu de circulation) et retenues de loyer (Val-Boisé).

Le comité a également travaillé de façon très concrète au niveau de la réparation des maisons. À deux reprises, le comité en est venue à des ententes avec la C.C.N. pour prendre en charge des maisons menacées de démolition. Les membres du comité ont fait des réparations et, par la suite, le groupe s'est occupé de la gérance des maisons. De plus, comme faisant partie de la lutte pour empêcher les démolitions sur la rue St-Rédempteur, les membres de Logement-va-pu ont réparé un certain nombre de maisons. Finalement, des membres de Logement-va-pu ont été actifs, au printemps 1978, dans la mise en œuvre d'un programme de formation des jeunes ouvriers dans la restauration des maisons.

Tout comme nous l'avons fait dans le cas de l'A.G.I.H., nous terminons notre description de Logement-va-pu en tentant de résumer les caractéristiques principales de l'organisme: une analyse en termes de classe sociale et de la lutte des classes, une importance accordée à la question du logement comme élément fondamental de la condition de vie des travailleurs et comme élément structurant de la nature sociale du centre-ville de Hull, une volonté d'intégrer le travail de recherche à l'action militante et, finalement, une orientation vers l'action concrète.

Action-Gatineau.

Le troisième des organismes qui a travaillé sur des questions touchant la production du cadre bâti et les conditions de reproduction de la force de travail est le parti politique municipal Action-Gatineau (A.G.). Cette organisation est différente des deux autres que nous venons d'étudier dans le sens qu'A.G. a commencé comme parti politique et non pas comme organisation populaire et, deuxièmement, que la clientèle visée par A.G. n'est pas prioritairement les couches populaires ou la classe ouvrière mais plutôt l'ensemble de la population de Gatineau. Action-Gatineau n'est pas un groupe populaire comme l'A.G.I.H. ou Logement-va-pu. Nous avons choisi de l'inclure dans notre analyse en raison de son intervention sur des questions touchant les conditions de reproduction de la force de travail, et particulièrement à cause de notre intérêt pour le cas de Gatineau. Action-Gatineau a été le regroupement de citoyens le plus structuré et le plus permanent qui ait existé à Gatineau pendant la période de notre étude.

Action-Gatineau fut créé en 1975 en vue des premières élections municipales pour la nouvelle municipalité de Gatineau. L'objectif principal d'Action-Gatineau a été de présenter des candidats dans tous les quartiers de la nouvelle municipalité et au niveau de la mairie. Il espérait ainsi amener un débat autour des enjeux touchant l'ensemble de la ville et, ensuite, former une équipe susceptible de diriger la nouvelle ville. Louise Quesnel-Ouellet souligne cette relation entre les projets de fusion et les partis municipaux.

> Les candidats et les élus seront placés devant le défi de dépasser les limites des anciennes municipalités pour adopter des préoccupations à l'échelle de la nouvelle ville, qui sont valorisées par le parti politique local, tout en se portant à la défense des intérêts de chaque quartier qui sont ceux de leurs électeurs. Les partis politiques locaux semblent, dans cette perspective, l'instrument approprié pour faciliter la synthèse des préoccupations de la base (au niveau du quartier) et de ceux de la nouvelle ville [60].

Les thèmes principaux de la campagne d'Action-Gatineau étaient le mauvais état financier de la nouvelle ville (le taux de taxation, la question des emprunts temporaires, l'effet du regroupement sur le fardeau fiscal des contribuables) ainsi que la mauvaise gestion politique de la ville (l'inefficacité, le peu d'importance accordée à la planification, le manque de démocratie). Trois des candidats d'Action-Gatineau ont été élus mais, comme la plupart des partis « civiques », les candidats élus n'ont pas vraiment agi par la suite comme des représentants du parti [61].

L'orientation générale d'Action-Gatineau est consensualiste, rationaliste et technocratique. Le parti insiste sur l'importance de la planification, d'une administration efficace et de la libre circulation de l'information. Les solutions aux problèmes étaient conçues comme techniques plutôt que politiques, le résultat d'études rationnelles menées par des experts compétents. Cette vision ressort clairement de la réaction du président d'Action-Gatineau face à la question du centre-ville de Gatineau.

> L'acceptation du projet R.S.N.D.... signifiera également qu'il faudra remettre en question le schéma d'aménagement de la Communauté régionale de l'Outaouais, en plus de contredire les priorités du service d'urbanisme de la ville de Gatineau et répudier « les avis éclairés de différents experts qui se sont penchés sur l'aménagement du territoire outaouais », a ajouté M. Légaré [62].

---

[60] Louise QUESNEL-OUELLET, « Les fusions des villes et leurs effets : les partis municipaux, bienfait ou nuisance ? » Le Devoir, le 16 octobre 1976, p. 5.

[61] Voir l'étude de J.G. JOYCE et H.A. HOSSÉ, Civic Parties in Canada, Fédération canadienne des maires et des municipalités, 1970. Rappelons aussi qu'un des candidats élu a été le maire John Luck pour qui l'affiliation avec Action-Gatineau n'a pas été un facteur déterminant dans sa victoire.

[62] « Action-Gatineau s'oppose au projet R.S.N.D. », Le Droit, le 17 février, 1977.

Allié à cette vision d'une planification rationnelle est celle d'une participation significative de la population à la gestion de la ville à travers les comités de quartier. À cet égard, Action-Gatineau avait fortement critiqué le fonctionnement des conseils municipaux dans la région; selon Action-Gatineau, c'étaient des groupes très restreints qui dirigeaient les conseils et qui informaient si peu la population que celle-ci ne se sentait pas impliquée par la politique municipale.

Les revendications d'Action-Gatineau touchent surtout à des mesures d'assistance pour améliorer la situation financière de la ville de Gatineau. Action-Gatineau insistait sur le fait que la véritable cause de la situation financière n'était pas le regroupement, comme beaucoup de gens le prétendaient, mais plutôt les politiques des gouvernements supérieurs.

> Gatineau est sur le bord de la faillite, et cette faillite est provoquée par des agents extérieurs[63].

Le principal responsable, selon les études d'Action-Gatineau est le gouvernement fédéral. C'était l'expansion du gouvernement fédéral qui a été la véritable cause des problèmes financiers de Gatineau.

> Quand, M. Trudeau, votre gouvernement a décidé d'implanter 30 000 emplois au centre-ville de Hull au cours d'une période de 10 ans, vos fonctionnaires et les expropriés du centre-ville de Hull ont lancé Gatineau sur la voie d'une urbanisation beaucoup trop rapide, urbanisation qui a entraîné plus de dépenses qu'elle n'a rapporté de revenus[64].

La faute du gouvernement fédéral est double; non seulement son intervention à Hull a déclenché une croissance trop rapide et mal planifiée, mais ses politiques favorisent Hull au détriment de Gatineau. C'est pour cette raison qu'A.G., en plus de demander de l'aide financière au gouvernement fédéral[65], a exigé la réouverture des ententes tripartites dans le but d'en faire bénéficier Gatineau et non seulement Hull. De plus, Action-Gatineau a fait pression sur le gouvernement fédéral afin que l'est de la Gatineau devienne une région désignée dans le cadre des programmes du ministère de l'Expansion économique régionale.

Même si Action-Gatineau considérait le gouvernement fédéral comme premier responsable des problèmes gatinois, ses revendications visaient également le gouvernement québécois et le gouver-

---

[63]   ACTION-GATINEAU, *Les taxes à Gatineau: Aide-toi et Action-Gatineau t'aidera*, p. 1.

[64]   *Ibid.*, p. 3.

[65]   «C'est le gouvernement fédéral qui a créé ce problème à Gatineau, qu'il aide à en rendre le coût aussi supportable aux résidents de Gatineau qu'à ceux d'Ottawa». (*Ibid.*, p. 4).

nement régional. D'ailleurs sa demande de faire rouvrir les ententes tripartites visait l'ensemble des appareils étatiques supérieurs. En décembre 1976, Action-Gatineau a rendu public une étude sur la question des finances municipales dans laquelle le parti préconisait des solutions «qui impliquent une réouverture complète de notre dossier des 'surtaxés' par le nouveau gouvernement du Parti Québécois et de député élu de Papineau, M. Jean Alfred[66]». Le fait que M. Alfred ait été un des échevins élu sous la bannière d'Action-Gatineau a sûrement rehaussé les espoirs d'Action-Gatineau quant à la possibilité de cette «réouverture complète[67]».

Si la question des subventions municipales relevait du gouvernement québécois, celle de la planification régionale, et donc de la place accordée à Gatineau par rapport aux autres municipalités de la région, relevait de la C.R.O. Action-Gatineau reprochait justement à la C.R.O. la priorité donnée à Hull, tout en approuvant le fait que Gatineau était favorisé aux dépens d'Aylmer. A.G. a critiqué les prévisions de la C.R.O. pour les emplois du gouvernement fédéral au centre-ville et il a suggéré un moratoire sur la construction de nouveaux édifices ou d'équipements collectifs à Hull.

> La C.R.O. doit en toute équité repenser sa politique d'aménagement du centre-ville régional afin de permettre un développement harmonieux et équilibré de toutes les municipalités de l'Outaouais[68].

Les revendications d'Action-Gatineau insistent principalement sur la responsabilité des agents extérieurs à Gatineau pour les problèmes de Gatineau. Mais le parti a aussi préconisé certaines solutions internes. À court terme, il envisageait des mesures de contrôle sévères sur les dépenses. À plus long terme, Action-Gatineau voyait une solution dans l'augmentation de l'activité commerciale et industrielle à Gatineau. La création d'un centre-ville était perçue comme un des meilleurs moyens pour arriver à cette diversification des fonctions de Gatineau.

Les revendications d'Action-Gatineau touchent surtout les finances publiques, envisagées dans une optique régionale. Selon A.G., ce sont les interventions gouvernementales à l'échelle régionale qui ont produit la situation existante et c'est à partir d'une analyse régionale qu'il envisage des solutions pour Gatineau. La

---

[66] ACTION-GATINEAU, *Les surtaxés de Gatineau: des solutions* (communiqué de presse), le 3 décembre, 1976, p. 1.

[67] Et peut-être aussi le fait qu'un autre des élus d'Action-Gatineau, le maire John Luck, était un ancien candidat du Parti québécois dans le comté de Papineau pour l'élection de 1973. D'ailleurs les affinités entre Action-Gatineau et le Parti québécois sont nombreuses, tant au niveau de l'idéologie qu'à celui des membres.

[68] *Le Droit*, «Action-Gatineau réclame un moratoire sur la construction», le 11 septembre, 1976.

perspective est régionale mais les solutions sont abordées strictement en fonction des intérêts de Gatineau et non pas de toute la région [69].

Les actions du parti peuvent être divisées en trois catégories: les études, la participation à des mouvements populaires et l'activité électorale. Le travail de recherche d'Action-Gatineau a été fait dans le but de préparer des revendications précises et détaillées afin de les présenter aux gouvernements. Ces études ont surtout porté sur des questions financières et les résultats étaient présentés en même temps aux gouvernements et au public.

Action-Gatineau a participé activement au mouvement des surtaxés de Gatineau et également à la mobilisation concernant la question du centre-ville à Gatineau. En plus de préparer une étude sur la question des taxes, A.G. a récolté 12 000 noms (en une seule soirée) dans une pétition réclamant l'action du gouvernement municipal. Un peu plus tard, 500 personnes ont marché sur l'hôtel de ville pour appuyer les efforts d'Action-Gatineau. En dépit de son élan initial, le mouvement des surtaxés n'a pas duré.

Dans le conflit concernant le centre-ville de Gatineau, Action-Gatineau a participé au regroupement des citoyens au sein du Comité du centre-ville de Gatineau. Le comité a recueilli 7 500 noms dans une pétition demandant un référendum sur le centre-ville, mais la demande a été refusée par le conseil municipal.

Au début, Action-Gatineau avait envisagé un système de conseil de quartiers mais, en réalité, il y a eu peu d'organisation au niveau des quartiers. L'organisation centrale existait mais Action-Gatineau n'a pas vraiment structuré des organisations décentralisées de façon permanente. Cette situation indique que l'élément technocratique d'Action-Gatineau pesait plus fort que le courant participationniste. Cette faiblesse au niveau de l'organisation d'Action-Gatineau a été démontrée lors des élections partielles d'avril 1978 où les candidats d'A.G. ont été nettement battus. D'ailleurs cette expérience a entraîné une remise en question au sein de l'organisme qui l'a amené, au printemps 1979, à se définir plutôt comme groupe de pression.

Les traits marquants d'Action-Gatineau sont son orientation rationnelle, technocratique et gestionnaire, l'importance qu'il a accordé à des questions fiscales, le peu d'organisation au niveau des quartiers, l'importance d'un travail de recherche en vue de la for-

---

[69] Ceci ressort très clairement du mémoire d'Action-Gatineau sur le schéma d'aménagement de la C.R.O. En dépit de l'importance accordée par A.G. à la planification rationnelle, on ne discute nullement s'il est vraiment rationnel de favoriser également toutes les municipalités de la région.

LES ORGANISMES POPULAIRES ET LES ENJEUX URBAINS

mulation de recommandations précises et, finalement, sa perception de l'impact de la ségrégation urbaine sur les municipalités de banlieue tout en envisageant des solutions dans une perspective beaucoup plus technique que politique.

Notre objectif dans ce chapitre a été d'étendre notre analyse de façon à inclure les couches populaires. Jusqu'à maintenant, notre analyse s'était concentrée sur le conflit entre fractions de la bourgeoisie, et particulièrement sur la lutte menée par la petite bourgeoisie locale pour garder une place importante dans les processus d'appropriation du sol et de la production du cadre bâti. Nous avons voulu démontrer que ce conflit a des conséquences sur les couches populaires. Loin d'être les observateurs désintéressés de la scène politique régionale ; les enjeux de cette scène sont fondamentaux dans la détermination des conditions de la reproduction de la force de travail. De plus, l'analyse des organismes régionaux démontre qu'il y a des efforts, des moments de mobilisation.

Conclusion

L'objectif principal de cette étude était de dégager les mécanismes économiques et le sens politique de l'intervention de l'État local dans le processus de production du cadre bâti. Ce qui ressort avec force de notre étude, c'est que l'intervention de l'État local a été fortement influencée bien sûr par la logique du grand capital mais aussi, et de façon importante, par la petite bourgeoisie locale. Les différentes classes, et fractions de classe, ont réussi à orienter les actions de l'État dans des directions favorables à leurs intérêts. Le rôle de l'État, principalement au niveau du financement et de la mise en place des infrastructures, a des effets appréciables sur l'accumulation du capital et sur la répartition de la rente foncière engendrée par l'urbanisation. Pour être en mesure d'utiliser les appareils politiques locaux, le contrôle politique de ces appareils devient un enjeu vital pour les différentes fractions de classe actives dans la production du cadre bâti.

L'importance de l'État local, particulièrement pour la petite bourgeoisie locale, ressort également de l'analyse de l'intervention des autres instances étatiques. En effet, bien que la transformation du centre-ville de Hull, processus mis en branle par les gouvernements fédéral et québécois, ait été modelée d'après les intérêts du grand capital, et bien que le rôle de l'État local, surtout dans le cas de Hull, ait été d'appuyer cette politique de rénovation urbaine, on ne peut passer sous silence le rôle important de l'État local en tant qu'instrument de la défense des intérêts de la petite bourgeoisie locale. Le rôle de l'État local a été de permettre à certains éléments de la petite bourgeoisie locale de récupérer une partie de la rente générée par l'intervention du grand capital au centre.

La symbolique en quelque sorte de l'abdication du centre par la petite bourgeoisie locale au profit du grand capital se traduit dans les faits par une augmentation des activités en périphérie de la fraction de la petite bourgeoisie locale impliquée dans la production du cadre bâti, et du rôle des États locaux périphériques comme agent support des intérêts de cette même petite bourgeoisie locale.

Les politiques en matière d'infrastructure sont d'une importance cruciale, car la petite bourgeoisie locale n'est pas en mesure d'assumer l'ensemble des coûts des infrastructures. Avec l'État local comme appui, cette fraction de classe peut tenter de préserver une place profitable dans le processus d'urbanisation. Cependant, même à la périphérie, la position de la petite bourgeoisie locale n'est pas assurée. Ses assises se rétrécissent ; elle se voit de plus en plus confinée à certains secteurs d'activité et elle n'est pas assurée de l'appui de l'État, même localement. Pourtant, et c'est ici que l'exemple du centre-ville de Gatineau demeure intéressant, certaines parties de cette petite bourgeoisie locale mènent des luttes vives pour se maintenir en place. Certaines résistances se manifestent, certaines oppositions émergent entre la petite bourgeoisie locale et le grand capital.

Cette lecture économique de l'intervention de l'État local doit être associée à une lecture politique du même phénomène. Pendant la période étudiée, les représentants de la petite bourgeoisie locale ont pris le contrôle politique des États locaux. Ce phénomène s'est produit à des rythmes variant selon les différentes municipalités et les changements au sein de la population (dans la plupart des cas, d'agriculteur à banlieusard) se sont traduits en changement politique suivant des scénarios particuliers à chaque municipalité. Mais ce contrôle politique n'est pas immuable et, vers la fin de notre période d'étude, certains indices suggèrent que la domination politique au niveau local de la petite bourgeoisie locale est peut-être menacée. Les changements dans les structures politiques sont révélateurs à cet égard ; la régionalisation et le regroupement ne favorisent pas nécessairement les intérêts de la petite bourgeoisie locale. Bien que ces changements ont permis la continuation de l'expansion résidentielle et donc de l'activité de la petite bourgeoisie locale, à plus long terme ces nouvelles structures étatiques risquent d'être moins sensibles aux intérêts, et aux pressions, de la petite bourgeoisie locale.

Le rôle grandissant de l'État, son emprise de plus en plus grande sur l'espace, s'accompagnent de changements dans les structures et le personnel de l'État. La régionalisation et le regroupement amènent, avec eux, un renforcement des appareils bureaucratiques. Les services d'urbanisme sont créés, ou aggrandis, et les urbanistes traduisent, en mesures concrètes, cette volonté de l'État d'assurer le contrôle de son espace. La bureaucratisation des appareils politiques est contestée par la petite bourgeoisie locale mais, malgré des résistances et même des conflits, cette tendance se maintient et se renforce.

La production de l'espace résulte donc des rapports de force entre différentes classes sociales. La logique de l'aménagement de l'espace n'est pas celle d'une rationalité abstraite, elle est une logique sociale perceptible à travers une analyse en termes d'intérêts de classe. Si l'État est de plus en plus l'aménageur de l'espace, cet État n'est pas socialement neutre. Ses actions favorisent les intérêts de certaines classes, elles nuisent à d'autres. Le sens de l'intervention de l'État est particulièrement transparent au niveau local, mais il n'est pas de nature différente à d'autres niveaux. La question spatiale est partout importante, allant de la localisation de la production à l'échelle mondiale jusqu'à l'utilisation de l'espace résidentiel à l'échelle locale par différentes classes sociales. L'espace, tout comme l'État, n'est pas neutre. L'État, en aménageant l'espace, l'infléchit selon sa propre logique sociale.

Notre étude de l'Outaouais québécois a dégagé des éléments de cette logique ou de cette stratégie sociale de l'État. L'État s'efforce de créer une alliance entre les différentes fractions de la bourgeoisie, ou du moins à contenter certaines des revendications des différentes fractions de la classe dominante. Cette tâche de régulation de l'ensemble des intérêts de la bourgeoisie n'est pas chose facile car, comme nous l'avons déjà vu, certaines contradictions se sont clairement manifestées entre les intérêts de la petite bourgeoisie locale et ceux du grand capital. Les États tentent, surtout en préconisant un développement urbain presque sans bornes, à faire bénéficier l'ensemble de la bourgeoisie. La planification, et c'est ici que l'étude du schéma d'aménagement de la C.R.O. est révélatrice, acquiert de l'importance comme outil d'harmonisation minimale des intérêts de l'ensemble de la classe dominante.

Pour maintenir une cohésion sociale, l'État doit chercher une certaine intégration de l'ensemble de la population à sa vision du développement urbain. L'État vise à minimiser le mécontentement populaire et surtout à empêcher que ce mécontentement se manifeste de façon organisée et collective. Dans certains cas, et ici la ville de Hull sert d'exemple, l'État local tente de mitiger l'impact des problèmes causés par l'imposition d'un modèle de développement au niveau de la population et, également, à en réduire les coûts. Dans d'autres cas, comme par exemple celui du mouvement des « surtaxés » de Gatineau, l'appareil politique local a simplement attendu que le mouvement disparaisse, jugeant que cette manifestation de colère populaire ne durerait pas.

Mais plus évident encore que ce rôle d'intégration sociale est la participation active de l'ensemble de l'État, y compris l'État local, à la domination exercée par la bourgeoisie. Toute la forme de développement urbain que nous avons étudiée démontre cette domination: le centre de la région accaparé par de grandes compagnies immobilières et la population ouvrière repoussée en périphérie. Les politiques étatiques, notamment en matière d'infrastructure, sont d'une importance centrale dans cette transformation. Les autoroutes mènent au centre-ville, les infrastructures ont été faites ou refaites de façon à encourager la construction de bureaux et d'appartements de luxe au centre-ville avec un développement résidentiel à basse densité en périphérie. L'espace régional se structure de plus en plus en fonction des intérêts du grand capital et de l'État.

Cette domination est clairement visible, comme en témoignent les immenses immeubles gouvernementaux du centre-ville et la morne homogénéité de la banlieue.

Cette domination n'est possible qu'en fonction d'une répression à l'égard des classes dominées. Cette répression n'est pas surtout d'ordre physique, elle est beaucoup plus une répression des besoins. Elle s'exerce par l'imposition d'un modèle de développement urbain car, est-ce nécessaire de le rappeler, les classes populaires n'ont pas eu de choix, ni dans le centre-ville où elles ont été expropriées, ni en périphérie où elles n'ont eu que celui d'une série de maisons tout à fait identiques. La logique actuelle de l'aménagement de l'espace permet, et même accentue, certains besoins mais elle en réprime d'autres. La consommation individuelle et familiale est encouragée, mais que faire du besoin de logements décents à des prix abordables, du besoin d'équipements collectifs tels que parcs et garderies, ou encore du besoin d'appartenance à une communauté, du besoin de solidarité collective? Ce sont ces besoins qui ont été étouffés et ignorés par le modèle de développement urbain mis en place dans l'Outaouais québécois.

Note au lecteur

À la fin de notre recherche, nous nous retrouvons avec une conscience aiguë du caractère partiel de notre étude. Ayant, au début, voulu situer l'urbanisation de l'Outaouais québécois dans sa dynamique sociale et politique globale, nous sommes devenus très conscients des choix que nous avons effectués et des limites de l'analyse imposées par ces choix. Nous avons décidé de partager ces préoccupations avec le lecteur, non pas parce que nous croyons qu'il ne soit pas aperçu lui-même de ces limites et non pas pour échapper à des critiques en disant que nous avons choisi telle orientation plutôt que telle autre, mais plutôt pour clarifier la nature de cette recherche, les rapports entre celle-ci et d'autres possibilités de recherche ainsi que les rapports entre ce projet et la réalité sociale de l'Outaouais québécois.

Notre étude s'est concentrée sur les questions de l'État, de l'espace et du logement. Nous avons voulu voir quel rôle joue l'État, et particulièrement au palier local, dans le processus d'urbanisation et quels intérêts sociaux sont favorisés par ses actions. En précisant qu'il s'agit du rôle de l'État dans le processus d'urbanisation, nous avons privilégié l'aspect spatial et l'analyse de l'utilisation de l'espace par les différentes classes sociales. Cette préoccupation spatiale est, d'ailleurs, une des raisons qui expliquent notre intérêt pour la scène locale et régionale; il nous semble que c'est à ce niveau que nous pouvons saisir l'insertion des agents sociaux dans l'espace, que c'est ici que l'aspect spatial des luttes politiques est le plus transparent. Et, finalement, comme un des éléments structurants de l'espace (et un élément essentiel à la reproduction de la force de travail), nous avons accordé une importance particulière à la question du logement.

En ayant choisi de nous concentrer sur la question de la reproduction de la force de travail, des questions relatives à la production et aux rapports capital-travail ont reçu peu d'attention. Par exemple, même si nous avons étudié le cas des constructeurs, nous n'avons pas étudié celui des travailleurs de la construction. Cette question est pourtant très importante pour comprendre la situation de la classe ouvrière dans la région de l'Outaouais québécois et également pour comprendre l'ensemble du processus de production du cadre bâti. Ou encore, nous n'avons pas étudié l'évolution de cette partie de la force du travail qui s'est urbanisée pendant la période de notre étude, ou le mouvement des « ruraux » vers la ville, leurs conditions de travail et de vie ainsi que l'impact de l'urbanisation sur d'autres parties de la population rurale qui, sans déménager en ville, sont devenus des «urbains». Toutes ces questions restent à être examinées dans une étude future. Nous ne disons nullement qu'elles ne sont pas des questions importantes pour saisir la signification de l'urbanisation de l'Outaouais québécois, nous soulignons seulement qu'elles n'ont pas été abordées dans cette étude.

Même sur la question de la reproduction de la force de travail, notre étude a privilégié le logement, le sol et les infrastructures nécessaires à la mise en valeur du logement. Toute la question de la reproduction élargie de la force de travail, c'est-à-dire les écoles, les hôpitaux, les autres services sociaux, a été laissée de côté. Ce choix a également motivé notre sélection des organismes populaires. Nous n'avons pas étudié les mobilisations populaires concernant les revendications dans les domaines de la santé, des services sociaux, de l'égalité des femmes, etc.

Notre analyse aura également peu porté sur la question de l'idéologie et du rôle des idéologies dans le maintien du modèle existant de développement urbain. Son importance est suggérée mais non pas explicitée dans notre étude. Il est évident que des concepts comme le progrès, la modernité, la propriété privée, la maison unifamiliale en banlieue, etc., sont d'une importance capitale pour expliquer l'acceptation par la population du type de société urbaine que nous avons étudié. Bien que beaucoup de ces éléments idéologiques ne soient pas particuliers à l'Outaouais québécois, certaines variantes ou certaines formulations régionales sont importantes pour comprendre les enjeux urbains de notre région. L'impact, par exemple, d'une image dualiste d'une belle ville d'Ottawa et d'une ville de Hull laide ne doit pas être sous-estimé comme facteur explicatif de l'acceptation de la transformation du centre-ville de Hull. Encore ici, nous ne pouvons que souhaiter que d'autres chercheurs viennent combler ces lacunes.

Notre but n'est pas d'établir une liste de tout ce que nous n'avons pas fait dans cette étude. Il s'agit plutôt de préciser les limites imposées par nos orientations fondamentales — l'État, l'espace et le logement. C'est au lecteur d'évaluer la justesse de ces choix.

Achevé d'imprimer à Montmagny
par les travailleurs des ateliers Marquis Ltée
le 25 juin 1981